O PADRÃO BITCOIN
A ALTERNATIVA DESCENTRALIZADA
AO BANCO CENTRAL

EDIÇÃO BRASILEIRA

Saifedean Ammous

Tradução:
Guilherme Bandeira

Revisão de texto:
Breno Brito

MONSTERA BOOKS

| KONSENSUS NETWORK |

★

© 2020 Tradução Português brasileiro: Guilherme Bandeira
Revisão de texto: Breno Brito
Publicado por: Konsensus Network
O Padrão Bitcoin (Edição Brasileira): A Alternativa Descentralizada ao Banco Central

Envie-nos o seu feedback relativamente à tradução para:
info@konsensus.network, https://konsensus.network

Distribuição: Monstera Books https://monsterabooks.com

Site do autor: https://saifedean.com

ISBN 978-9949-7457-8-4

2ª edição, Versão 2.0.0. 16.10.2021

Design da capa do livro: Wiley / Niko Laamanen
Imagens da capa do livro: pedra Rai © Yusuke Kawasaki / wikimedia; barras de ouro © Grassetto / Getty Images, LLC; código QR / Saifedean Ammous

Composição: Niko Laamanen, Breno Brito

À minha esposa e filha, que me deram uma razão para escrever. E a Satoshi Nakamoto, que me deu algo sobre o qual vale a pena escrever.

Sumário

Sumário

Sobre o Autor

Saifedean Ammous é um acadêmico independente que pesquisa e ensina bitcoin e economia na tradição da escola austríaca em seu site: www.saifedean.com.

PREFÁCIO

E M março de 2020, o mundo foi atingido por uma pandemia que paralisou segmentos inteiros de nossa economia e interrompeu padrões de comportamento aos quais todos nos acostumamos ao longo de centenas de anos. Escritórios e escolas fechados, reuniões públicas cessaram, viagens comerciais e recreativas foram interrompidas e reuniões pessoais tornaram-se impossíveis ou impraticáveis. Lojas foram fechadas, fábricas paralisadas, aviões parados, navios ancorados, estradas bloqueadas e fronteiras fechadas.

A resposta monetária dos formuladores de políticas a esse choque econômico foi sem precedentes. A oferta de moeda expandiu-se à taxa mais rápida da história moderna, com todas as nações envolvidas em compras agressivas de ativos, estímulos fiscais, gastos deficitários e supressão das taxas de juros. O resultado foi uma recuperação em forma de K - as empresas ricas em ativos rapidamente se recuperaram e tiveram seu melhor desempenho no ano do século, enquanto as empresas operacionais viram suas receitas entrarem em colapso e seus lucros se dissiparem.

A dissonância cognitiva era desconcertante, assim como a massiva redistribuição de riqueza. As empresas puramente digitais viram sua demanda e receita explodir para cima. Os setores de varejo, viagens, hospitalidade e entretenimento físicos lutaram para permanecer solventes. A MicroStrategy foi posicionada no meio deste cenário econômico - e passamos todo o segundo trimestre transformando nossas operações para torná-las digitais em primeiro lugar, reconstruindo as operações de vendas, marketing e serviços em nosso site e implementando videoconferência, automação, serviços em nuvem, e trabalho remoto.

Em junho, havíamos trabalhado e obtido informações suficientes para concluir que o baú de quinhentos milhões de dólares que estávamos economizando para um dia chuvoso não teria utilidade no novo mundo virtual, e provavelmente geraríamos mais quinhentos milhões em fluxo de caixa devido à nossa transformação digital. A boa notícia é que tínhamos muito caixa e uma grande perspectiva de gerar mais com o tempo. A má notícia era que a taxa de inflação monetária triplicou e o preço de outros ativos estava explodindo pela taxa mais rápida desta geração. Nosso tesouro era um cubo de gelo que derretia rapidamente e precisávamos agir logo se não quiséssemos ver todo o valor que ele representava ser desperdiçado.

Isso catalisou uma corrida louca por uma solução para o nosso problema. Como uma empresa moderna protege seu balanço em um ambiente de inflação monetária onde a moeda está perdendo quinze por cento de seu poder de compra a cada ano, enquanto os retornos após impostos dos instrumentos tradicionais de tesouro disponíveis são efetivamente zero? Uma empresa que gera setenta e cinco milhões de dólares por ano em fluxo de caixa, mantendo quinhentos milhões em saldos do tesouro com um rendimento real negativo de quinze por cento, está destruindo tanto valor para os acionistas quanto está criando. Em essência, estávamos correndo o máximo que podíamos para ficar parados.

Depois de considerar e descartar dinheiro, títulos, imóveis, ações, derivativos, arte, commodities[1] e itens colecionáveis como ativos de tesouraria, ficamos apenas com metais preciosos e criptomoedas. Foi neste ponto em minha busca por uma solução que descobri O Padrão bitcoin, de Saifedean Ammous, e foi este livro, mais do que qualquer outro, que forneceu a estrutura econômica holística de que eu precisava para interpretar as forças macroeconômicas que remodelam nosso mundo, distorcendo nossos mercados e golpeando as corporações.

O Padrão bitcoin deve ser leitura obrigatória para todos na sociedade moderna. Ele oferece uma narrativa concisa e coerente da teoria monetária, história do dinheiro, economia prática e do impacto das políticas públicas nos negócios, cultura e economia. O livro contém talvez uma das melhores articulações das virtudes do dinheiro forte e dos perigos da moeda fraca já apresentadas na literatura de negócios moderna. O Padrão bitcoin também desmascara magistralmente os mitos da teoria monetária moderna e as ideias erradas que têm dominado a escola econômica fiduciária de pensamento desde o início do século 20.

Em maio de 2020, este livro foi fundamental para me levar a concluir que o bitcoin era a solução para nosso problema de tesouraria corporativa. Nossa empresa decidiu investir nossos ativos de caixa em bitcoin em agosto de 2020, eventualmente adotando-o como nosso principal ativo de reserva do tesouro e comprando US$ 2,2 bilhões em BTC nos seis meses seguintes. O Padrão bitcoin nos ajudou a perceber que a melhor estratégia de negócios para nossa empresa era manter apenas um pequeno saldo de capital de giro em moedas fiduciárias, transferindo o restante de nossos fluxos de caixa para nosso tesouro e convertendo essas somas em bitcoin assim que possível. Enquanto escrevo estas palavras, 99% de nossos ativos são armazenados em bitcoin, com o 1% restante armazenado nas moedas locais necessárias

---

[1](N.T.) Commodities são mercadorias geralmente em estado bruto ou pouco processadas com características homogêneas, o que facilita sua padronização e financeirização, como açúcar, café, soja, gado, ouro, prata, petróleo, etc.

para fazer negócios em vários mercados. Em essência, a MicroStrategy adotou o padrão bitcoin.

O Padrão bitcoin é minha primeira recomendação para aqueles que buscam uma apreciação holística da teoria econômica, história política e desenvolvimentos tecnológicos que impulsionaram o crescimento da rede bitcoin e definem sua trajetória futura. É adequado para pessoas físicas, investidores, executivos, tecnólogos, políticos, jornalistas e acadêmicos, independentemente de sua agenda. Bitcoin é a primeira rede monetária digital do mundo. Bitcoin também é o primeiro ativo monetário de engenharia do mundo. Juntos, esses traços representam a tecnologia mais inovadora do mundo, a maior oportunidade atualmente disponível para aqueles que desejam criar algo novo e maravilhoso e a solução para o problema de armazenamento de valor enfrentado por 7,8 bilhões de pessoas, mais de 100 milhões de empresas e centenas de trilhões de dólares de capital de investidor.

Espero que você goste deste livro tanto quanto eu e se beneficie das idéias contidas nestas páginas.

Michael J. Saylor
Presidente e CEO da MicroStrategy

Miami Beach, FL,
24 de março de 2021

PRÓLOGO

E M 31 de outubro de 2008, um programador usando o pseudônimo Satoshi Nakamoto enviou um e-mail para uma lista de e-mails de criptografia para anunciar que havia produzido um "novo sistema de dinheiro eletrônico totalmente ponto-a-ponto, sem um terceiro de confiança"[1]. Ele copiou o resumo do artigo explicando o design e um link para ele on-line. Em essência, o bitcoin oferecia uma rede de pagamentos com sua própria moeda nativa e usaria um método sofisticado para os membros verificarem todas as transações sem ter que confiar em nenhum membro da rede. A moeda foi emitida a uma taxa predeterminada para recompensar os membros que gastaram seu poder de processamento na verificação das transações, proporcionando assim uma recompensa por seu trabalho. O surpreendente dessa invenção foi que, ao contrário de muitas outras tentativas anteriores na criação de um *dinheiro digital*, ela realmente funcionou.

Apesar do design inteligente e arrojado, não havia muito que sugerisse que um experimento tão peculiar interessaria qualquer pessoa fora dos círculos dos geeks de criptografia. Durante meses, esse foi o

---

[1] O e-mail completo pode ser encontrado no arquivo do Instituto Satoshi Nakamoto, onde estão todos os escritos conhecidos de Satoshi Nakamoto, disponível em www.nakamotoinstitute.org

caso, com poucas dezenas de usuários em todo o mundo se unindo à rede e participando da mineração e enviando moedas que começaram a adquirir o status de colecionáveis, embora em formato digital.

Mas em outubro de 2009, uma casa de câmbio virtual[2] vendeu 5.050 bitcoins por US$ 5,02, a um preço de US$ 1 por 1.006 bitcoins, para registrar a primeira compra de bitcoin com dinheiro[3]. O preço foi calculado medindo-se o valor da eletricidade necessária para produzir um bitcoin. Em termos econômicos, esse momento seminal foi sem dúvida o mais significativo na vida do bitcoin. Bitcoin não era mais apenas um jogo digital sendo jogado dentro de uma comunidade marginal de programadores; agora se tornara um bem de mercado com um preço, indicando que alguém em algum lugar havia desenvolvido uma avaliação positiva para ele. Em 22 de maio de 2010, alguém pagou 10.000 bitcoins para comprar duas pizzas no valor de US$ 25, representando a primeira vez que o bitcoin foi usado como meio de troca. O *token* precisou de sete meses para passar de um bem de mercado para um meio de troca.

Desde então, a rede bitcoin cresceu em número de usuários, transações e no poder de processamento dedicado a ela, conforme o valor de sua moeda aumentava rapidamente, ultrapassando US$ 7.000 por bitcoin em novembro de 2017[4]. Após oito anos, fica claro que esta invenção não é mais apenas um jogo on-line, mas uma tecnologia que passou no teste do mercado e está sendo usada por muitos para fins do mundo real, com sua taxa de câmbio sendo regularmente exibida na TV, em jornais e em sites da Web ao lado das taxas de câmbio das moedas nacionais.

Bitcoin pode ser melhor entendido como um software distribuído

---

[2] A já extinta New Liberty Standard

[3] Nathaniel Popper, *Digital Gold* (Harper, 2015) [1]

[4] Em outras palavras, nos oito anos em que foi uma commodity de mercado, um bitcoin valorizou cerca de oito milhões de vezes, ou, precisamente 793.513.944%, do seu primeiro preço de US$ 0,000994, à sua maior alta histórica no momento em que esta obra está sendo escrita, US$ 7.888.

que permite a transferência de valor usando uma moeda protegida contra uma inflação inesperada sem depender de terceiros de confiança. Em outras palavras, o bitcoin automatiza as funções de um banco central moderno e as torna previsíveis e virtualmente imutáveis, programando-as em códigos descentralizados entre milhares de membros da rede, nenhum dos quais pode alterar o código sem o consentimento do resto. Isso faz do bitcoin o primeiro exemplo operacional comprovadamente confiável de *dinheiro digital e moeda forte digital.* Embora o bitcoin seja uma nova invenção da era digital, os problemas que pretende resolver - ou seja, fornecer uma forma de dinheiro que esteja sob o comando total de seu proprietário e que provavelmente mantenha seu valor no longo prazo - são tão antigos como a própria sociedade humana. Este livro apresenta uma concepção desses problemas com base em anos de estudo dessa tecnologia e dos problemas econômicos que ela resolve, e como as sociedades encontraram anteriormente soluções para elas ao longo da história. Minha conclusão pode surpreender aqueles que classificam o bitcoin como uma farsa ou ardil de especuladores e propagandistas para ganhar dinheiro rapidamente. De fato, o bitcoin aprimora as soluções anteriores para "*reserva de valor*", e a adequação do bitcoin como *moeda sonante*[5] da era digital pode pegar os pessimistas de surpresa.

A história pode trazer o presságio do que está por vir, principalmente quando examinada de perto. E o tempo dirá o quão sólido é o argumento apresentado neste livro. Como deve ser, a primeira parte do livro explica o dinheiro, sua função e propriedades. Como

---

[5] (N.T.) Apesar de muitas vezes traduzido em outros textos como moeda forte, moeda estável ou moeda saudável, optou-se por traduzir literalmente "sound money" por moeda sonante tendo em vista que o autor utiliza "hard money"e "strong currency"em outras passagens e estra tradução é utilizada em outros livros de economia.

O termo "sonante"vem do som emitido pelas moedas puras em contraste com as diluídas com outros metais. De acordo com Mises é o que o mercado escolhe livremente para ser dinheiro, e que permanece sob o controle de seu proprietário, a salvo de interferências e intervenções coercitivas.

economista com formação em engenharia, sempre busquei entender uma tecnologia em termos dos problemas que ela pretende resolver, o que permite identificar sua essência funcional e separar características incidentais, cosméticas e insignificantes. Ao entender os problemas que o dinheiro tenta resolver, torna-se possível elucidar o que gera uma moeda sonante e uma moeda fraca e aplicar essa estrutura conceitual para entender como e por que diversos bens, como conchas do mar, miçangas, metais e dinheiro governamental serviram à função do dinheiro e como e por que eles podem ter falhado nesta função ou servido aos propósitos da sociedade de armazenar e trocar valor.

A segunda parte do livro discute as implicações individuais, sociais e globais de formas sonantes e fracas de moeda ao longo da história. A moeda sonante permite que as pessoas pensem no longo prazo e poupem e invistam mais no futuro. Poupar e investir para longo prazo são a chave para a acumulação de capital e o avanço da civilização humana. O dinheiro é o sistema de informação e medição de uma economia, e a moeda sonante é o que permite que o comércio, o investimento e o empreendedorismo prossigam de maneira sólida, enquanto a *moeda fraca* coloca esses processos em desarranjo. A moeda sonante também é um elemento essencial de uma sociedade livre, pois fornece um baluarte eficaz contra governos despóticos.

A terceira seção do livro explica a operação da rede do bitcoin e suas características econômicas mais salientes e analisa os possíveis usos do bitcoin como uma forma de moeda sonante, discutindo alguns casos de uso que o bitcoin não serve bem, assim como abordando alguns dos mal-entendidos e equívocos mais comuns que o cerca.

Este livro foi escrito para ajudar o leitor a entender a economia do bitcoin e como ele serve como a iteração digital das muitas tecnologias usadas para cumprir as funções do dinheiro ao longo da história. Este livro não é uma propaganda ou convite para comprar a moeda bitcoin. Longe disso. O valor do bitcoin provavelmente permanecerá volátil, pelo menos por um tempo; a rede bitcoin ainda pode ter sucesso ou falhar, por quaisquer razões previsíveis ou imprevisíveis; e usá-lo requer competência técnica e traz riscos que o tornam inadequado para muitas pessoas. Este livro não oferece consultoria de investimento, mas visa ajudar a elucidar as propriedades econômicas da rede e sua operação para prover aos leitores um entendimento informado antes de decidir se desejam usá-la.

Somente com esse entendimento sobre bitcoin, e somente após uma extensa e detalhada pesquisa sobre os aspectos operacionais práticos de possuir e armazenar bitcoins, alguém deve considerar manter valores em bitcoin. Enquanto o aumento do valor de mercado do bitcoin pode fazer com que pareça algo óbvio como investimento, um olhar mais atento à miríade de hacks, ataques, golpes e falhas de segurança que custaram às pessoas seus bitcoins fornece um aviso preocupante para quem pensa que possuir bitcoins fornece um lucro garantido. Se você sair deste livro pensando que a moeda bitcoin é algo que vale a pena possuir, seu primeiro investimento não deve ser na compra de bitcoins, mas no tempo gasto para entender como comprar, armazenar e possuir bitcoins de forma segura. É da natureza inerente do bitcoin que esse conhecimento não possa ser delegado ou terceirizado. Não há alternativa à responsabilidade pessoal de qualquer pessoa interessada em usar esta rede, e esse é o investimento real que precisa ser feito para entrar no bitcoin.

1

DINHEIRO

BITCOIN é a mais nova tecnologia para servir a função de dinheiro – uma invenção que alavanca as possibilidades tecnológicas da era digital para resolver um problema que persistiu por toda a existência da humanidade: como mover valor através do tempo e do espaço. Para entender o bitcoin deve-se primeiro entender o dinheiro e, para entender o dinheiro, não há alternativa a não ser estudar a função e a história do dinheiro.

A maneira mais simples para pessoas transferirem valor é transferindo bens valiosos entre elas. Esse processo de *troca direta* é conhecido como escambo, mas só é prático em círculos pequenos com alguns tipos de bens e serviços produzidos. Em uma economia hipotética de uma dúzia de pessoas isoladas do mundo, não há muito escopo para especialização e troca, e seria possível para cada indivíduo se engajar na produção dos bens mais essenciais para sobrevivência e trocá-los entre eles diretamente. Escambo sempre existiu na sociedade humana e ainda continua hoje, mas é altamente impraticável e seu uso permanece em circunstâncias excepcionais, geralmente envolvendo pessoas com grande familiaridade entre si.

Em uma economia maior e mais sofisticada, surge a oportunidade para indivíduos se especializarem na produção de mais bens e para trocá-los com muito mais pessoas – pessoas com as quais eles não têm relacionamentos pessoais, estranhos com os quais é extremamente impraticável manter um registro de bens, serviços e favores. Quanto maior o mercado, maiores são as oportunidades para especialização e trocas, mas também maior o problema da *coincidência de desejos* – o que você quer adquirir é produzido por alguém que não quer o que você tem a vender. O problema é mais profundo do que diferentes requisitos para diferentes bens, pois há três diferentes dimensões do problema.

Primeiro, existe uma falta de coincidência em escalas: o que você deseja pode não ser igual em valor ao que você possui e a divisão de um deles em unidades menores pode não ser prático. Imagine querer vender sapatos por uma casa; você não consegue comprar a casa em pequenas porções, cada uma equivalente em valor a um par de sapatos, nem o dono da casa quer ter todos os sapatos cujo valor é equivalente ao da casa. Segundo, há falta de coincidência no tempo: o que você quer vender pode ser perecível, mas o que você deseja comprar é mais durável e valioso, tornando difícil acumular o suficiente do seu bem perecível para trocar por um bem durável num determinado momento. Não é fácil acumular a quantidade suficiente de maçãs para serem trocadas por um carro de uma vez, porque elas vão apodrecer antes que o negócio seja concluído. Terceiro, há falta de coincidência de locais: você pode querer vender uma casa em um lugar e comprar uma casa em outro lugar, e (a maioria das) casas não são transportáveis. Esses três problemas fazem da *troca direta* algo altamente impraticável e resultam em pessoas precisando recorrer a realizar mais camadas de transações para satisfazer suas necessidades econômicas.

Dinheiro

A única forma de evitar isso é por meio da *troca indireta*: você procura encontrar outro bem que outra pessoa desejaria e encontra alguém que irá trocá-lo com você por o que você deseja vender. Esse bem intermediário é um *meio* de troca e, ainda que qualquer bem possa servir como *meio de troca*, à medida que o escopo e tamanho da economia aumentam, torna-se impraticável para a pessoa constantemente buscar diferentes bens que sua contraparte esteja procurando, tendo que fazer diversas trocas para cada uma que deseja transacionar. Uma solução muito mais eficiente emergirá naturalmente simplesmente porque aqueles que usarem um único *meio de troca* (ou ao menos um pequeno número de meios de troca) serão muito mais produtivos do que aqueles que não usarem: ele emergirá para todos trocarem seus bens. Um bem que assume o papel de um *meio de troca* amplamente aceito é chamado de dinheiro.

Ser um *meio de troca* é a função por excelência que define o dinheiro – em outras palavras, é um bem comprado não para ser consumido (um bem de consumo), nem para ser empregado na produção de outros bens (um investimento, ou bem de capital), mas primordialmente para ser trocado por outros bens. Ainda que investimento é também feito para produzir renda para ser trocada por outros bens, é distinto de dinheiro em três aspectos: primeiro, ele oferece um ganho, enquanto o dinheiro não; segundo, sempre envolve um risco de fracasso, enquanto dinheiro supostamente deve carregar o menor risco; terceiro, investimentos são menos líquidos que dinheiro, precisando custos de transação significativos toda vez que precisam ser gastos. Isso nos ajuda a entender por que sempre haverá demanda por dinheiro e por que investimentos nunca poderão substituir o dinheiro por completo. A vida humana é vivida com a incerteza como um fato, e seres humanos não conseguem saber ao certo quando precisarão de que quantia de dinheiro[1]. É senso comum, e uma sabedoria antiga em virtualmente todas as culturas humanas, que indivíduos desejam guardar parte de sua riqueza em forma de dinheiro, pois é o mantimento mais líquido possível, permitindo ao mantenedor rapidamente liquidá-lo se precisar, e isso envolve menos risco do que qualquer investimento. O preço da conveniência de manter o dinheiro vem da renúncia do consumo que poderia ter sido feito com ele, e em forma da renúncia do ganho que poderia ter sido feito ao investi-lo.

Examinando essas escolhas humanas em situação de mercado, Carl Menger, o pai da escola austríaca de economia e fundador da análise marginal em economia, entendeu a propriedade chave que faz com que um bem seja adotado livremente como dinheiro no mercado, e ela é a *vendabilidade* – a facilidade com que um bem pode ser vendido no mercado sempre que o mantenedor desejar, com a menor perda em seu preço[2].

Em princípio, não há nada que estipule o que deve e o que não deve ser usado como dinheiro. Qualquer pessoa escolhendo comprar algo não por si só, mas com o objetivo de trocá-lo por outra coisa, está tornando este algo dinheiro *de fato* e, assim como as pessoas são diferentes, também serão suas opiniões e suas escolhas sobre o que constitui dinheiro. Através da história humana, muitas coisas serviram a função de dinheiro: ouro e prata, mais notadamente, mas também cobre, conchas, grandes rochas, sal, gado, títulos do governo, pedras preciosas, e até álcool e cigarros em determinadas condições. As escolhas das pessoas são subjetivas e, por isso, não há escolha "certa"

---

[1] Ver *Human Action* de Ludwig von Mises, p. 250 [2], para uma discussão sobre como a incerteza sobre o futuro é o principal fator de demanda e da guarda de dinheiro. Sem nenhuma incerteza sobre o futuro, seres humanos poderiam conhecer todas as suas receitas e despesas com antecedência e planejá-las da melhor maneira, para que nunca precisassem guardar dinheiro. Mas como a incerteza é uma parte inevitável da vida, as pessoas devem continuar guardando dinheiro para poderem gastar sem ter que conhecer o futuro.

[2] Carl Menger, "On the Origins of Money", *Economic Journal*, vol. 2 (1892): 239–255; tradução para o inglês de C. A. Foley. [3]

e "errada" do dinheiro. Há, porém, consequências para suas escolhas.

A vendabilidade relativa dos bens pode ser medida em termos de quão bem eles resolvem as três facetas do problema da falta de *coincidência de desejos*: sua vendabilidade entre escalas, através do espaço e do tempo. Um bem que é vendável em diferentes escalas pode ser convenientemente dividido em unidades menores e agrupado em unidades maiores, permitindo, então, ao mantenedor vendê-lo na quantidade que desejar. Vendabilidade através do espaço indica facilidade em transportar o bem ou carregá-lo enquanto a pessoa viaja, e isto tem levado o bom meio monetário geralmente a ter um alto valor por unidade de peso. Ambas características não são muito difíceis de estar presentes em um grande número de bens que podem potencialmente servir a função de dinheiro. É o terceiro elemento, a vendabilidade através do tempo, que é o mais crucial.

A vendabilidade de um bem através do tempo se refere à sua habilidade de manter valor no futuro, permitindo ao mantenedor guardar valor nele, o que é a segunda função do dinheiro: reserva de valor. Para um bem ser vendável através do tempo, ele deve ser imune ao apodrecimento, à corrosão, e a outros tipos de deterioração. É seguro dizer que qualquer um que pensou em preservar sua riqueza no longo prazo em peixes, maçãs ou laranjas aprendeu esta lição do jeito difícil, e provavelmente teve muita pouca razão para se preocupar em preservar riqueza durante um tempo. Integridade física através do tempo, entretanto, é uma condição necessária, mas insuficiente, para a vendabilidade através do tempo, pois é possível para um bem perder seu valor significativamente mesmo se sua condição física se mantiver inalterada. Para o bem manter seu valor, também é necessário que a oferta do bem não aumente muito drasticamente durante o período em que seu mantenedor o possuir. Uma característica comum das formas de dinheiro através da história é a presença de algum mecanismo para restringir a produção de nova unidades do bem para manter o valor das unidades existentes. A relativa dificuldade de produzir novas unidades monetárias determina a força da moeda: dinheiro cuja oferta é difícil de aumentar é conhecido como *moeda forte*, enquanto moeda fraca é a moeda cuja oferta é passível de grande aumento.

Nós podemos entender a força da moeda ao analisar duas quantidades distintas relacionadas à oferta de um bem: (1) o *estoque*, que é a oferta existente, consistindo em tudo que já foi produzido no passado, menos tudo que já foi consumido ou destruído; e (2) o *fluxo*, que é a produção extra que será feita no próximo período temporal. A razão entre o estoque e o fluxo é um indicador confiável da força de um bem como dinheiro, e do quão bem adequado ele está para desempenhar um papel monetário. Um bem que tenha uma baixa taxa de escassez[3] é um cuja oferta existente pode ser aumentada drasticamente se as pessoas começarem a usá-lo como reserva de valor. Um bem como este provavelmente não manterá seu valor se escolhido como uma reserva de valor. Quanto maior a razão entre o estoque e o fluxo, maior a probabilidade que um bem manterá seu valor ao longo do tempo e, portanto, mais vendável será através do tempo[4].

Se as pessoas escolhem uma moeda forte, com uma taxa de escassez alta, como reserva de valor, sua compra para estocá-la aumentará a demanda por ela, causando um aumento em seu preço, o que incentivará seus produtores a produzirem mais. Mas como o fluxo é pequeno se comparado ao estoque existente, é improvável que mesmo um grande aumento na nova produção deprima o preço significativamente. Por outro lado, se pessoas escolherem manter sua riqueza em dinheiro fácil, com uma taxa de escassez baixa, será trivial para os produtores deste bem criarem grandes quantidades dele, o que deprimiria seu preço, desvalorizaria o bem, expropriaria a riqueza dos poupadores, e destruiria a vendabilidade do bem através do tempo.

---

[3] A razão entre o estoque e o fluxo, do inglês stock-to-flow. (N.T.)

[4] Antal Fekete, *Whither Gold?* (1997) [4]. Ganhador do prêmio International Currency em 1996 patrocinado pelo Banco Lips.

Eu gosto de chamar isso de *armadilha da moeda fraca*: qualquer coisa usada como reserva de valor terá sua oferta aumentada, e qualquer coisa cuja oferta pode ser facilmente aumentada destruirá a riqueza daqueles que a usam como reserva de valor. O corolário a essa armadilha é que qualquer coisa que seja usada com sucesso como dinheiro terá algum mecanismo artificial ou natural para restringir um novo fluxo do bem no mercado, mantendo seu valor através do tempo. Segue-se, portanto, que para algo ter um papel monetário, também deve ser custoso de produzir, de outra forma a tentação para fazer dinheiro barato destruirá a riqueza dos poupadores, e destruirá o incentivo que qualquer um tem para guardar neste meio.

Sempre quando um desenvolvimento natural, tecnológico ou político resulta em um aumento rápido de nova oferta de um bem monetário, o bem perde seu status monetário e é substituído por outro *meio de troca* com uma maior confiança na taxa de escassez, como será discutido no próximo capítulo. Conchas foram usadas como dinheiro enquanto eram difíceis de encontrar, cigarros avulsos são usados como dinheiro em prisões porque são difíceis de encontrar e produzir, e com moedas nacionais, quanto menor a taxa de crescimento da oferta, maior a probabilidade que seja mantida por indivíduos e que mantenha seu valor através do tempo.

Quando a tecnologia moderna tornou a importação e a captura de conchas fácil, sociedades que as usavam trocaram para metal e papel moeda, e quando os governos aumentam sua oferta de moeda, seus cidadãos mudam para moedas estrangeiras, ouro, ou outro bem monetário mais confiável. O século vinte nos deu um grande número de tais tragédias, particularmente nos países em desenvolvimento. Os meios monetários que sobreviveram por mais tempo são aqueles que detiveram mecanismos confiáveis para restringir seu crescimento de oferta – em outras palavras, *moeda forte*. Competição sempre está viva entre os meios monetários, e suas consequências são antevistas pelos efeitos da tecnologia nas diferentes razões de estoque e fluxo dos competidores, como será demonstrado no próximo capítulo.

Enquanto as pessoas são livres geralmente para usar quaisquer bens que desejarem como *meio de troca*, a realidade é que, durante o tempo, aqueles que usam o dinheiro forte serão os maiores beneficiados, perdendo pouco valor devido à nova oferta insignificante de seu *meio de troca*. Aqueles que escolhem dinheiro fraco provavelmente perderam valor enquanto a oferta aumenta rapidamente, levando o seu preço para baixo. Seja pela perspectiva do cálculo racional, ou pela retrospectiva lição severa da realidade, a maioria do dinheiro e da riqueza será concentrada por aqueles que escolherem a forma mais forte e vendável de dinheiro. Mas a força ou a vendabilidade do bem em si não é algo estático no tempo. Assim como as capacidades tecnológicas de diferentes sociedades e eras têm variado, da mesma forma variaram as forças de várias formas de dinheiro, e com elas sua vendabilidade. Na verdade, a escolha sobre o que faz o melhor dinheiro foi sempre determinada pelas realidades tecnológicas que moldaram a vendabilidade de diferentes bens. Portanto, economistas austríacos raramente são dogmáticos ou objetivistas em sua definição de moeda sonante. Eles a definem não como um bem ou commodity específico, mas como qualquer moeda que surgir no mercado, livremente escolhida pelas pessoas que negociam com ela. Não é imposto por autoridade coercitiva e seu valor é determinado por meio da interação do mercado, não por imposição do governo[5] [5]. A competição monetária do livre mercado é impiedosamente efetiva produzindo moeda sonante, pois permite somente aqueles que escolherem o dinheiro correto a manterem riqueza através do tempo. Não é necessário para o governo impor o dinheiro mais forte à sociedade; a sociedade o terá descoberto muito antes de ser inventado por seu governo, e qualquer

---

[5]Joseph Salerno, *Money: Sound and Unsound* (Ludwig von Mises Institute, 2010), pp. xiv–xv.

imposição governamental, se tiver algum efeito, será só para impedir o processo de competição monetária.

As completas implicações sociais e individuais do dinheiro forte e fraco são muito mais profundas do que meramente ganho ou perda financeira, e são um tema central deste livro, discutido minuciosamente ao longo dos Capítulos 5, 6 e 7. Aqueles capazes de poupar sua riqueza em uma boa reserva de valor são mais propensos a planejar para o futuro do que aqueles que têm reservas de valor ruins. A saúde de um meio monetário, em termos de sua habilidade de manter valor através do tempo, é uma determinante chave do quanto indivíduos valorizam o seu presente ao invés do futuro, ou sua *preferência temporal*, um conceito essencial neste livro.

Além da razão entre estoque e fluxo, outro aspecto importante da vendabilidade de um meio monetário é sua aceitabilidade por outros. Quanto mais pessoas aceitam um meio monetário, mais líquido ele é, e maior probabilidade ele tem de ser comprado ou vendido sem muita perda. Em arranjos sociais com muitas interações ponto-a-ponto, como protocolos de computação demonstraram, é natural alguns padrões surgirem e regularem as trocas, pois os ganhos de se juntar a uma rede crescem exponencialmente quanto maior o tamanho da rede. Por isso o Facebook e um punhado de redes sociais dominam o mercado enquanto muitas centenas de redes quase idênticas foram criadas e promovidas. Similarmente, qualquer dispositivo que envie e-mails precisa utilizar o protocolo IMAP/POP3 para receber e-mail, e o protocolo SMTP para enviá-lo. Muitos outros protocolos foram inventados e poderiam ser utilizados perfeitamente bem, mas quase ninguém os usa porquê fazê-lo impediria o usuário de interagir com quase todo mundo que usa e-mail hoje em dia, porque eles estão em IMAP/POP3 e SMTP. De forma semelhante, com dinheiro, é inevitável que um, ou alguns, bens emergiriam como um *meio de troca*, porque a propriedade de ser transferido facilmente é o mais importante. Um *meio de troca*, como mencionado anteriormente, não é adquirido por suas próprias propriedades, mas por sua vendabilidade.

Ademais, a ampla aceitação de um *meio de troca* permite todos os preços sejam expressos em seus termos, o que o permite desempenhar o terceiro papel do dinheiro: *unidade de conta*. Em uma economia com nenhum *meio de troca* reconhecido, cada bem terá que ser precificado em termos de outro bem, levando a um grande número de preços, fazendo o cálculo econômico cada vez mais difícil. Em uma economia com um *meio de troca*, todos os preços de todos os bens são expressos nos termos da mesma unidade de conta. Nesta sociedade, o dinheiro serve como uma métrica com a qual se mede o valor interpessoal; recompensa os produtores à medida que eles criam valor aos outros, e indica aos consumidores o quanto eles precisam pagar para obter o bem desejado. Somente por meio de um *meio de troca* uniforme agindo como uma unidade de conta, cálculos econômicos complexos se tornam possíveis e, com isso, vem a possibilidade de especialização em tarefas complexas, acumulação de capital, e grandes mercados. A operação de uma economia de mercado é dependente dos preços, e preços, para serem precisos, são dependentes de um *meio de troca* comum, o que reflete a relativa escassez de diferentes bens. Se é dinheiro fraco, a habilidade de seu emissor de constantemente aumentar sua quantidade impedi-lo-á de refletir os custos de oportunidades acuradamente. Qualquer mudança imprevisível na quantidade de dinheiro distorcerá seu papel como um meio de valor interpessoal e um condutor de informação econômica.

Ter um único *meio de troca* permite que o tamanho da economia cresça tão grande quanto for o número de pessoas dispostas a usar este *meio de troca*. Quanto maior o tamanho da economia, maior a oportunidade de ganhos pelas trocas e pela especialização e, talvez mais significativamente, maior e mais sofisticada a estrutura de produção pode se tornar. Produtores podem se especializar em produzir bens de capital que só produzirão bens de consumos finais depois de longos intervalos, o que os possibilitam fazer produtos superiores e mais produtivos. Em uma pequena economia produtiva, a estrutura da produção de peixe consiste em indivíduos indo à costa para pegar os peixes com as mãos nuas, com todo o processo levando poucas horas do começo ao fim. Com o aumento da economia, ferramentas mais sofisticadas e bens de capital são utilizados, e a produção dessas ferramentas alarga a duração do processo de produção significativamente enquanto também aumenta sua produtividade. No mundo moderno, peixes são pescados com barcos altamente sofisticados que levam anos para serem construídos e são operados por décadas. Esses barcos são capazes de navegar para mares que barcos menores não podem alcançar e, portanto, conseguir peixes que, de outra forma, não estariam disponíveis. Os barcos podem desafiar águas inclementes e continuar a produção em condições difíceis onde barcos com menor intensivo de capital ficariam ancorados sem uso. Enquanto a acumulação de capital tornou o processo mais longo, ela o tornou mais produtivo por unidade de trabalho e pôde produzir produtos superiores que nunca foram possíveis em uma economia produtiva com ferramentas básicas e nenhuma acumulação de capital. Nada disso seria possível sem que o dinheiro desempenhasse os papéis de *meio de troca* para permitir especialização; reserva de valor para criar uma orientação para o futuro e incentivar os indivíduos a direcionar recursos para investimento ao invés de consumo; e unidade de conta para permitir o cálculo econômico de lucros e perdas.

A história da evolução do dinheiro viu vários bens desempenharem o papel de dinheiro, com vários graus de força ou fraqueza, dependendo das capacidades tecnológicas de cada era. De conchas do mar a sal, gado, prata, ouro e dinheiro do governo lastreado em ouro, terminando com o uso quase universal da moeda de curso legal do governo, cada passo do avanço tecnológico nos permitiu utilizar uma nova forma de dinheiro com benefícios adicionais, mas, como sempre, novas armadilhas. Ao examinar a história das ferramentas e materiais que foram empregados no papel de dinheiro ao longo da história, somos capazes de discernir as características que geram bom dinheiro e as que geram dinheiro ruim. Somente com esse pano de fundo, poderemos então entender como o bitcoin funciona e qual é o seu papel como meio monetário.

O próximo capítulo examina a história de artefatos e objetos obscuros que foram usados como dinheiro ao longo da história, desde as pedras Rai da Ilha Yap até conchas do mar nas Américas, miçangas vidro na África, e gado e sal na Antiguidade. Cada um desses meios de troca serviu à função do dinheiro por um período durante o qual teve uma das melhores taxas de escassez disponíveis para sua população, mas parou quando perdeu esta propriedade. Entender como e por que é essencial para entender a evolução futura do dinheiro e qualquer papel provável que o bitcoin desempenhará. O Capítulo 3 passa para a análise de metais monetários e como o ouro se tornou o principal metal monetário do mundo durante a era do padrão-ouro no final do século XIX. O Capítulo 4 analisa a mudança para o dinheiro governamental e seu histórico de desempenho. Depois que as implicações econômicas e sociais de diferentes tipos de dinheiro são discutidas nos Capítulos 5, 6 e 7, o Capítulo 8 introduz a invenção do bitcoin e suas propriedades monetárias.

2

DINHEIRO PRIMITIVO

D E todas as formas históricas de dinheiro que encontrei, a que mais se assemelha à operação do bitcoin é o antigo sistema baseado em pedras Rai na Ilha Yap, hoje parte dos Estados Federados da Micronésia. Compreender como as grandes pedras circulares esculpidas em calcário funcionavam como dinheiro nos ajudará a explicar a operação do bitcoin no Capítulo 8. Compreender a notável história de como as pedras Rai perderam seu papel monetário é uma lição objetiva de como o dinheiro perde seu status monetário quando perde seu valor monetário uma vez que perde sua força.

As pedras Rai usadas como dinheiro eram grandes discos circulares de vários tamanhos com um buraco no meio, chegando a pesar até quatro toneladas. Elas não eram nativas de Yap, que não continha nenhum calcário; todas as pedras de Yap foram trazidas dos vizinhos Palau ou Guam. A beleza e a raridade dessas pedras as tornaram desejáveis e veneráveis em Yap, mas adquiri-las era muito difícil, pois envolvia um processo trabalhoso de extração de pedreiras e, em seguida, seu despacho com jangadas e canoas. Algumas dessas rochas exigiram centenas de pessoas para transportá-las e, uma vez que chegaram a Yap, eram colocadas em um lugar de destaque onde todos poderiam ver. O proprietário da pedra poderia usá-la como um método de pagamento sem precisar movê-la: tudo o que deveria acontecer era o anúncio do proprietário a todos os habitantes da cidade que a propriedade da pedra agora tinha sido transferida para o destinatário. A cidade inteira reconheceria a propriedade da pedra e o destinatário poderia usá-la para fazer um pagamento sempre que quisesse. Não havia como roubar a pedra porque sua propriedade era conhecida por todos.

Durante séculos, e possivelmente até milênios, esse sistema monetário funcionou bem para os yapenses. Embora as pedras nunca se movessem, elas tinham vendabilidade através do espaço, pois era possível usá-las para pagamento em qualquer lugar da ilha. Os diferentes tamanhos das diferentes pedras proporcionavam certo grau de vendabilidade através de escalas, com a possibilidade de pagar com frações de uma única pedra. A vendabilidade das pedras ao longo do tempo foi assegurada por séculos pela dificuldade e alto custo de aquisição de novas pedras, porque elas não existiam em Yap e o garimpo e o envio de Palau não eram fáceis. O custo muito alto da aquisição de novas pedras para Yap significava que a oferta existente de pedras era sempre muito maior do que qualquer nova fonte que pudesse ser produzida em um determinado período de tempo, tornando prudente aceitá-las como forma de pagamento. Em outras palavras, as pedras Rai tinham uma taxa de escassez muito alta e, por mais desejáveis que fossem, não era fácil para ninguém aumentar a oferta de pedras trazendo novas rochas. Ou, pelo menos, foi o caso até 1871, quando um capitão irlandês-americano chamado David O'Keefe naufragou nas costas de Yap e foi revivido pelos habitantes locais[1].

O'Keefe viu uma oportunidade de lucro ao tirar cocos da ilha e vendê-los a produtores de óleo de coco, mas ele não tinha como convencer os locais a trabalhar para ele, porque estavam muito contentes com suas vidas como estavam em seu paraíso tropical e não tinham utilidade para qualquer forma de dinheiro estrangeiro que ele poderia oferecê-los. Mas O'Keefe não aceitaria um não como resposta. Ele navegou para Hong Kong; comprou um barco grande e explosivos, levou-os para Palau, onde usou os explosivos e ferramentas modernas para extrair várias pedras grandes de Rai, e partiu para Yap para apresentar as pedras aos habitantes locais como pagamento pelos cocos. Ao contrário do que O'Keefe esperava, os moradores não estavam interessados em receber suas pedras, e o chefe da vila proibiu seus habitantes de trabalhar pelas pedras, decretando que as pedras de O'Keefe não tinham valor, porque eram recolhidas com muita facilidade. Somente as pedras extraídas tradicionalmente, com o suor e o sangue dos yapenses, eram aceitas em Yap. Outros na ilha discordaram e forneceram a O'Keefe os cocos que ele procurava. Isso resultou em conflito na ilha e, com o tempo, o desaparecimento de Rai como dinheiro. Hoje, as pedras desempenham um papel mais cerimonial e cultural na ilha e o dinheiro governamental moderno é o meio monetário mais usado.

Embora a história de O'Keefe seja altamente simbólica, ela foi apenas o prenúncio do inevitável desaparecimento do papel monetário das pedras de Rai com a invasão da civilização industrial moderna em Yap e seus habitantes. À medida que ferramentas modernas e capacidades industriais chegavam à região, era inevitável que a produção das pedras se tornasse muito menos onerosa do que antes. Haveria

---

[1]A história de O'Keefe inspirou a escrita de um romance chamado *His Majesty O'Keefe*, de Laurence Klingman e Gerald Green em 1952, que foi transformado em um sucesso de bilheteria de Hollywood com o mesmo nome, estrelado por Burt Lancaster em 1954.

muitos O'Keefes, locais e estrangeiros, capazes de fornecer a Yap um fluxo cada vez maior de novas pedras. Com a tecnologia moderna, a taxa de escassez das pedras Rai diminuiu drasticamente: era possível produzir muito mais dessas pedras todos os anos, desvalorizando significativamente o estoque existente na ilha. Tornou-se cada vez mais imprudente alguém usar essas pedras como reserva de valor e, assim, elas perderam sua vendabilidade através do tempo e, com ela, sua função como *meio de troca*.

Os detalhes podem diferir, mas a dinâmica subjacente de uma queda na taxa de escassez tem sido a mesma para todas as formas de dinheiro que perderam seu papel monetário, até o colapso do bolívar venezuelano ocorrendo enquanto essas linhas estão sendo escritas.

Uma história semelhante aconteceu com as miçangas de vidro usadas como dinheiro por séculos na África Ocidental. A história dessas miçangas na África Ocidental não é totalmente clara, com indicações de que elas foram feitas de pedras de meteorito ou transmitidas por comerciantes egípcios e fenícios. O que se sabe é que elas eram preciosas em uma área em que a tecnologia de fabricação de vidro era cara e pouco comum, proporcionando uma alta taxa de escassez, tornando-as vendáveis ao longo do tempo. Por serem pequenas e valiosas, essas miçangas eram vendáveis em escala, porque podiam ser combinadas em correntes, colares ou pulseiras, embora isso estivesse longe do ideal, porque havia muitos tipos diferentes de miçangas em vez de uma unidade padrão. Elas também eram vendáveis através do espaço, pois eram fáceis de se movimentar. Por outro lado, as miçangas de vidro não eram caras e não tinham papel monetário na Europa, porque a proliferação da tecnologia de fabricação de vidro significava que, se fossem utilizadas como unidade monetária, seus produtores poderiam inundar o mercado com elas - em outras palavras, teriam uma baixa taxa de escassez.

Quando os exploradores e comerciantes europeus visitaram a

África Ocidental no século XVI, eles notaram o alto valor dado a essas miçangas e então começaram a importá-las em grandes quantidades da Europa. O que se seguiu foi semelhante à história de O'Keefe, mas, dado o tamanho minúsculo das miçangas e o tamanho muito maior da população, foi um processo mais lento e encoberto, com consequências maiores e mais trágicas. Lenta mas seguramente, os europeus conseguiram comprar muitos recursos preciosos da África por miçangas que eles adquiriram na Europa por muito pouco[2]. A incursão europeia na África transformou lentamente as miçangas de dinheiro forte em dinheiro fraco, destruindo sua vendabilidade e causando a erosão do poder de compra dessas miçangas ao longo do tempo nas mãos dos africanos que as possuíam, empobrecendo-os ao transferir sua riqueza para os europeus, que poderiam adquirir as miçangas mais facilmente. Mais tarde, as miçangas de vidro passaram a ser conhecidas como *miçangas de escravos* pelo papel que desempenharam no abastecimento do comércio de escravos de africanos para europeus e norte-americanos. Um colapso repentino no valor de um meio monetário é trágico, mas ao menos acaba rapidamente e seus mantenedores podem começar a negociar, salvar e calcular com um novo padrão. Mas uma drenagem lenta de seu valor monetário ao longo do tempo transferirá lentamente a riqueza de seus detentores para aqueles que podem produzir o meio a baixo custo. É uma lição que vale a pena lembrar quando passamos à discussão da solidez do dinheiro do governo nas partes posteriores do livro.

As conchas marítimas foram outro meio monetário amplamente utilizado em muitos lugares do mundo, da América do Norte à África e Ásia. Relatos históricos mostram que as conchas marítimas mais vendáveis eram geralmente as mais escassas e mais difíceis de encontrar, porque elas teriam valor maior do que as que podem ser encontradas

---

[2]Para maximizar seus lucros, os europeus costumavam encher os cascos de seus barcos com grandes quantidades dessas miçangas, o que também servia para estabilizar o barco durante a viagem.

facilmente[3]. Os nativos americanos e os primeiros colonos europeus usavam conchas wampum extensivamente, pelas mesmas razões que as miçangas: eram difíceis de encontrar, dando-lhes uma alta taxa de escassez, possivelmente a mais alta entre os bens duráveis disponíveis na época. As conchas marítimas também compartilhavam com as miçangas a desvantagem de não serem unidades uniformes, o que significava que preços e proporções não podiam ser facilmente medidos e expressos nelas uniformemente, criando grandes obstáculos ao crescimento da economia e ao grau de especialização. Os colonos europeus adotaram conchas marítimas como moeda corrente em 1636, mas à medida que mais e mais moedas de ouro e prata britânicas começaram a fluir para a América do Norte, elas eram preferidas como *meio de troca* devido à sua uniformidade, permitindo uma denominação de preço melhor e mais uniforme e dando-lhes maior capacidade de venda. Além disso, à medida que barcos e tecnologias mais avançadas eram empregadas para colher conchas do mar, sua oferta foi muito inflada, levando a uma queda em seu valor e a uma perda de vendabilidade ao longo do tempo. Em 1661, as conchas do mar deixaram de ter curso legal e, finalmente, perderam todo o papel monetário[4].

Este não era apenas o destino do dinheiro de conchas na América do Norte; sempre que as sociedades que empregavam conchas marítimas tinham acesso a moedas metálicas uniformes, elas as adotavam e se beneficiavam da troca. Além disso, a chegada da civilização industrial, com barcos movidos a combustível fóssil, facilitou a busca no mar por conchas marítimas, aumentando o fluxo de sua produção e reduzindo rapidamente a taxa de escassez.

Outras formas antigas de dinheiro incluem gado, apreciado por seu valor nutricional, na medida em que era um dos bens mais valorizados que qualquer um podia possuir e também era vendável através do

---

[3]Nick Szabo, *Shelling Out: The Origins of Money.* (2002) http://nakamotoinstitute.org/shelling-out/ [6]
[4]Ibid.

espaço devido à sua mobilidade. Hoje, o gado continua a desempenhar um papel monetário, com muitas sociedades o utilizando para pagamento, especialmente para dotes. Ser maciço e não facilmente divisível, no entanto, significava que o gado não era muito útil para resolver os problemas de divisibilidade entre escalas, e assim outra forma de dinheiro coexistia junto com o gado, e ela era o sal. O sal era fácil de manter por longos períodos e podia ser facilmente dividido e agrupado em qualquer peso necessário. Esses fatos históricos ainda são aparentes no idioma inglês e português, pois a palavra *pecuniário* é derivada de *pecus*, a palavra latina para gado, enquanto a palavra salário é derivada de sal[5].

À medida que a tecnologia avançava, principalmente com a metalurgia, os humanos desenvolveram formas superiores de dinheiro a esses artefatos, as quais começaram a substituí-los rapidamente. Esses metais provaram ser um *meio de troca* melhor do que conchas, pedras, miçangas, gado e sal porque podiam ser transformados em pequenas unidades uniformes e altamente valiosas, que podiam ser movimentadas com muito mais facilidade. Outro prego no caixão do dinheiro dos artefatos veio com a utilização em massa da energia de hidrocarbonetos, que aumentou significativamente nossa capacidade produtiva, permitindo um rápido aumento na oferta (fluxo) desses artefatos, o que significa que as formas de dinheiro perderam a dificuldade de produção na qual dependiam para proteger sua alta taxa de escassez. Com os modernos combustíveis de hidrocarbonetos, as pedras Rai podiam ser extraídas facilmente, as miçangas podiam ser feitas por um custo muito baixo e as conchas marítimas podiam ser coletadas em massa por grandes barcos. Assim que esses dinheiros perderam a força, seus detentores sofreram desapropriação de riqueza significativa e, como resultado, toda a estrutura de sua sociedade se desfez. Os che-

---

[5]Antal Fekete, *Whither Gold?* (1997) [4]. Ganhador do prêmio International Currency em 1996 patrocinado pelo Banco Lips.

fes da Ilha de Yap que recusaram as pedras baratas de Rai de O'Keefe entenderam o que a maioria dos economistas modernos não consegue captar: um dinheiro que é fácil de produzir não é dinheiro, e o dinheiro fraco não torna a sociedade mais rica; pelo contrário, torna-a mais pobre, colocando toda sua riqueza adquirida a duras penas em troca de algo fácil de produzir.

3

METAIS MONETÁRIOS

À medida que a capacidade técnica humana para a produção de bens se tornava mais sofisticada e nossa utilização de metais e commodities crescia, muitos metais começaram a ser produzidos em quantidade suficiente e havia demanda grande o suficiente para torná-los altamente vendáveis e adequados para serem usados como meios monetários. A densidade e o valor relativamente alto desses metais tornaram mais fácil movê-los do que o sal ou o gado, tornando-os altamente vendáveis através do espaço. Inicialmente, a produção de metais não era fácil, dificultando o aumento rápido de sua oferta e oferecendo boa vendabilidade através do tempo.

Devido à sua durabilidade e propriedades físicas, bem como à sua abundância relativa na crosta terrestre, alguns metais eram mais valiosos que outros. O ferro e o cobre, devido à sua abundância relativamente alta e à sua suscetibilidade à corrosão, podiam ser produzidos em quantidades crescentes. Os estoques existentes, constantemente se esgotando com a corrosão e o consumo, se tornariam insignificantes pela nova produção, destruindo seu valor. Esses metais desenvolveram um valor de mercado relativamente baixo e seriam usados para transações menores. Metais mais raros, como prata e ouro, por outro lado, eram mais duráveis e menos propensos a corroer ou ruir, tornando-os mais vendáveis ao longo do tempo e úteis como reserva de valor no futuro. A virtual indestrutibilidade do ouro, em particular, permitiu que os humanos armazenassem valor através das gerações, permitindo assim desenvolver uma orientação a um horizonte de tempo mais longa.

Inicialmente, os metais eram comprados e vendidos em termos de seu peso[1], mas com o tempo, à medida que a metalurgia avançava, tornou-se possível cunhá-los em moedas uniformes e marcá-los com seu peso, tornando-os muito mais vendáveis, evitando que as pessoas precisassem pesar e avaliar os metais a toda hora. Os três metais mais amplamente utilizados para esse papel foram ouro, prata e cobre, e seu uso como moedas foi a principal forma de dinheiro por cerca de 2.500 anos, desde a época do rei lídio Creso, que foi o primeiro a cunhar moedas de ouro, até o início do século XX. As moedas de ouro eram as mercadorias mais vendáveis ao longo do tempo, porque podiam manter seu valor ao longo do tempo e resistir à deterioração e à ruína. Eles também eram os produtos mais vendáveis no espaço, porque carregavam muito valor em pequenos pesos, permitindo um transporte fácil. Moedas de prata, por outro lado, tinham a vantagem de serem o bem mais vendável em todas as escalas, porque seu menor valor por unidade de peso comparado ao ouro permitia que servissem convenientemente como *meio de troca* para pequenas transações, enquanto as moedas de bronze seriam úteis para as transações menos valiosas. Ao padronizar os valores em unidades facilmente identificáveis, as

---

[1]Nick Szabo, *Shelling Out: The Origins of Money* (2002) [6]. Disponível em http://nakamotoinstitute.org/

moedas permitiram a criação de grandes mercados, aumentando o escopo da especialização e do comércio em todo o mundo. Embora fosse o melhor sistema monetário tecnologicamente possível na época, ele ainda apresentava duas grandes desvantagens: a primeira era que a existência de dois ou três metais como padrão monetário criava problemas econômicos a partir da flutuação de seus valores ao longo do tempo devido às altas e baixas da oferta e demanda, e criava problemas para os proprietários dessas moedas, principalmente a prata, que sofreu declínios no valor devido a aumentos na produção e quedas na demanda. A segunda falha mais séria foi a de que governos e falsificadores podiam, e frequentemente conseguiam, diminuir o conteúdo de metais preciosos nessas moedas, fazendo com que seu valor diminuísse e assim transferindo uma fração de seu poder de compra para os falsificadores ou para o governo. A redução no teor de metal das moedas comprometeu a pureza e a solidez do dinheiro.

No século XIX, no entanto, com o desenvolvimento do sistema bancário moderno e a melhoria dos métodos de comunicação, os indivíduos podiam fazer transações com papel-moeda e cheques lastreados em ouro nos tesouros de seus bancos e bancos centrais. Isso possibilitou transações lastreadas em ouro em qualquer escala, evitando assim a necessidade do papel monetário da prata e reunindo todas as propriedades essenciais de vendabilidade monetária no padrão-ouro. O padrão-ouro permitiu a acumulação de capital e o comércio global sem precedentes, unindo a maior parte da economia do planeta em uma escolha de dinheiro sólida baseada no mercado. Sua falha trágica, no entanto, foi que, ao centralizar o ouro nos cofres dos bancos e, posteriormente, nos bancos centrais, foi possível aos bancos e governos aumentar a oferta de dinheiro além da quantidade de ouro que eles possuíam, desvalorizando o dinheiro e transferindo parte de seu valor dos titulares legítimos do dinheiro para os governos e bancos.

Por que Ouro?

Para entender como uma mercadoria emerge como dinheiro, voltemos com mais detalhes à armadilha da moeda fraca que introduzimos no Capítulo 1, e comecemos a diferenciar entre a *demanda de mercado* de um bem (demanda por consumir ou manter o bem em si) e sua *demanda monetária* (demanda por um *meio de troca* e reserva de valor). Sempre que uma pessoa escolhe um bem como reserva de valor, ela está efetivamente aumentando a demanda além da demanda regular do mercado, o que fará com que seu preço suba. Por exemplo, a demanda de mercado por cobre em seus diversos usos industriais é de cerca de 20 milhões de toneladas por ano, a um preço de cerca de US$ 5.000 por tonelada, e um mercado total avaliado em US$ 100 bilhões. Imagine um bilionário decidindo que ele gostaria de armazenar US$ 10 bilhões de sua riqueza em cobre. À medida que seus banqueiros tentam comprar 10% da produção global anual de cobre, inevitavelmente fazem com que o preço do cobre aumente. Inicialmente, isso soa como uma justificação da estratégia monetária do bilionário: o ativo que ele decidiu comprar já se valorizou antes mesmo de concluir sua compra. Certamente, ele pensa, essa apreciação fará com que mais pessoas comprem mais cobre como reserva de valor, aumentando ainda mais o preço.

Porém, mesmo que mais pessoas se juntem a ele na monetização do cobre, nosso bilionário obcecado por cobre está com problemas. O aumento do preço faz do cobre um negócio lucrativo para trabalhadores e capital em todo o mundo. A quantidade de cobre debaixo da crosta terrestre está além da nossa capacidade de medir, muito menos extrair através da mineração; na prática, a única restrição sobre quanto cobre pode ser produzido é a quantidade de trabalho e capital dedicados ao trabalho. Mais cobre sempre pode ser produzido com um preço mais alto, e o preço e a quantidade continuarão subindo até satisfazer a demanda dos investidores monetários; vamos supor que isso aconteça em 10 milhões de toneladas extras e US$ 10.000 por tonelada. Em algum momento, a demanda monetária deve diminuir e alguns detentores de cobre desejarão descarregar alguns de seus estoques para comprar outros bens, porque, afinal, esse era o ponto de comprar cobre.

Depois que a demanda monetária desaparece, tudo o mais constante, o mercado de cobre voltaria às suas condições originais de oferta e demanda, com 20 milhões de toneladas anuais vendidas por US$ 5.000 cada. Mas quando os detentores começarem a vender seus estoques acumulados de cobre, o preço cairá significativamente abaixo disso. O bilionário terá perdido dinheiro nesse processo; enquanto elevava o preço, ele comprou a maior parte de seu estoque por mais de US$ 5.000 a tonelada, mas agora todo o seu estoque está avaliado abaixo de US$ 5.000 a tonelada. Os outros que se juntaram a ele depois compraram a preços ainda mais altos e perderam ainda mais dinheiro do que o próprio bilionário.

Este modelo é aplicável a todos os produtos consumíveis, como o cobre, zinco, níquel, latão ou petróleo, que são principalmente consumidos e destruídos, não estocados. Os estoques globais dessas commodities, a qualquer momento, são da mesma ordem de magnitude que a nova produção anual. Nova oferta está sendo gerada constantemente para ser consumida. Se os poupadores decidirem armazenar suas riquezas em uma dessas commodities, suas riquezas comprarão apenas uma fração da oferta global antes de aumentar o preço o suficiente para absorver todo o investimento, porque estão competindo com os consumidores dessa commodity que as utilizam produtivamente na indústria. À medida que a receita para os produtores aumenta, eles podem investir no aumento de sua produção, diminuindo o preço novamente, roubando os poupadores de sua riqueza. O efeito líquido de todo esse episódio é a transferência da riqueza dos poupadores mal orientados para os produtores das commodities que eles compraram.

Esta é a anatomia de uma bolha de mercado: o aumento da demanda causa um aumento acentuado nos preços, o que aumenta ainda mais a demanda, aumentando os preços ainda mais, incentivando o aumento da produção e o aumento da oferta, o que inevitavelmente reduz os preços, punindo todos os que compram a um preço mais alto do que o preço normal de mercado. Os investidores na bolha são expulsos enquanto os produtores do ativo se beneficiam. Para o cobre e quase todas as outras commodities do mundo, essa dinâmica se manteve válida durante a maior parte da história registrada, punindo consistentemente aqueles que escolhem essas commodities como dinheiro, desvalorizando sua riqueza e empobrecendo-as a longo prazo, e devolvendo a commodity ao seu papel natural como um bem de mercado, e não como *meio de troca*.

Para que algo funcione como uma boa reserva de valor, ele precisa superar essa armadilha: ele precisa se valorizar quando as pessoas a exigem como reserva de valor, mas seus produtores precisam ser impedidos de inflar a oferta de maneira significativa o suficiente para reduzir o preço. Esse ativo recompensará aqueles que o escolherem como sua reserva de valor, aumentando sua riqueza a longo prazo à medida que se torna a principal reserva de valor, porque aqueles que escolheram outras commodities ou voltarão atrás e copiarão a escolha de seus pares mais bem-sucedidos ou simplesmente perderão sua riqueza.

O vencedor claro nesta corrida ao longo da história da humanidade foi o ouro, que mantém seu papel monetário devido a duas características físicas únicas que o diferenciam de outras commodities: primeiro, o ouro é tão quimicamente estável que é praticamente impossível destruir; e, em segundo lugar, é impossível sintetizar ouro de outros materiais (não obstante as afirmações dos alquimistas) e só pode ser extraído de seu minério não refinado, o que é extremamente raro em nosso planeta.

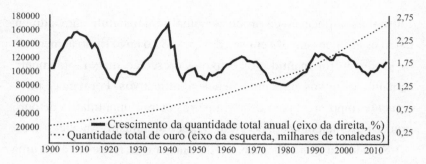

Figura 3.1: Quantidade global de ouro e taxa de crescimento da quantidade anual

A estabilidade química do ouro implica que praticamente todo o ouro extraído pelos seres humanos ainda é praticamente possuído por pessoas ao redor do mundo até hoje. A humanidade tem acumulado reservas cada vez maiores de ouro em joias, moedas e barras, que nunca é consumido e nunca enferruja ou desintegra-se. A impossibilidade de sintetizar ouro de outras substâncias químicas significa que a única maneira de aumentar a oferta de ouro é minerando ouro da crosta terrestre, um processo caro, tóxico e incerto no qual os humanos estão envolvidos há milhares de anos com rendimentos sempre decrescentes. Isso tudo significa que o estoque existente de ouro armazenado por pessoas em todo o mundo é o produto de milhares de anos de produção de ouro e ordens de magnitude maiores que a nova produção anual. Nas últimas sete décadas, com estatísticas relativamente confiáveis, essa taxa de crescimento sempre foi de cerca de 1,5%, nunca ultrapassando 2% (Veja a Figura 3.1)[2].

Para entender a diferença entre ouro e qualquer outra commodity consumível, imagine o efeito de um grande aumento na demanda por ela enquanto reserva de valor que faça o preço subir e a produção anual dobrar. Para qualquer commodity consumível, essa duplicação da produção se agiganta perante os estoques existentes, diminuindo o preço e prejudicando seus detentores. Para o ouro, um aumento de preço que

---

[2]Fonte: U.S. Geological Survey

causa uma duplicação da produção anual será insignificante, aumentando os estoques em 3% em vez de 1,5%. Se o novo ritmo aumentado de produção for mantido, os estoques crescerão mais rapidamente, tornando os novos aumentos menos significativos. Permanece praticamente impossível para os garimpeiros extrair quantidades de ouro grandes o suficiente para deprimir o preço significativamente.

Somente a prata chega perto do ouro a este respeito, com uma oferta anual historicamente entre 5 e 10%, subindo para cerca de 20% nos dias atuais. Isso é mais alto que o do ouro por duas razões: primeiro, a prata corrói e pode ser consumida em processos industriais, o que significa que os estoques existentes não são tão grandes em relação à produção anual quanto os estoques de ouro em relação à sua produção anual. Segundo, a prata é menos rara que o ouro na crosta terrestre e mais fácil de refinar. Por ter a segunda maior taxa de escassez e menor valor por unidade de peso que o ouro, a prata serviu por milênios como o principal dinheiro usado em transações menores, complementando o ouro, cujo alto valor significava que dividi-lo em unidades menores não era muito prático. A adoção do padrão-ouro internacional permitiu pagamentos em papel lastreado em ouro em qualquer escala, como será discutido em mais detalhes mais adiante neste capítulo, o que impediu o papel monetário da prata. Como a prata não é mais necessária para transações menores, logo perdeu seu papel monetário e se tornou um metal industrial, perdendo valor em comparação ao ouro. A prata pode manter sua conotação esportiva de segundo lugar, mas, como a tecnologia do século XIX tornou os pagamentos possíveis sem a necessidade de mover a própria unidade monetária, o segundo lugar na competição monetária foi equivalente a perder.

Isso explica por que a bolha da prata estourou antes e voltará a estourar caso volte a inflar novamente: assim que um investimento monetário significativo flui para a prata, não será tão difícil para os

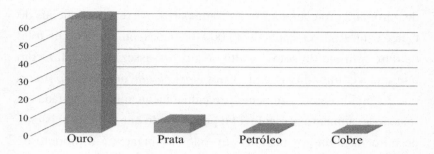

Figura 3.2: Quantidades existentes como múltiplo da produção anual

produtores aumentar significativamente a oferta e reduzir o preço, reduzindo a riqueza dos poupadores no processo. De todas as commodities, o exemplo mais conhecido da armadilha da moeda fraca vem da própria prata. No final dos anos 70, os muito abastados irmãos Hunt decidiram provocar a remonetização da prata e começaram a comprar enormes quantidades de prata, elevando o preço. A lógica deles era que, à medida que o preço aumentasse, mais pessoas desejariam comprar, o que manteria o preço subindo, o que, por sua vez, levaria as pessoas a quererem ser pagas em prata. No entanto, por mais que os irmãos Hunt comprassem, sua riqueza não alcançava a capacidade dos mineiros e detentores de prata de continuar vendendo prata no mercado. O preço da prata finalmente caiu e os irmãos Hunt perderam mais de US$1 bilhão, provavelmente o preço mais alto já pago para aprender a importância da razão de estoque e fluxo e para aprender por que nem tudo o que reluz é ouro[3] (Veja a Figura 3.2)[4].

É essa taxa consistentemente baixa de oferta de ouro que é a razão fundamental pela qual ele manteve seu papel monetário ao longo da história da humanidade, um papel que continua a desempenhar hoje, pois os bancos centrais continuam a manter estoques significativos

---

[3]Rudolph, Barbara. "Big Bill for a Bullion Binge". *TIME*, August 29, 1988.

[4]Fonte: Dados do U.S. Geological Survey para ouro. Dados do Silver Institute para prata, revisão estatística da BP.com para petróleo. Estimativas do autor de várias fontes da mídia para cobre.

de ouro para proteger suas moedas de papel. As reservas oficiais do banco central são de cerca de 33.000 toneladas, ou um sexto do total de ouro retirado do solo. A alta taxa de escassez de ouro faz com que seja a commodity com a menor *elasticidade de oferta do preço*, que é definida como o aumento percentual na quantidade ofertada em relação ao aumento percentual no preço. Dado que a oferta existente de ouro mantida por pessoas em todos os lugares é o produto de milhares de anos de produção, um aumento de X% no preço pode causar um aumento na nova produção de mineração, mas esse aumento será trivial em comparação com os estoques existentes. Por exemplo, o ano de 2006 viu um aumento de 36% no preço à vista do ouro. Para qualquer outra commodity, isso deverá aumentar significativamente a produção de mineração para inundar os mercados e reduzir o preço. Em vez disso, a produção anual em 2006 foi de 2.370 toneladas, 100 toneladas a menos que em 2005, e cairia mais 10 toneladas em 2007. Enquanto a nova oferta representava 1,67% dos estoques existentes em 2005, era 1,58% dos estoques existentes em 2006, e 1,54% dos estoques existentes em 2007. Mesmo um aumento de 35% no preço pode levar a um aumento não significativo na oferta de ouro novo no mercado. Segundo o US Geological Survey, o maior aumento anual de produção foi de cerca de 15% em 1923, o que se traduziu em um aumento de estoques em torno de apenas 1,5%. Mesmo que a produção dobrasse, o provável aumento de estoques seria de apenas 3 a 4%. O maior aumento anual dos estoques globais ocorreu em 1940, quando os estoques aumentaram cerca de 2,6%. Nem uma vez o crescimento anual do estoque excedeu esse número, e nem uma vez desde 1942 ultrapassou 2%.

À medida que a produção de metais começou a proliferar, civilizações antigas na China, Índia e Egito começaram a usar cobre e, mais tarde, prata como dinheiro, já que esses dois eram relativamente difíceis de fabricar na época e permitiam boa vendabilidade ao longo do tempo e espaço. O ouro era altamente valorizado nessas civilizações, mas sua raridade significava que sua venda para transações era limitada. Foi na Lídia, localizada onde hoje fica a Turquia, onde o ouro foi cunhado pela primeira vez em moedas regulares para o comércio, sob o rei Creso. Esse comércio global revigorado a partir do apelo global pelo ouro viu a moeda se espalhar por toda parte. Desde então, as reviravoltas da história humana estão intimamente entrelaçadas com a solidez do dinheiro. A civilização humana floresceu em épocas e lugares onde a moeda sonante era amplamente adotada, enquanto moeda fraca coincidia com muita frequência com o declínio civilizacional e o colapso social.

Idade de Ouro Romana e seu Declínio

O denário era a moeda de prata negociada na época da República Romana, contendo 3,9 gramas de prata, enquanto o ouro se tornava o dinheiro mais valioso nas áreas civilizadas do mundo nessa época e as moedas de ouro estavam se tornando mais difundidas. Júlio César, o último ditador da República Romana, criou a moeda áureo, que continha cerca de 8 gramas de ouro e foi amplamente aceita em toda a Europa e no Mediterrâneo, aumentando o escopo de comércio e especialização no Velho Mundo. A estabilidade econômica reinou por 75 anos, mesmo com a revolta política de seu assassinato, que viu a República se transformar em um Império sob seu sucessor escolhido, Augusto. Isso continuou até o reinado do infame imperador Nero, que foi o primeiro a se engajar no hábito romano de "recorte de moedas", em que o imperador coletava as moedas da população e as cunhava em moedas novas com menos ouro ou prata.

Enquanto Roma pudesse conquistar novas terras com considerável riqueza, seus soldados e imperadores podiam aproveitar gastando seus saques, e os imperadores até decidiam comprar popularidade mantendo preços artificialmente baixos de grãos e outros produtos básicos, às vezes até concedendo-os gratuitamente. Em vez de trabalhar para viver no campo, muitos camponeses deixavam suas fazendas para se mudarem para Roma, onde poderiam viver uma vida melhor de graça. Com o tempo, o Velho Mundo não tinha mais terras prósperas a serem conquistadas, o estilo de vida pródigo e o crescente exército exigiam uma nova fonte de financiamento, e o número de cidadãos improdutivos que viviam da generosidade e do controle de preços do imperador aumentava. Nero, que governou de 54 a 68 d.C., encontrou a fórmula para resolver isso, que era muito semelhante à solução de Keynes para os problemas da Grã-Bretanha e dos EUA após a Primeira Guerra Mundial: desvalorizar a moeda reduziria imediatamente o salário real dos trabalhadores, reduziria a carga do governo em subsidiar produtos básicos e forneceria mais dinheiro para financiar outras despesas do governo.

O áureo foi reduzido de 8 para 7,2 gramas, enquanto o teor de prata do denário foi reduzido de 3,9 para 3,41 g. Isso proporcionou algum alívio temporário, mas desencadeou o ciclo altamente destrutivo de auto-reforço da raiva popular, controle de preços, degradação de moedas e aumento de preços, seguindo um ao outro com a regularidade previsível das quatro estações[5]. Sob o reinado de Caracala (211–217 d.C.), o teor de ouro foi reduzido para 6,5 gramas, e sob Diocleciano (284–305 d.C.) foi ainda mais reduzido para 5,5g, antes de ele introduzir uma moeda de substituição chamada soldo, com apenas 4,5 gramas de ouro. Sob Diocleciano, o denário tinha somente vestígios de prata para cobrir seu núcleo de bronze, e a prata desaparecia rapidamente com o uso e desgaste, sendo o fim do denário como uma moeda de prata. À medida que o inflacionismo se intensificava nos séculos III e IV, vieram as tentativas equivocadas dos imperadores de esconder sua inflação, colocando controles de preços em bens básicos. Apesar de

---

[5] Ver o muito divertido *Four Centuries of Wage and Price Controls* de Schuettinger e Butler [7]

as forças de mercado procurarem ajustar os preços para cima em resposta à degradação da moeda, os limites máximos de preço impediam esses ajustes, tornando a participação na produção não rentável para os produtores. A produção econômica ficaria paralisada até que um novo decreto permitisse a liberalização dos preços para cima.

Com essa queda no valor de seu dinheiro, o longo processo de declínio terminal do Império resultou em um ciclo que pode parecer familiar para os leitores modernos: o recorte de moedas reduzia o valor real do áureo, aumentando a oferta de dinheiro, permitindo que o imperador continuasse com gastos excessivos imprudentes, mas eventualmente resultando em inflação e crises econômicas, que os imperadores equivocados tentariam amenizar através de mais recortes de moedas. Ferdinand Lips resume esse processo com uma lição para os leitores modernos:

> Deveria ser do interesse de economistas keynesianos modernos, bem como para a atual geração de investidores, que, embora os imperadores de Roma tentassem freneticamente "administrar" suas economias, eles só conseguiram piorar as coisas. Os controles de preços e salários e as leis de curso legal foram aprovados, mas era como tentar conter as marés. Motins, corrupção, ilegalidade e uma mania irracional de especulação e jogos de azar engoliram o império como uma praga. Com o dinheiro tão pouco confiável e degradado, a especulação sobre commodities se tornou muito mais atraente do que produzi-las.[6].

As consequências de longo prazo para o Império Romano foram devastadoras. Embora Roma até o século II d.C. possa não ser caracterizada como uma economia capitalista de livre mercado porque

---

[6]Ferdinand Lips, *Gold Wars: The Battle Against Sound Money as Seen from a Swiss Perspective* (New York: Foundation for the Advancement of Monetary Education, 2001) [8].

ainda possuía muitas restrições do governo à atividade econômica, ainda assim, com o áureo, foi-se estabelecido o que era então o maior mercado da história humana com a maior e mais produtiva divisão do trabalho que o mundo já conheceu[7]. Os cidadãos de Roma e as principais cidades obtiveram suas necessidades básicas através do comércio com os cantos mais distantes do império, e isso ajuda a explicar o crescimento da prosperidade, e o colapso devastador que o Império sofreu quando essa divisão do trabalho se desfez. À medida que os impostos aumentavam e a inflação tornava os controles de preços impraticáveis, os habitantes das cidades começaram a fugir para terrenos vazios, onde poderiam pelo menos ter a chance de viver em autossuficiência, onde sua falta de renda os poupava de pagar impostos. O intrincado edifício civilizacional do Império Romano e a grande divisão do trabalho na Europa e no Mediterrâneo começaram a desmoronar, e seus descendentes tornaram-se camponeses autossuficientes dispersos em isolamento e logo se transformavam em servos vivendo sob senhores feudais.

Bizâncio e Besante

O imperador Diocleciano sempre teve seu nome associado à fraude fiscal e monetária, e o Império alcançou um nadir sob seu domínio. Um ano depois que ele abdicou, Constantino, o Grande, assumiu as rédeas do Império e reverteu sua fortuna adotando políticas e reformas economicamente responsáveis. Constantino, que foi o primeiro imperador cristão, comprometeu-se a manter o soldo em 4,5 gramas de ouro sem recortá-lo ou depreciá-lo e começou a cunhá-lo em grandes quantidades em 312 D.C. Ele se mudou para o leste e estabeleceu Constantinopla no ponto de encontro da Ásia e da Europa, dando origem ao Império Romano Oriental, que tomou o soldo como moeda. Enquanto Roma continuava sua deterioração econômica, social

---

[7]Ludwig von Mises, *Human Action: The Scholar's Edition* (Auburn, AL: Ludwig von Mises Institute, 1998) [2]

e cultural, finalmente entrando em colapso em 476 d.C., Bizâncio sobreviveu por 1.123 anos, enquanto o soldo se tornou a moeda forte mais duradoura da história da humanidade.

O legado de Constantino em manter a integridade do soldo a tornou a moeda mais reconhecível e amplamente aceita do mundo e passou a ser conhecida como o besante. Enquanto Roma queimava sob imperadores falidos, que não podiam mais pagar seus soldados quando suas moedas entraram em colapso, Constantinopla floresceu e prosperou por muitos outros séculos com responsabilidade fiscal e monetária. Enquanto os vândalos e os visigodos corriam furiosos em Roma, Constantinopla permaneceu próspera e livre de invasões por séculos. Assim como Roma, a queda de Constantinopla aconteceu apenas depois que seus governantes começaram a desvalorizar a moeda, um processo que os historiadores acreditam ter começado no reinado de Constantino IX Monômaco (1042-1055)[8]. Junto com o declínio monetário, vieram os declínios fiscal, militar, cultural e espiritual do Império, que se arrastava com crescentes crises até ser dominado pelos otomanos em 1453.

Mesmo depois de depreciado e da queda de seu Império, o besante continuou vivo inspirando outra forma de moeda forte que continua circulando amplamente até hoje, apesar de não ser mais a moeda oficial de nenhuma nação, que é o dinar islâmico. À medida que o Islã crescia durante a idade de ouro de Bizâncio, o besante e outras moedas similares a ele em tamanho e peso circulavam nas regiões para as quais o Islã havia se espalhado. O califa omíada Abdul-Malik ibn Marwan definiu o peso e o valor do dinar islâmico e o imprimiu com o decreto *shahada* islâmico em 697 d.C. A dinastia omíada caiu e, depois disso, vários outros Estados islâmicos, e mesmo assim o dinar continua sendo mantido e circulando amplamente nas regiões islâmicas nas

---

[8]David Luscombe and Jonathan Riley-Smith, *The New Cambridge Medieval History: Volume 4*, C.1024–1198 (Cambridge University Press, 2004), p. 255.

especificações originais de peso e tamanho do besante, é usado em dotes, presentes e vários costumes tradicionais e religiosos até hoje. Ao contrário dos romanos e bizantinos, o colapso das civilizações árabe e muçulmana não esteve ligado ao colapso de seu dinheiro, pois mantinham a integridade de suas moedas por séculos. O soldo, cunhado pela primeira vez por Diocleciano em 301 d.C., mudou seu nome para besante e dinar islâmico, mas continua a circular hoje. Dezessete séculos de pessoas em todo o mundo usaram essa moeda para transações, enfatizando a vendabilidade do ouro ao longo do tempo.

O Renascimento

Após o colapso econômico e militar do Império Romano, o feudalismo emergiu como o principal modo de organização da sociedade. A destruição da moeda forte foi essencial para transformar os antigos cidadãos do Império Romano em servos, à mercê de seus senhores feudais locais. O ouro estava concentrado nas mãos dos senhores feudais, e as principais formas de dinheiro disponíveis para o campesinato da Europa na época eram as moedas de cobre e bronze, cuja oferta era fácil de inflar à medida que a produção industrial desses metais continuava a ficar mais fácil com o avanço da metalurgia, tornando-as reservas de valor terríveis, assim como moedas de prata que geralmente eram degradadas, falsificadas e não padronizadas em todo o continente, dando-lhes pouca vendabilidade através do espaço e limitando o escopo do comércio pelo continente.

A tributação e a inflação haviam destruído a riqueza e a economia do povo da Europa. Novas gerações de europeus vieram ao mundo sem a riqueza acumulada transmitida pelos mais velhos, e a ausência de um padrão monetário sólido amplamente aceito restringia severamente o escopo do comércio, fechando as sociedades umas das outras e aprimorando o paroquialismo na medida em que as outrora prósperas sociedades comerciais civilizadas caíram na Idade das Trevas de servidão, doenças, mente fechada e perseguição religiosa.

Embora seja amplamente reconhecido que a ascensão das cidades-Estado arrastou a Europa para fora da Idade das Trevas para a Renascença, o papel da moeda forte nessa ascensão é menos reconhecido. Foi nas cidades-Estado onde os humanos podiam viver com a liberdade de trabalhar, produzir, comercializar e florescer, e isso foi em grande parte o resultado dessas cidades-Estado adotarem um padrão monetário sólido. Tudo começou em Florença, em 1252, quando a cidade cunhou o florim, a primeira grande cunhagem forte europeia desde o áureo de Júlio César. A ascensão de Florença fez dela o centro comercial da Europa, com o seu florim se tornando o principal *meio de troca* europeu, permitindo que seus bancos prosperassem em todo o continente. Veneza foi a primeira a seguir o exemplo de Florença com a cunhagem do ducado, com as mesmas especificações do florim, em 1270, e, até o final do século XIV, mais de 150 cidades e Estados europeus cunharam moedas com as mesmas especificações do florim, permitindo a seus cidadãos a dignidade e a liberdade de acumular riqueza e negociar com uma moeda forte que era altamente vendável no tempo e no espaço e dividida em moedas pequenas, permitindo fácil divisibilidade. Com a libertação econômica do campesinato europeu, veio o florescimento político, científico, intelectual e cultural das cidades-Estado italianas, que mais tarde se espalharam pelo continente europeu. Seja em Roma, Constantinopla, Florença ou Veneza, a história mostra que um padrão monetário sadio é um pré-requisito necessário para o florescimento humano, sem o qual a sociedade se coloca no precipício da barbárie e destruição.

Embora o período que se segue à introdução do florim tenha presenciado uma melhoria na solidez do dinheiro, com cada vez mais europeus capazes de adotar ouro e prata para economia e comércio e com a expansão da extensão dos mercados na Europa e no mundo, a situação estava longe de ser perfeita. Ainda havia muitos períodos durante os quais vários soberanos diluíam a moeda de seu povo para financiar guerras ou gastos excessivos. Dado que eram usadas fisicamente, prata e ouro se complementavam: a alta taxa de escassez do ouro significava que era ideal como reserva de valor a longo prazo e meio para grandes pagamentos, mas o menor valor da prata por unidade de peso a fez facilmente divisível em quantidades adequadas para transações menores e para se manter por períodos mais curtos. Embora esse arranjo trouxesse benefícios, ele teve uma grande desvantagem: a taxa de câmbio flutuante entre ouro e prata criou problemas comerciais e de cálculo. As tentativas de fixar o preço das duas moedas entre si foram mutuamente autodestrutivas, mas a margem monetária do ouro prevaleceu.

Como os soberanos estabelecem uma taxa de câmbio entre as duas mercadorias, eles mudam os incentivos dos detentores para mantê-las ou gastá-las. Esse bimetalismo inconveniente continuou por séculos em toda a Europa e no mundo, mas, como a mudança do sal, gado e conchas do mar para os metais, o inexorável avanço da tecnologia iria fornecer uma solução para ele.

Dois avanços tecnológicos particulares afastariam a Europa e o mundo das moedas físicas e, por sua vez, ajudariam a acabar com o papel monetário da prata: o telégrafo, implantado comercialmente em 1837, e a crescente rede de trens, permitindo o transporte através da Europa. Com essas duas inovações, tornou-se cada vez mais viável que os bancos se comunicassem uns com os outros, enviando pagamentos com eficiência através do espaço quando necessário e contas de débito em vez de precisar enviar pagamentos físicos. Isso levou ao aumento do uso de notas, cheques e recibos de papel como meio monetário em vez de ouro físico e moedas de prata.

Mais nações começaram a mudar completamente para um padrão monetário de papel atrelados e resgatáveis instantaneamente em metais preciosos mantidos em cofres. Algumas nações escolheriam ouro, outras escolheriam prata, em uma decisão fatídica que teria consequências enormes. A Grã-Bretanha foi a primeira a adotar um padrão-ouro moderno em 1717, sob a direção do físico Isaac Newton, que era o diretor da Casa da Moeda Real, e o padrão-ouro teria um grande papel no avanço de seu comércio em todo o império ao redor do mundo. A Grã-Bretanha permaneceria sob um padrão-ouro até 1914, embora o suspendesse durante as guerras napoleônicas de 1797 a 1821. A supremacia econômica da Grã-Bretanha estava intrinsecamente ligada ao seu padrão monetário superior, e outros países europeus começaram a segui-lo. O fim das guerras napoleônicas marcou o início da Era de Ouro da Europa, pois, uma a uma, as principais nações europeias começaram a adotar o padrão-ouro. Quanto mais nações adotavam oficialmente o padrão-ouro, mais o ouro se tornava comercializável e maior o incentivo para outras nações também adotarem.

Além disso, em vez de os indivíduos terem que carregar moedas de ouro e prata para transações grandes e pequenas, respectivamente, agora podiam armazenar sua riqueza em ouro nos bancos enquanto usavam recibos de papel, notas e cheques para fazer pagamentos de qualquer tamanho. Os detentores de recibos de papel poderiam usá-los apenas para efetuar o pagamento; as contas eram descontadas pelos bancos e usadas para liberação e cheques poderiam ser descontados dos bancos que as emitiram. Isso resolveu o problema da vendabilidade do ouro em todas as escalas, tornando o ouro o melhor meio monetário – isso enquanto os bancos, que acumulavam o ouro das pessoas, não aumentavam a oferta de papéis que emitiam como recibos.

Com esses meios sendo lastreados por ouro físico nos cofres e permitindo o pagamento em qualquer quantidade ou tamanho, não havia mais uma necessidade real do papel da prata em pequenos pagamentos. A sentença de morte para o papel monetário da prata foi o fim da guerra franco-prussiana, quando a Alemanha extraiu uma indenização de 200 milhões de libras em ouro da França e a usou para mudar para o padrão-ouro. Com a Alemanha agora se unindo à Grã-Bretanha, França, Holanda, Suíça, Bélgica e outras em um padrão-ouro, o pêndulo monetário girou decisivamente a favor do ouro, levando as pessoas e nações do mundo todo que usavam prata a testemunhar uma perda progressiva de poder de compra e um incentivo mais forte para mudar para o ouro. A Índia finalmente mudou de prata para ouro em 1898, enquanto a China e Hong Kong foram as últimas economias do mundo a abandonar o padrão-prata em 1935.

Enquanto o ouro e a prata eram usados diretamente para pagamento, ambos tinham um papel monetário a desempenhar e seu preço em relação ao outro permanecia bastante constante ao longo do tempo, numa proporção entre 12 e 15 onças de prata por onça de ouro, no mesmo intervalo que sua relativa escassez na crosta terrestre e a relativa dificuldade e custo de extraí-las. Porém, à medida que os papéis e instrumentos financeiros lastreados por esses metais se tornaram cada vez mais populares, não havia mais justificativa para o papel monetário da prata, e indivíduos e nações passaram a manter o ouro, levando a um colapso significativo no preço da prata, do qual não se recuperaria. A proporção média entre os dois no século XX foi de 47:1 e, em 2017, foi de 75:1. Embora o ouro ainda tenha um papel monetário a desempenhar, como evidenciado pelo armazenamento dos bancos centrais, a prata de fato perdeu seu papel monetário (Veja a Figura 3.3)[9].

A desmonetização da prata teve um efeito significativamente negativo nas nações que a usavam como padrão monetário na época. A Índia testemunhou uma contínua desvalorização de sua rupia em comparação com os países europeus baseados em ouro, o que levou o governo colonial britânico a aumentar os impostos para financiar

---

[9]Fonte: Lawrence H. Officer and Samuel H. Williamson, "The Price of Gold, 1257–Present", Measuring Worth (2017). Disponível em http://www.measuringworth.com/gold/

Figura 3.3: Razão entre o preço do ouro e o preço da prata.

sua operação, levando a crescente inquietação e ressentimento pelo colonialismo britânico. Quando a Índia mudou o lastro de sua rupia para a libra esterlina lastreada em ouro em 1898, a prata que lastreara sua rupia havia perdido 56% de seu valor nos 27 anos desde o final da Guerra Franco-Prussiana. Para a China, que permaneceu no padrão de prata até 1935, sua prata (em vários nomes e formas) perdeu 78% de seu valor no período. A opinião do autor é de que a história da China e da Índia e seu fracasso em alcançar o Ocidente durante o século XX estão inextricavelmente ligadas a essa destruição maciça de riqueza e capital provocada pela desmonetização do metal monetário que esses países utilizavam. A desmonetização da prata, de fato, deixou chineses e indianos em uma situação semelhante a dos africanos ocidentais que usavam miçangas de vidro quando os europeus chegaram: dinheiro forte doméstico era um dinheiro fraco para estrangeiros e estava sendo expulso por dinheiro forte estrangeiro, o que permitia que estrangeiros controlassem e tivessem a propriedade de quantidades crescentes de capital e recursos da China e da Índia durante o período. Esta é uma lição histórica de imenso significado e deve ser lembrada por qualquer pessoa que pense que sua recusa do bitcoin significa que não precisa lidar com ele. A história mostra que não é possível se isolar das consequências de outras pessoas que guardam dinheiro mais forte que o seu.

Com o ouro nas mãos de bancos cada vez mais centralizados, ele ganhou vendabilidade através do tempo, escalas e localização, mas perdeu sua propriedade como dinheiro vivo, sujeitando os pagamentos ao acordo das autoridades políticas e financeiras que emitem recibos, compensam cheques e acumulam o ouro. Tragicamente, a única maneira de o ouro resolver os problemas de vendabilidade em escalas, espaço e tempo era centralizando-se e, assim, sendo vítima do grande problema da moeda sonante enfatizado pelos economistas do século XX: a soberania do indivíduo sobre o dinheiro e sua resistência ao controle centralizado do governo. Assim, podemos entender por que economistas de moeda forte do século XIX, como Menger, focaram sua compreensão da solidez do dinheiro em sua vendabilidade como um bem de mercado, enquanto economistas de moeda forte do século XX, como Mises, Hayek, Rothbard e Salerno, concentraram sua análise de solidez em sua resistência ao controle de um soberano. Como o calcanhar de Aquiles do dinheiro do século XX foi sua centralização nas mãos do governo, veremos mais adiante como o dinheiro inventado no século XXI, o bitcoin, foi projetado principalmente para evitar controle centralizado.

La Belle Époque

O fim da Guerra Franco-Prussiana em 1871 e a consequente mudança de todas as principais potências européias para o mesmo padrão monetário, o ouro, levaram a um período de prosperidade e florescimento que continua a parecer mais surpreendente com o tempo e em retrospecto. É possível argumentar que o século XIX - em particular a segunda metade - seja o maior período de prosperidade, inovação e conquista humana que o mundo já testemunhou, e o papel monetário do ouro foi essencial para ele. Com a prata e outros meios de troca cada vez mais desmonetizados, a maioria do planeta usou o mesmo padrão monetário áureo, permitindo que as melhorias nas telecomunicações e nos transportes promovessem a acumulação e o comércio globais de capital como nunca antes.

Moedas diferentes eram simplesmente pesos diferentes de ouro físico e a taxa de câmbio entre a moeda de uma nação e a outra era a simples conversão entre diferentes unidades de peso, tão direta quanto a conversão de polegadas em centímetros. A libra britânica foi definida como 7,3 gramas de ouro, enquanto o franco francês foi de 0,29 gramas de ouro e o marco alemão de 0,36 gramas, o que significa que a taxa de câmbio entre eles foi necessariamente fixada em 25,2 francos franceses e 20,4 marcos alemães por libra. Do mesmo modo que unidades métricas e imperiais são apenas uma maneira de medir o comprimento subjacente, as moedas nacionais eram apenas uma maneira de medir o valor econômico, conforme representado no estoque universal de valor, que era somente o ouro. As moedas de ouro de alguns países eram bem vendáveis em outros países, pois eram apenas ouro. A oferta de dinheiro de cada país não era uma métrica a ser determinada pelos comitês centrais de planejamento que acumularam Ph.D.s, mas pelo funcionamento natural do sistema de mercado. As pessoas possuíam tanto dinheiro quanto desejavam e gastavam o quanto desejavam na produção local ou estrangeira, e a oferta de dinheiro real não era mesmo facilmente mensurável.

A solidez do dinheiro refletiu-se nas livres trocas em todo o mundo, mas, talvez de forma mais importante, estava aumentando as taxas de poupança nas sociedades mais avançadas que utilizavam o padrão-ouro, permitindo a acumulação de capital para financiar a industrialização, a urbanização e as melhorias tecnológicas que moldaram nossa vida moderna (Veja a Tabela 3.1[10]).

Em 1900, cerca de 50 nações estavam oficialmente no padrão-ouro, incluindo todas as nações industrializadas, enquanto as nações que não estavam em um padrão-ouro oficial ainda tinham moedas

---

[10]Fonte: Lips, 2001 [8]

Divisa	Período sob o Padrão-Ouro	Anos
Franco Francês	1814–1914	100
Florim Holandês	1816–1914	98
Libra Esterlina	1821–1914	93
Franco Suíço	1850–1936	86
Franco Belga	1832–1914	82
Coroa Sueca	1873–1931	58
Marco Alemão	1875–1914	39
Lira Italiana	1883–1914	31

Tabela 3.1: Principais períodos durante os quais as principais economias europeias se regiam pelo Padrão-Ouro

de ouro sendo usadas como o principal *meio de troca*. Algumas das realizações humanas tecnológicas, médicas, econômicas e artísticas mais importantes foram inventadas durante a era do padrão-ouro, o que explica em parte por que ficou conhecida como *la belle époque*, ou a bela época, em toda a Europa. A Grã-Bretanha testemunhou os anos de pico da *Pax Britannica*, onde o Império Britânico se expandiu em todo o mundo e não estava envolvido em grandes conflitos militares. Em 1899, quando a escritora norte-americana Nellie Bly iniciou sua jornada recorde ao redor do mundo em 72 dias, ela carregava consigo moedas de ouro britânicas e notas do Banco da Inglaterra[11]. Era possível circunavegar o globo e usar uma única forma de dinheiro em todo lugar que Nellie foi.

Nos Estados Unidos, essa era foi chamada de *Era Dourada*, onde o crescimento econômico explodiu com a restauração do padrão-ouro em 1879 após a Guerra Civil Americana. Foi interrompido apenas por um episódio de insanidade monetária, que foi efetivamente o último suspiro da prata como dinheiro, discutido no Capítulo 6, quando o Tesouro tentou remonetizar a prata, instituindo-a como dinheiro. Isso

---

[11]Nellie Bly, *Around the World in Seventy-Two Days* (New York: Pictorial Weeklies, 1890 [9]).

causou um grande aumento na oferta de moeda e uma corrida bancária por aqueles que procuravam vender notas do Tesouro e prata por ouro. O resultado foi a recessão de 1893, após a qual o crescimento econômico dos EUA foi retomado.

Com a maioria do mundo em uma unidade monetária sólida, nunca houve um período que testemunhasse tanta acumulação de capital, comércio global, restrição ao governo e transformação dos padrões de vida em todo o mundo. Não eram apenas as economias do Oeste que eram muito mais livres naquela época, as próprias sociedades eram muito mais livres. Os governos tinham muito poucas burocracias focadas em microgerenciar a vida dos cidadãos. Como Mises descreveu:

> O padrão-ouro foi o padrão mundial da era do capitalismo, aumentando o bem-estar, a liberdade e a democracia, tanto políticas quanto econômicas. Aos olhos dos comerciantes livres, sua principal eminência era justamente o fato de ser um padrão internacional exigido pelo comércio internacional e pelas transações dos mercados internacionais de dinheiro e capital. Foi o *meio de troca* por meio do qual o industrialismo e o capital ocidentais levaram a civilização ocidental às partes mais remotas da superfície da Terra, destruindo por toda parte os grilhões de preconceitos e superstições antigos, semeando as sementes de uma nova vida e de um novo bem-estar, libertando mentes e almas e criando riquezas nunca antes vistas. Ele acompanhou o progresso triunfal sem precedentes do liberalismo ocidental pronto para unir todas as nações em uma comunidade de nações livres que cooperavam pacificamente entre si.

É fácil entender por que as pessoas viam o padrão-ouro como o símbolo dessa maior e mais benéfica de todas as mudanças históricas[12].

O mundo desabou no ano catastrófico de 1914, que não foi apenas o ano da eclosão da Primeira Guerra Mundial, mas o ano em que as principais economias do mundo saíram do padrão-ouro e o substituíram por dinheiro governamental nocivo. Somente a Suíça e a Suécia, que permaneceram neutras durante a Primeira Guerra Mundial, permaneceriam no padrão-ouro até a década de 1930. A era do dinheiro controlado pelo governo começaria globalmente depois disso, com consequências desastrosas incontroladas.

Embora, discutivelmente, o padrão-ouro do século XIX fosse a coisa mais próxima que o mundo já havia visto de uma moeda sonante ideal, ele ainda tinha suas falhas. Primeiro, governos e bancos estavam sempre criando meios de troca além da quantidade de ouro em suas reservas. Segundo, muitos países usavam não apenas ouro em suas reservas, mas também moedas de outros países. A Grã-Bretanha, como superpotência global da época, havia se beneficiado de ter seu dinheiro usado como moeda de reserva em todo o mundo, resultando no fato de suas reservas de ouro serem apenas uma pequena fração de sua enorme oferta monetária. Com o crescente comércio internacional se apoiando na liquidação de grandes quantidades de dinheiro em todo o mundo, as notas do Banco da Inglaterra se tornaram, na opinião de muitos na época, "tão boas quanto o ouro". Embora o ouro fosse um dinheiro muito forte, os instrumentos usados para liquidação de pagamentos entre bancos centrais, embora nominalmente resgatáveis em ouro, acabaram na prática sendo mais fáceis de produzir do que ouro.

Essas duas falhas significaram que o padrão-ouro estava sempre vulnerável a uma corrida ao ouro em qualquer país onde as circunstâncias pudessem levar uma porcentagem grande o suficiente da população a exigir o resgate de seu papel-moeda em ouro. A falha fatal

---

[12]Ludvig von Mises, *Human Action* (pp. 472 – 473) [2].

do padrão-ouro no centro desses dois problemas foi que a liquidação em ouro físico é incômoda, cara e insegura, o que se traduzia na necessidade centralização de reservas físicas de ouro em alguns locais - bancos e bancos centrais - deixando-os vulneráveis a serem tomados pelos governos. À medida que o número de pagamentos e acordos realizados em ouro físico se tornava uma fração infinitamente menor de todos os pagamentos, os bancos e bancos centrais que detinham o ouro podiam criar dinheiro não lastreado em ouro físico e usá-lo para liquidação. A rede de liquidação tornou-se valiosa o suficiente para que o crédito de seus proprietários fosse efetivamente monetizado. Assim que a capacidade de administrar um banco começou a implicar a criação de dinheiro, os governos naturalmente começaram a dominar o setor bancário por meio de bancos centrais. A tentação era sempre forte demais, e a riqueza financeira virtualmente infinita que isso assegurava poderia não apenas silenciar a dissidência, mas também financiar propagandistas para promover tais ideias. O ouro não ofereceu mecanismo para restringir os soberanos e teve que depender da confiança neles para não abusar do padrão-ouro e na população permanecendo eternamente vigilante contra eles. Isso talvez era possível quando a população era altamente instruída e conhecedora dos perigos da moeda fraca, mas com todas as gerações passadas exibindo a complacência intelectual que tende a acompanhar a riqueza[13], o canto da sereia de vigaristas e economistas bobos da corte se mostraria cada vez mais irresistível para maior parte da população, deixando apenas uma minoria de economistas e historiadores conhecedores travando uma batalha difícil para convencer as pessoas de que a riqueza não pode ser gerada adulterando a oferta de dinheiro, que permitir a um soberano o controle do dinheiro só pode levá-lo a aumentar o controle da vida de todos e que a própria vida humana civilizada repousa na integridade do dinheiro, fornecendo uma base sólida para comércio e

---

[13]Ver John Glubb, *The Fate of Empires and Search for Survival.*

acumulação de capital.

A centralização do ouro tornou-o vulnerável a ter seu papel monetário usurpado por seus inimigos, e o ouro simplesmente tinha muitos inimigos, como o próprio Mises bem entendeu:

> Os nacionalistas estão lutando contra o padrão-ouro porque querem separar seus países do mercado mundial e estabelecer a autarquia nacional o mais longe possível. Governos intervencionistas e grupos de pressão estão lutando contra o padrão-ouro porque consideram o obstáculo mais sério para seus esforços em manipular preços e salários. Mas os ataques mais fanáticos ao ouro são feitos por aqueles que pretendem expandir o crédito. Com eles, a expansão do crédito é a panacéia para todos os males econômicos[14].
>
> O padrão-ouro remove da arena política a determinação de mudanças no poder de compra induzidas por dinheiro. Sua aceitação geral requer o reconhecimento da verdade de que não se pode tornar todas as pessoas mais ricas imprimindo dinheiro. A aversão ao padrão-ouro é inspirada na superstição de que governos onipotentes podem criar riqueza com pequenos pedaços de papel [...] Os governos estavam ansiosos por destruí-lo, porque estavam comprometidos com as falácias de que a expansão do crédito é um meio apropriado de diminuir a taxa de juros e de "melhorar" a balança comercial [...] As pessoas lutam contra o padrão-ouro porque querem substituir o livre comércio pela autarquia nacional, a paz pela guerra, a liberdade pela onipotência totalitária do governo[15].

---

[14]Ludwig von Mises, *Human Action* (p. 473) [2]
[15]Ludwig von Mises, *Human Action* (p. 474) [2].

O século XX começou com os governos colocando o ouro de seus cidadãos sob seu controle através da invenção do banco central moderno no padrão-ouro. Quando a Primeira Guerra Mundial começou, a centralização dessas reservas permitiu que esses governos expandissem a oferta de dinheiro além de suas reservas de ouro, reduzindo o valor de sua moeda. No entanto, os bancos centrais continuaram confiscando e acumulando mais ouro até a década de 1960, onde a mudança em direção a um padrão global do dólar americano começou a se formar. Embora o ouro tenha sido supostamente desmonetizado integralmente em 1971, os bancos centrais continuaram detendo reservas de ouro significativas e apenas as descartaram lentamente, antes de voltarem a comprar ouro na última década. Mesmo quando os bancos centrais declararam repetidamente o fim do papel monetário do ouro, suas ações em manter suas reservas de ouro representam mais a verdade. Do ponto de vista da concorrência monetária, manter as reservas de ouro é uma decisão perfeitamente racional. Manter reservas de dinheiro fraco de governos estrangeiros fará com que o valor da moeda do país desvalorize junto com as moedas de reserva, enquanto a senhoriagem se acumula no emissor da moeda de reserva, não no banco central do país. Além disso, se os bancos centrais venderem todas as suas reservas de ouro (estimadas em cerca de 20% dos estoques globais de ouro), o impacto mais provável é que o ouro, sendo altamente valorizado por seus usos industriais e estéticos, seria comprado muito rapidamente com pouca depreciação de seu preço e os bancos centrais ficariam sem reservas de ouro. A competição monetária entre dinheiro fraco do governo e ouro forte provavelmente resultará em um vencedor a longo prazo. Mesmo em um mundo de dinheiro governamental, os governos não foram capazes de retirar o papel monetário do ouro, pois suas ações falam mais alto que suas

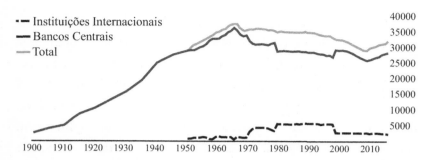

Figura 3.4: Reservas oficiais de ouro de bancos centrais, expressas em tonelada

palavras (Veja a Figura 3.4[16]).

---

[16]Fonte: World Gold Council, Reserve Statistics. Disponível em https://www.gold.org/data/gold-reserves

4

DINHEIRO GOVERNAMENTAL

A Primeira Guerra Mundial viu o fim da era em que a escolha dos meios monetários era decidida pelo livre mercado e o começo da era do dinheiro governamental. Enquanto o ouro continua a sustentar o sistema monetário global até hoje, decretos governamentais, decisões e política monetária moldam a realidade monetária do mundo mais do que qualquer aspecto da escolha individual.

O nome comum para dinheiro governamental é dinheiro fiduciário, da palavra latina para decreto, ordem ou autorização. Dois fatos importantes devem ser entendidos sobre o dinheiro governamental desde o início. Primeiro, existe uma diferença muito grande entre dinheiro governamental resgatável em ouro e dinheiro do governo não-resgatável, mesmo que ambos sejam administrados pelo governo. Sob um padrão-ouro, o dinheiro é ouro, e o governo apenas assume a responsabilidade de cunhar unidades-padrão do metal ou imprimir papel lastreado pelo ouro. O governo não tem controle sobre a oferta de ouro na economia e as pessoas são capazes de resgatar seu papel em ouro físico a qualquer momento e usar outras formas e formatos de ouro, como barras de ouro e moedas estrangeiras, em suas negociações entre elas. Com o dinheiro governamental não-resgatável, por outro lado, a dívida e/ou papel do governo é usada como dinheiro, e o governo é capaz de aumentar sua oferta como achar melhor. Se alguém usar outras formas de dinheiro para troca, ou tentar criar mais dinheiro governamental, corre o risco de punição.

O segundo fato, muitas vezes esquecido, é que, ao contrário do que o nome possa sugerir, nenhum dinheiro fiduciário entrou em circulação apenas por meio da via fiduciária governamental; todos eles eram originalmente resgatáveis em ouro ou prata ou moedas resgatáveis em ouro ou prata. Somente através da resgatabilidade em formas de dinheiro vendáveis é que o papel-moeda do governo ganhou sua vendabilidade. O governo pode emitir decretos exigindo que as pessoas usem seu papel para pagamentos, mas nenhum governo impôs essa vendabilidade nos papéis sem que esses papéis fossem resgatáveis pela primeira vez em ouro e prata. Até hoje, todos os bancos centrais dos governos mantêm reservas para manter o valor de sua moeda nacional. A maioria dos países mantém algum ouro em suas reservas e os países que não têm reservas de ouro mantêm reservas na forma de moedas fiduciárias de outros países, que por sua vez são lastreadas por reservas de ouro. Nenhuma moeda fiduciária pura existe em circulação sem qualquer forma de lastro. Ao contrário do princípio mais flagrantemente errôneo e central da Teoria Estatal da Moeda, não foi o governo que decretou o ouro como dinheiro; pelo contrário, é apenas mantendo ouro que os governos podem conseguir que seu dinheiro seja aceito para começo de conversa.

O exemplo mais antigo registrado de dinheiro fiduciário foi *jiaozi*, um papel-moeda emitido pela dinastia Song na China no século X. Inicialmente, *jiaozi* era um recibo de ouro ou prata, mas o governo controlava sua emissão e suspendia a resgatabilidade, aumentando a quantidade de moeda impressa até seu colapso. A dinastia Yuan também emitiu moeda fiduciária em 1260, chamada *chao*, e excedeu a oferta muito além do lastro metálico, com consequências previsivelmente desastrosas. À medida que o valor do dinheiro desmoronava, as pessoas caíam na pobreza abjeta, com muitos camponeses recorrendo a vender seus filhos como escravos por dívidas.

O dinheiro governamental, então, é semelhante às formas primitivas de dinheiro discutidas no Capítulo 2, e outras commodities que não o ouro, na medida em que é suscetível de aumentar rapidamente sua oferta em comparação com seu estoque, levando a uma rápida perda de vendabilidade, destruição de poder de compra e empobrecimento de seus titulares. A este respeito, difere do ouro, cuja oferta não pode ser aumentada devido às propriedades químicas fundamentais do metal discutidas acima. O fato de o governo exigir pagamento em dinheiro por seus impostos pode garantir uma vida mais longa a esse dinheiro, mas somente se o governo puder impedir a rápida expansão da oferta, ele poderá proteger seu valor de se depreciar rapidamente. Ao comparar diferentes moedas nacionais, descobrimos que as principais e as mais usadas moedas nacionais têm um aumento anual menor em sua oferta do que as moedas menores menos vendáveis.

Nacionalismo Monetário e o Fim do Mundo Livre

Os muitos inimigos da moeda sonante que Mises nomeou na citação do final do último capítulo teriam sua vitória sobre o padrão-ouro com o início de uma pequena guerra na Europa Central em 1914, que se desenrolou na primeira guerra global da história da humanidade. Certamente, quando a guerra começou, ninguém a imaginou durando tanto tempo e produzindo tantas vítimas como de fato ela causou. Os jornais britânicos, por exemplo, anunciaram como *August Bank Holiday War*, esperando que fosse uma simples excursão triunfante de verão para suas tropas. Havia uma sensação de que isso seria um conflito limitado. E, após décadas de relativa paz em toda a Europa, uma nova geração de europeus não cresceu com experiências bélicas para avaliar as prováveis consequências de uma declaração de guerra. Hoje, os historiadores ainda não oferecem uma explicação estratégica ou geopolítica convincente do porquê de um conflito entre o Império Austro-Húngaro e os separatistas sérvios desencadeou uma guerra global que custou a vida de milhões de pessoas e reformulou drasticamente a maioria das fronteiras do mundo.

Em retrospecto, a principal diferença entre a Primeira Guerra Mundial e as guerras limitadas anteriores não foi geopolítica nem estratégica, mas monetária. Quando os governos estavam em um padrão-ouro, tinham controle direto de grandes cofres de ouro enquanto seu povo lidava com recibos em papel desse ouro. A facilidade com que um governo poderia emitir mais papel-moeda era muito tentadora no calor do conflito e muito mais fácil do que exigir impostos dos cidadãos. Poucas semanas após o início da guerra, todos os principais beligerantes haviam suspendido a conversibilidade do ouro, efetivamente abandonando o padrão-ouro e colocando sua população em um padrão fiduciário, em que o dinheiro que eles usavam era papel emitido pelo governo não resgatável por ouro.

Com a simples suspensão do resgate do ouro, os esforços de guerra dos governos não estavam mais limitados ao dinheiro que eles tinham em seus próprios tesouros, mas estendiam-se virtualmente a toda a riqueza da população. Enquanto o governo puder imprimir mais dinheiro e fazer com que esse dinheiro seja aceito por seus cidadãos e estrangeiros, poderá continuar financiando a guerra. Anteriormente, sob um sistema monetário em que ouro como dinheiro estava nas mãos do povo, o governo tinha apenas seus próprios tesouros para sustentar seu esforço de guerra, juntamente com quaisquer questões tributárias ou de títulos para financiar a guerra. Isso tornava o conflito limitado e estava no coração dos períodos relativamente longos de paz experimentados em todo o mundo antes do século XX.

Se as nações europeias tivessem permanecido no padrão-ouro, ou o povo da Europa tivesse seu próprio ouro em suas próprias mãos, forçando o governo a recorrer à tributação em vez da inflação, a história poderia ter sido diferente. É provável que a Primeira Guerra Mundial tivesse sido resolvida militarmente poucos meses após o conflito, quando uma das facções aliadas começasse a ficar sem financiamento e enfrentasse dificuldades em extrair riqueza de uma população que não estaria disposta a se juntar a ela para defender a sobrevivência de seu regime. Mas com a suspensão do padrão-ouro, ficar sem financiamento não foi suficiente para acabar com a guerra; um soberano teve que correr à riqueza acumulada de seu povo expropriada pela inflação.

A desvalorização das moedas pelos pares europeus permitiu que o sangrento impasse continuasse por quatro anos, sem resolução ou avanço. A insensatez de tudo isso não se perdeu nas populações desses países, e os soldados na linha de frente arriscaram suas vidas por nenhuma razão aparente, a não ser vaidade e ambição ilimitadas de monarcas que geralmente eram parentes e casados entre si. Na personificação mais vívida da absoluta falta de sentido dessa guerra, na véspera do Natal de 1914, soldados franceses, ingleses e alemães pararam de seguir ordens para lutar, baixaram as armas e cruzaram as linhas de batalha para se misturar e socializar uns com os outros. Muitos soldados alemães haviam trabalhado na Inglaterra e podiam falar inglês, e a maioria dos soldados gostava de futebol, e muitos jogos improvisados foram organizados entre as equipes[1]. O fato surpreendente exposto por essa trégua é que esses soldados não tinham nada contra si, nada tinham a ganhar com a guerra e não viam motivo para continuar. Uma saída muito melhor para a rivalidade de suas nações seria o futebol, um jogo universalmente popular onde filiações

[1]Malcolm Brown and Shirley Seaton, Christmas Truce: The Western Front December 1914 (London: Pan Macmillan, 2014) [10]

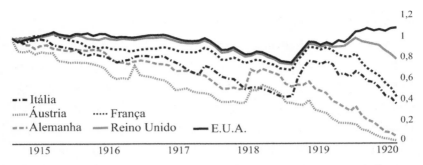

Figura 4.1: Principais taxas de câmbio nacionais vs. franco suíço durante a Primeira Grande Guerra. Taxa de câmbio em Junho de 1941 = 1

tribais e nacionais podem ser exercidas pacificamente.

A guerra continuaria por mais quatro anos com quase nenhum progresso, até os Estados Unidos intervirem em 1917 e balançarem a guerra em favor de um lado às custas do outro, trazendo uma grande quantidade de recursos com os quais seus inimigos não podiam mais acompanhar. Enquanto todos os governos financiavam suas máquinas de guerra com a inflação, a Alemanha e o Império Austro-Húngaro começaram a testemunhar um sério declínio no valor de sua moeda em 1918, tornando a derrota inevitável. A comparação das taxas de câmbio das moedas beligerantes com o franco suíço, que ainda estava no padrão-ouro na época, fornece uma medida útil da desvalorização que cada moeda experimentou, como mostra a Figura 4.1[2].

Depois que a poeira baixou, as moedas de todas as principais potências europeias haviam caído em valor real. As potências perdedoras, Alemanha e Áustria, viram o valor médio de sua moeda cair em novembro de 1918 para 51% e 31% de seu valor em junho de 1914. A moeda da Itália testemunhou uma queda para 77% do seu valor

---

[2]Fonte: George Hall, "Exchange Rates and Casualties During the First World War", Journal of Monetary Economics [11].

Dinheiro Governamental

Nação	Variação de Valor da Moeda
E.U.A.	-4,49 %
Reino Unido	-6,63 %
França	-9,40 %
Itália	-23,25 %
Alemanha	-49,17 %
Áustria	-68,81 %

Tabela 4.1: Variação do Valor das Moedas Nacionais em Relação ao Franco Suíço Durante a Primeira Guerra Mundial (Jun 1914 - Nov 1918)

original[3], enquanto a da França caiu para apenas 91%, a do Reino Unido 93% e a moeda dos EUA apenas 96% do seu valor original (Ver Tabela 4.1[4]).

As mudanças geográficas provocadas pela guerra dificilmente valeram a carnificina, pois a maioria das nações ganhou ou perdeu terras marginais e nenhum vencedor poderia afirmar ter conquistado grandes territórios que valeram o sacrifício. O Império Austro-Húngaro foi dividido em nações menores, mas estas permaneceram governadas por seu próprio povo, e não pelos vencedores da guerra. O grande ajuste da guerra foi a remoção de muitas monarquias europeias e sua substituição por regimes republicanos. O caso de essa transição ter sido para o melhor empalidece em comparação com a destruição e devastação que a guerra infligiu aos cidadãos destes países.

Com a movimentação e resgate de ouro dos bancos centrais suspensos internacionalmente ou severamente restritos nas principais economias, os governos poderiam manter a fachada do valor da moeda

[3]Tenho pensado se a proximidade da Alemanha e da Áustria com a Suíça, e as relações estreitas entre essas populações, podem ter levado a que mais alemães e austríacos trocassem suas moedas pelo franco suíço, o que acelerou a queda dessas moedas, esticando os recursos econômicos dos governos e desempenhando um papel decisivo no resultado da Primeira Guerra Mundial. Nunca encontrei nenhuma pesquisa sobre essa questão, mas se o fizer, caro leitor, entre em contato.

[4]De julho de 1914 a novembro de 1918. Fonte: George Hall, "Exchange Rates and Casualties During the First World War", Journal of Monetary Economics [11].

remanescente em sua posição anterior ao ouro, mesmo quando os preços estavam subindo. Quando a guerra terminou, o sistema monetário internacional, que girava em torno do padrão-ouro, não era mais funcional. Todos os países ficaram sem o ouro e tiveram que enfrentar o grande dilema de voltar a um padrão-ouro e, caso voltassem, como reavaliar suas moedas em relação ao ouro. Uma precificação de mercado justa de seu estoque existente de moeda em relação a seu estoque de ouro seria uma admissão extremamente impopular da depreciação pela qual a moeda sofreu. Um retorno às antigas taxas de câmbio levaria os cidadãos a exigir a posse de ouro, em vez de os onipresentes recibos de papel, e levaria à fuga do ouro para fora do país, para onde era razoavelmente valorizado.

Esse dilema retirou dinheiro do mercado e o transformou em uma decisão econômica politicamente controlada. Em vez de os participantes do mercado escolherem livremente o bem mais vendável como *meio de troca*, o valor, a oferta e a taxa de juros para o dinheiro passaram a ser planejados centralmente pelos governos nacionais, um sistema monetário que Hayek chamou de Nacionalismo Monetário, em um brilhante livro curto com o mesmo nome:

Por Nacionalismo Monetário, quero dizer a doutrina de que a participação de um país na oferta mundial de dinheiro não deve ser determinada pelos mesmos princípios e pelo mesmo mecanismo daqueles que determinam as quantias relativas de dinheiro em suas diferentes regiões ou localidades. Um sistema monetário verdadeiramente internacional seria aquele em que o mundo inteiro possuísse uma moeda homogênea como obtida em países separados e onde seu fluxo entre regiões fosse deixado a ser determinado pelos resultados da ação de todos os indivíduos[5].

Nunca mais o ouro voltaria a ser a moeda homogênea do mundo, com a posição de monopólio dos bancos centrais e restrições à propriedade do ouro, forçando as pessoas a usar o dinheiro do governo nacional. A introdução do bitcoin, como uma moeda nativa da Internet, além das fronteiras nacionais e fora do domínio do controle governamental, oferece uma possibilidade intrigante para o surgimento de um novo sistema monetário internacional, a ser analisado no Capítulo 9.

A Era Entre Guerras

Enquanto sob o padrão-ouro internacional o dinheiro fluía livremente entre as nações em troca de mercadorias e a taxa de câmbio entre moedas diferentes era apenas a conversão entre diferentes pesos de ouro, no nacionalismo monetário a oferta de moeda de cada país e a taxa de câmbio entre elas seria determinada em acordos e reuniões internacionais. A Alemanha sofreu hiperinflação depois que o Tratado de Versalhes lhe impôs grandes reparações e procurou pagá-las usando a inflação. A Grã-Bretanha teve grandes problemas com o fluxo de ouro de suas fronteiras para a França e Estados Unidos, enquanto tentava manter um padrão-ouro, mas com uma taxa que supervalorizava a libra britânica e subvalorizava o ouro.

O primeiro grande tratado do século do nacionalismo monetário foi o Tratado de Gênova, de 1922. Sob os termos deste tratado, o dólar americano e a libra esterlina seriam considerados moedas de reserva semelhantes ao ouro em suas posições nas reservas de outros países. Com esse movimento, o Reino Unido esperava aliviar seus problemas com a libra supervalorizada, fazendo com que outros países comprassem grandes quantidades para colocar em suas reservas.

---

[5]Friedrich Hayek, *Monetary Nationalism and International Stability* (Fairfield, NJ: Augustus Kelley, 1989 [1937]) [12].

As principais potências do mundo sinalizaram a saída da solidez do padrão-ouro em direção ao inflacionismo como solução para problemas econômicos. A insanidade desse acordo foi que esses governos queriam inflar enquanto mantinham também o preço de sua moeda estável em termos de ouro nos níveis anteriores à guerra. A segurança era procurada em números: se todos desvalorizassem suas moedas, não haveria lugar para o capital se esconder. Mas isso não funcionou e não pôde funcionar, e o ouro continuou a fluir da Grã-Bretanha para os Estados Unidos e França.

A fuga de ouro da Grã-Bretanha é uma história pouco conhecida com enormes consequências. O *Lords of Finance*, de Liaquat Ahamed, se concentra neste episódio e faz um bom trabalho em discutir os indivíduos envolvidos e o drama ocorrido, mas adota o entendimento keynesiano reinante da questão, colocando a culpa por todo o episódio no padrão-ouro. Apesar de sua extensa pesquisa, Ahamed não consegue entender que o problema não era o padrão-ouro, mas que os governos pós-Primeira Guerra Mundial desejavam retornar ao padrão-ouro nas taxas anteriores à Primeira Guerra Mundial. Se eles tivessem admitido ao seu povo a magnitude da desvalorização que ocorreu para combater a guerra e re-lastreado suas moedas ao ouro a novas taxas, provavelmente haveria um colapso recessivo, após o qual a economia teria se recuperado em uma base monetária sonante.

Um tratamento melhor desse episódio e suas consequências horríveis pode ser encontrado em *A Grande Depressão Americana* de Murray Rothbard [13]. Como as reservas de ouro da Grã-Bretanha estavam deixando suas margens para lugares onde eram mais valorizadas, o chefe do Banco da Inglaterra, Sir Montagu Norman, apoiou-se pesadamente em seus colegas franceses, alemães e americanos para aumentar a oferta de dinheiro em seus países, desvalorizando suas moedas de papel na esperança de impedir o fluxo de ouro da Inglaterra. Apesar de os banqueiros franceses e alemães não cooperarem, Benjamin Strong, presidente do Federal Reserve de Nova York, de fato cooperou, engajando-se na política monetária inflacionária ao longo da década de 1920. Isso pode ter conseguido reduzir o fluxo de ouro da Grã-Bretanha até certo ponto, mas a implicação mais importante disso foi que ele criou uma bolha maior nos mercados imobiliário e de ações nos Estados Unidos. A política inflacionária do FED dos EUA terminou no final de 1928, momento em que a economia dos EUA estava pronta para o inevitável colapso que se segue da suspensão do inflacionismo. O que se seguiu foi o crash da bolsa de 1929, e a reação do governo dos EUA transformou isso na mais longa depressão da história moderna registrada.

A história comum sobre a Grande Depressão postula que o Presidente Hoover optou por permanecer inativo diante da crise, devido a uma fé equivocada na capacidade dos mercados livres de trazer recuperação e aderência ao padrão-ouro. Somente quando ele foi substituído por Franklin Delano Roosevelt, que mudou para um papel de ativista no governo e suspendeu o padrão-ouro, a recuperação dos EUA se seguiu. Para dizer o mínimo, isso não faz sentido. Hoover não apenas aumentou os gastos do governo em projetos de obras públicas para combater a Depressão, mas também se apoiou no Federal Reserve para expandir o crédito, e fez a busca insana de manter os salários altos diante da queda na taxa salarial. Além disso, foram instituídos controles de preços para manter os preços dos produtos, particularmente os agrícolas, em altos níveis, semelhante ao que era visto como o justo e correto antes da depressão. Os Estados Unidos e todas as principais economias globais começaram a implementar políticas comerciais protecionistas que tornaram as coisas muito piores em toda a economia mundial[6].

É um fato pouco conhecido, cuidadosamente retocado nos livros

---

[6]Para uma análise completa das políticas intervencionistas de Hoover, ver *America's Great Depression* de Murray Rothbard [13]

de história, que, nas eleições gerais de 1932 nos EUA, Hoover se candidatou com uma plataforma altamente intervencionista, enquanto Franklin Delano Roosevelt, em uma plataforma de responsabilidade fiscal e monetária. Os americanos haviam realmente votado contra as políticas de Hoover, mas quando FDR chegou ao poder, ele achou mais conveniente jogar junto com os interesses que haviam influenciado Hoover e, como resultado, as políticas intervencionistas de Hoover foram ampliadas para o que veio a ser conhecido como o New Deal. É importante perceber que não havia nada de novo ou exclusivo no New Deal. Era uma ampliação das políticas fortemente intervencionistas que Hoover instituíra.

Um entendimento inicial de economia deixará claro que o controle de preços é sempre contraproducente, resultando em excessos e escassez. Os problemas enfrentados pela economia americana na década de 1930 estavam inextricavelmente ligados à fixação de salários e preços. Os salários foram fixados muito altos, resultando em uma taxa de desemprego muito alta, atingindo 25% em determinados pontos, enquanto os controles de preços criaram escassez e superávits de vários bens. Alguns produtos agrícolas foram queimados a fim de manter seus altos preços, levando à situação insana em que as pessoas estavam passando fome, desesperadas por trabalho, enquanto os produtores não podiam contratá-los porque não podiam pagar seus salários, e os produtores que poderiam produzir colheitas tiveram que queimar algumas para manter o preço alto. Tudo isso foi feito para manter os preços nos níveis da época de prosperidade anteriores a 1929, mantendo a ilusão de que o dólar ainda mantinha seu valor em comparação ao ouro. A inflação da década de 1920 causou a formação de grandes bolhas de ativos nos mercados imobiliário e de ações, causando um aumento artificial nos salários e preços. Após a explosão da bolha, os preços de mercado buscaram reajuste por meio de uma queda no valor do dólar em relação ao ouro e uma queda nos salários e preços reais. A obstinação dos planejadores centrais iludidos, que queriam impedir que os três acontecessem, paralisou a economia: o dólar, os salários e os preços foram supervalorizados, levando as pessoas a procurarem largar seus dólares por ouro, bem como causando desemprego maciço e falhas de produção.

É claro que nada disso seria possível com uma moeda sonante, e somente através do aumento da oferta monetária esses problemas ocorreram. E, mesmo após a inflação, os efeitos teriam sido muito menos desastrosos se eles tivessem reajustado o valor do dólar em ouro a um preço determinado pelo mercado e deixado que salários e preços se ajustassem livremente. Em vez de aprender essa lição, os economistas do governo da época decidiram que a falha não estava no inflacionismo, mas no padrão-ouro, que restringia o inflacionismo do governo. A fim de remover os grilhões de ouro do inflacionismo, o presidente Roosevelt emitiu uma ordem executiva proibindo a propriedade privada do ouro, forçando os americanos a vender seu ouro ao Tesouro dos EUA a uma taxa de US$ 20,67 por onça. Com a população privada de moeda sonante e forçada a lidar com dólares, Roosevelt então reajustou o valor do dólar no mercado internacional de US$ 20,67 por onça para US$ 35,00 por onça, uma desvalorização de 41% do dólar em termos reais (ouro). Essa foi a realidade inevitável dos anos de inflacionismo que começaram em 1914 com a criação do Federal Reserve e o financiamento da entrada dos Estados Unidos na Segunda Guerra Mundial.

Foi o abandono de uma moeda sonante e sua substituição pelo dinheiro fiduciário emitido pelo governo que transformou as principais economias do mundo em fracassos planejados centralmente e dirigidos pelo governo. Como os governos controlavam o dinheiro, eles controlavam a maioria das atividades econômicas, políticas, culturais e educacionais. Nunca tendo estudado economia ou a pesquisado profissionalmente, Keynes capturou o *zeitgeist* do governo onipotente para criar a trilha definitiva que dava aos governos o que eles queriam ouvir. Desapareceram todas as bases do conhecimento econômico adquiridas ao longo de séculos de sabedoria acumulada em todo o mundo, para serem substituídas pela nova fé nas conclusões sempre tão convenientes que se adequavam aos políticos de alta preferência temporal e aos governos totalitários: o estado da economia é determinado pela alavanca dos gastos agregados, e qualquer aumento no desemprego ou desaceleração da produção não tinha causas subjacentes na estrutura da produção ou na distorção dos mercados pelos planejadores centrais; ao contrário, tudo isso foi uma escassez de gastos, e o remédio é a desvalorização da moeda e o aumento dos gastos do governo. Poupar reduz os gastos e, como os gastos são tudo o que importa, o governo deve fazer todo o possível para impedir que seus cidadãos poupem. As importações desempregam os trabalhadores; portanto, os aumentos nos gastos devem ir para os bens domésticos. Os governos adoraram essa mensagem, e o próprio Keynes sabia disso. Seu livro foi traduzido para o alemão em 1937, no auge da era nazista e na introdução para a edição alemã, Keynes escreveu:

> A teoria da produção agregada, que é o objetivo do livro a seguir, pode, no entanto, ser muito mais fácil de adaptar às condições de um Estado totalitário do que a teoria da produção e distribuição de uma determinada produção apresentada sob condições de livre concorrência e alto grau de laissez-faire[7].

O dilúvio keynesiano, do qual o mundo ainda está para se recuperar, havia começado. As universidades perderam a independência e tornaram-se parte e parcela do aparato governamental. A economia na academia deixou de ser uma disciplina intelectual focada em entender

---

[7]Citado na obra de Henry Hazlitt, *The Failure of the New Economics*, p. 277 [14].

as escolhas humanas sob escassez para melhorar suas condições. Em vez disso, tornou-se um braço do governo, destinado a direcionar os formuladores de políticas às melhores políticas para gerenciar as atividades econômicas. A noção de que a administração governamental da economia é necessária tornou-se o ponto de partida inquestionável de toda a educação econômica moderna, como pode ser observado em qualquer livro de economia moderna, onde o governo desempenha o mesmo papel que Deus nas escrituras religiosas: uma força onipresente, onisciente e onipotente, que apenas precisa identificar problemas para resolvê-los satisfatoriamente. O governo é imune ao conceito de custos de oportunidade, e raramente são considerados os resultados negativos da intervenção do governo na atividade econômica e, se forem considerados, é apenas para justificar ainda mais intervenção governamental. A tradição liberal clássica, que via a liberdade econômica como fundamento da prosperidade econômica, foi discretamente afastada, enquanto propagandistas do governo se disfarçavam de economistas e apresentavam a Grande Depressão, causada e exacerbada pelos controles do governo, como refutação dos mercados livres. Os liberais clássicos eram os inimigos dos regimes políticos da década de 1930; assassinados e expulsos da Rússia, Itália, Alemanha e Áustria, eles tiveram a sorte de só serem perseguidos academicamente nos Estados Unidos e no Reino Unido, onde esses gigantes lutavam para encontrar emprego enquanto burocratas medíocres e estatísticos falidos preenchiam cada departamento com seu cientificismo e falsa certeza.

Hoje, os currículos de economia aprovados pelo governo ainda culpam o padrão-ouro pela Grande Depressão. O mesmo padrão-ouro que produziu mais de quatro décadas de crescimento e prosperidade global praticamente ininterruptos entre 1870 e 1914 de repente parou de funcionar nos anos 30 porque não permitiria que os governos expandissem sua oferta de dinheiro para combater a depressão, cujas causas esses economistas não podem explicar além de alusões keynesianas sem sentido a espíritos animais. E nenhum desses economistas parece notar que, se o problema era realmente o padrão-ouro, sua suspensão deveria ter causado o início da recuperação. Em vez disso, levou-se mais de uma década após a suspensão para retomar o crescimento. A conclusão óbvia para qualquer pessoa com um entendimento básico de dinheiro e economia é que a causa do Grande Crash de 1929 foi o desvio do padrão-ouro nos anos pós-Primeira Guerra Mundial, e que o aprofundamento da Depressão foi causado pelo controle governamental e socialização da economia nos anos Hoover e FDR. Nem a suspensão do padrão-ouro nem os gastos em guerra fizeram nada para aliviar a Grande Depressão.

À medida que as principais economias do mundo saíam do padrão-ouro, o comércio global em breve seria naufragado nas margens do dinheiro fiduciário oscilante. Sem padrão de valor que permitisse a existência de um mecanismo de preço internacional, e com os governos cada vez mais capturados por impulsos estatistas e isolacionistas, a manipulação da moeda emergiu como uma ferramenta de política comercial, com os países buscando desvalorizar suas moedas para dar vantagens a seus exportadores. Mais barreiras comerciais foram erguidas e o nacionalismo econômico tornou-se o *ethos* daquela época, com consequências previsivelmente desastrosas. As nações que prosperaram juntas 40 anos antes, negociando sob um padrão-ouro universal, agora tinham grandes barreiras monetárias e comerciais entre elas, líderes populistas barulhentos que atribuíam todos os seus fracassos a outras nações e uma maré crescente de nacionalismo odioso que iria em breve cumprir a profecia de Otto Mallery: "Se os soldados não devem atravessar fronteiras internacionais, as mercadorias devem fazê-lo. A menos que os grilhões sejam retirados do comércio, bombas serão lançadas do céu"[8].

Segunda Guerra Mundial e Bretton Woods

Do céu as bombas de fato caíram, junto com inúmeras formas inimagináveis de assassinato e horror. As máquinas de guerra que as
economias dirigidas pelo governo construíram eram muito mais avançadas do que qualquer outra que o mundo já viu, graças à popularidade
da mais perigosa e absurda de todas as falácias keynesianas, a noção
de que os gastos do governo no setor militar ajudariam na recuperação
econômica. Todo gasto é gasto, na economia ingênua dos keynesianos,
e, portanto, não importa se esse gasto vem de indivíduos alimentando
suas famílias ou governos assassinando estrangeiros: tudo isso conta
com demanda agregada e reduz o desemprego! Como um número crescente de pessoas passou fome durante a depressão, todos os principais
governos gastaram generosamente em se armar, e o resultado foi um
retorno à destruição sem sentido de três décadas antes.

Para os economistas keynesianos, a guerra foi o que causou a recuperação econômica, e se alguém ver a vida apenas através das lentes
de agregados estatísticos coletados pelos burocratas do governo, uma
noção tão ridícula é defensável. Com os gastos de guerra do governo e
o recrutamento crescente, os gastos agregados aumentaram enquanto o
desemprego caía, então todos os países envolvidos na Segunda Guerra
Mundial haviam se recuperado por causa de sua participação na guerra.
Qualquer pessoa que não seja afetada pela economia keynesiana, no
entanto, pode perceber que a vida durante a Segunda Guerra Mundial,
mesmo em países que não testemunharam guerra em seu solo, como
os Estados Unidos, não pode, em nenhum momento, ser caracterizada
como "recuperação econômica". Além da morte e da destruição, a
dedicação de grande parte dos recursos de capital e mão-de-obra dos

---

[8]Otto Mallery, *Economic Union and Durable Peace* (Harper and Brothers, 1943),
p. 10 (tradução livre) [15]

países beligerantes ao esforço de guerra significou severa escassez de produção doméstica, resultando em racionamento e controle de preços. Nos Estados Unidos, a construção de novas moradias e o reparo das habitações existentes foram proibidos[9]. Mais obviamente, não se pode argumentar que os soldados que lutam e morrem nas frentes de guerra, que constituíam uma grande porcentagem da população de nações beligerantes, desfrutassem de qualquer forma de recuperação, não importando quanto o gasto agregado aumentou com a fabricação das armas que eles estavam carregando.

Mas um dos golpes mais devastadores das teorias keynesianas da demanda agregada como determinante do estado da economia ocorreu após a Segunda Guerra Mundial, particularmente nos Estados Unidos. Uma confluência de fatores conspirou para reduzir drasticamente os gastos do governo, levando os economistas keynesianos da época a prever desgraça e melancolia para o pós-guerra: o fim das hostilidades militares reduziu drasticamente os gastos militares do governo. A morte do populista e poderoso Roosevelt e sua substituição pelo mais humilde e menos icônico Truman, enfrentando um Congresso controlado pelos republicanos, criaram um impasse político que impedia a renovação dos estatutos do New Deal. Todos esses fatores juntos, quando analisados por economistas keynesianos, apontariam para um desastre iminente, como escreveu Paul Samuelson, o homem que literalmente escreveu os livros didáticos de educação econômica na era do pós-guerra, em 1943:

> A conclusão final a ser tirada de nossa experiência no final
> da última guerra é inescapável - se a guerra terminasse
> repentinamente nos próximos 6 meses, se fôssemos nova-
> mente sem planejamento encerrar nosso esforço de guerra

---

[9]Robert Higgs, "World War II and the Triumph of Keynesianism" (2001) [16], artigo de pesquisa do Independent Institute. Disponível em http://www.independent.org/publications/article.asp?id=317

com a maior pressa, se desmobilizássemos nossas forças
armadas, se liquidássemos controles de preços, mudásse-
mos os déficits astronômicos para os déficits meramente
grandes dos anos trinta - então haveria o maior período
de desemprego e deslocamento industrial que qualquer
economia já tenha enfrentado[10].

O fim da Segunda Guerra Mundial e o desmantelamento do New
Deal significaram que o governo dos EUA cortou seus gastos em im-
pressionantes 75% entre 1944 e 1948, e também removeu a maioria
dos controles de preços. E, no entanto, a economia dos EUA testemunhou um desenvolvimento extraordinário durante esses anos. Os
cerca de 10 milhões de homens que foram mobilizados para a guerra
voltaram para casa e foram quase perfeitamente absorvidos pela força
de trabalho à medida que a produção econômica crescia, passando
por cima de todas as previsões keynesianas e obliterando totalmente a
ridícula noção de que o nível de gastos é o que determina a produção
na economia. Assim que o planejamento central do governo diminuiu
pela primeira vez desde o crash de 1929 e assim que os preços foram
ajustados livremente, eles desempenharam seu papel de mecanismo
de coordenação da atividade econômica combinando vendedores e
compradores, incentivando a produção de mercadorias exigidas pelos consumidores e compensando trabalhadores pelo seu esforço. A
situação estava longe de ser perfeita, pois o mundo permaneceu fora
do padrão-ouro, levando a distorções sempre presentes da oferta de
moeda que continuariam a perseguir a economia mundial crise após
crise.

É sabido que a história é escrita pelos vencedores, mas, na era
do dinheiro governamental, os vencedores também decidem sobre os
sistemas monetários. Os Estados Unidos convocaram representantes

[10]Paul Samuelson, "Full Employment after the War", in Seymour Harris, *Postwar Economic Problems* (New York: McGraw-Hill, 1943) [17].

de seus aliados para Bretton Woods, em New Hampshire, para discutir a formulação de um novo sistema comercial global. A história não tem sido muito gentil com os arquitetos deste sistema. O representante da Grã-Bretanha não era outro senão John Maynard Keynes, cujos ensinamentos econômicos seriam destruídos nas margens da realidade nas décadas seguintes à guerra, enquanto o representante da América, Harry Dexter White, seria mais tarde descoberto como um comunista que estava em contato com o regime soviético por muitos anos[11]. Na batalha pelas ordens monetárias globais planejadas centralmente, White emergiu vitorioso com um plano que até fez com que Keynes parecesse não totalmente desequilibrado. Os Estados Unidos deveriam ser o centro do sistema monetário global, com o seu dólar sendo usado como moeda de reserva global por outros bancos centrais, cujas moe-

---

[11] Depois de ser investigado e testemunhar ao Congresso, White sofreu dois ataques cardíacos e morreu de overdose de medicamentos, o que pode ter sido suicídio. Um bom tratamento desse episódio pode ser encontrado em *A Batalha de Bretton Woods*, de Benn Steil, que apoia a visão de que White era um espião soviético. Uma leitura alternativa da situação pode produzir uma perspectiva mais sutil, embora dificilmente mais lisonjeira. Os vínculos entre os progressistas americanos e os comunistas russos precedem o golpe russo de 1917 e incluíram um financiamento significativo dos EUA aos bolcheviques para depor a monarquia russa, como profundadamente detalhado pelo historiador britânico-americano Antony Sutton. Os progressistas americanos wilsonianianos, que estavam por trás da Liga das Nações e, mais tarde, das Nações Unidas, procuraram um governo mundial tecnocrático, progressivo, democrático e global e buscaram cooperação com forças globais que apoiariam esse objetivo e depusessem monarquias reacionárias que não cooperassem com esta ordem mundial. Portanto, os interesses americanos desempenharam um papel de liderança na promoção dos bolcheviques e em ajudá-los a tomar o poder, principalmente através de Leon Trotsky, que esteve em Nova York durante a revolução, canalizando recursos e armas para seus camaradas na Rússia. Enquanto Trotsky era um socialista internacionalista que teria cooperado com os interesses americanos, ele não ganharia o poder na Rússia; em vez disso, Stalin sucederia a Lenin e seguiria em uma direção mais paroquial, priorizando o socialismo em casa à cooperação global. A partir de então, os progressistas americanos mantiveram contato com os interesses russos, tentando convencer a Rússia a cooperar com os interesses progressistas americanos, mas sem sucesso. Assim, podemos entender melhor White não como um espião comunista, mas como um progressista americano que buscou cooperação com os bolcheviques russos para o grande projeto da ordem econômica do pós-guerra que os progressistas americanos buscavam.

das seriam conversíveis em dólares a taxas de câmbio fixas, enquanto
o próprio dólar seria conversível em ouro a uma taxa de câmbio fixa.
Para facilitar esse sistema, os Estados Unidos pegariam ouro de bancos
centrais de outros países.

Enquanto o povo americano ainda estava proibido de possuir ouro,
o governo dos EUA prometeu o resgate de dólares em ouro para
os bancos centrais de outros países a uma taxa fixa, abrindo o que
ficou conhecido como janela de troca de ouro. Em teoria, o sistema
monetário global ainda era baseado no ouro e, se o governo dos EUA
mantivesse a conversibilidade em ouro ao não inflacionar a oferta
de dólar além de suas reservas de ouro enquanto outros países não
inflacionassem sua oferta de dinheiro além de suas reservas de dólar, o
sistema monetário estaria efetivamente próximo do padrão-ouro da era
anterior à Primeira Guerra Mundial. Naturalmente, eles não o fizeram
e, na prática, as taxas de câmbio não foram fixadas mas foram feitas
provisões para permitir que os governos alterassem essas taxas para
resolver um "desequilíbrio fundamental"[12].

Para administrar esse sistema global de taxas de câmbio espe-
rançosamente fixas e solucionar qualquer desequilíbrio fundamental
em potencial, a conferência de Bretton Woods estabeleceu o Fundo
Monetário Internacional, que atuava como um órgão de coordenação
global entre bancos centrais com o objetivo expresso de alcançar a
estabilidade das taxas de câmbio e fluxos financeiros. Em essência,
Bretton Woods tentou alcançar, através do planejamento central, o que
o padrão-ouro internacional do século XIX alcançara espontaneamente.
Sob o padrão-ouro clássico, a unidade monetária era o ouro, enquanto
o capital e os bens fluíam livremente entre os países, ajustando espontaneamente os fluxos, sem necessidade de controle ou direção central,
e nunca resultando em crises na balança de pagamentos: qualquer

---

[12]U.S. Department of State, "Volume I" in Proceedings and Documents of the
United Nations Monetary and Financial Conference, Bretton Woods, New Hampshire,
July 1–22, 1944.

quantia de dinheiro ou bens movidos através das fronteiras o fazia a critério de seus proprietários e nenhum problema macroeconômico poderia emergir.

No sistema de Bretton Woods, no entanto, os governos eram dominados por economistas keynesianos que viam a política fiscal e monetária ativista como uma parte natural e importante da política do governo. A constante gestão monetária e fiscal levaria naturalmente à flutuação do valor das moedas nacionais, resultando em desequilíbrios nos fluxos de comércio e capital.

Quando a moeda de um país é desvalorizada, seus produtos se tornam mais baratos para estrangeiros, levando a que mais mercadorias saiam do país, enquanto os detentores da moeda procuram comprar moedas estrangeiras para se protegerem da desvalorização. Como a desvalorização é geralmente acompanhada de taxas de juros artificialmente baixas, o capital busca sair do país para ir onde pode ser melhor recompensado, exacerbando a desvalorização da moeda. Por outro lado, os países que mantinham sua moeda melhor do que outros testemunhariam, assim, um influxo de capital sempre que seus vizinhos se desvalorizavam, levando a sua moeda a se valorizar ainda mais. A desvalorização cultivaria ainda mais desvalorização, enquanto a valorização da moeda levaria a mais valorização, criando uma dinâmica problemática para os dois governos. Não houve problemas com o padrão-ouro, onde o valor da moeda nos dois países era constante, porque era ouro, e os movimentos de bens e capitais não afetariam o valor da moeda.

Os mecanismos de ajuste automático do padrão-ouro sempre forneceram uma barra de medição constante, contra a qual toda a atividade econômica era medida, mas as moedas flutuantes deram desequilíbrios à economia mundial. O papel do Fundo Monetário Internacional era realizar um ato impossível de equilíbrio entre todos os governos do mundo para tentar encontrar alguma forma de estabilidade ou "equilíbrio" nessa bagunça, mantendo as taxas de câmbio dentro de uma faixa arbitrária de valores predeterminados enquanto os fluxos de comércio e capital os moviam e os alteravam. Mas sem uma unidade de conta estável para a economia global, essa era uma tarefa tão desesperadora quanto tentar construir uma casa com uma fita métrica elástica cujo comprimento variava cada vez que era usada.

Juntamente com o estabelecimento do Banco Mundial e do FMI em Bretton Woods, os Estados Unidos e seus aliados queriam estabelecer outra instituição financeira internacional especializada na organização de políticas comerciais. A tentativa inicial de estabelecer uma Organização Internacional do Comércio falhou depois que o Congresso dos EUA se recusou a ratificar o tratado, mas uma substituição foi solicitada no Acordo Geral sobre Comércio e Tarifas (GATT), a partir de 1948. O GATT deveria ajudar o FMI na tarefa impossível de balancear orçamento e comércio para garantir a estabilidade financeira - em outras palavras, planejar centralmente o comércio global e a política fiscal e monetária para permanecer em equilíbrio, como se isso fosse possível.

Um aspecto importante, mas muitas vezes esquecido, do sistema de Bretton Woods era que a maioria dos países membros havia transferido grandes quantidades de suas reservas de ouro para os Estados Unidos e recebido dólares em troca, a uma taxa de US$ 35 por onça. A lógica era que o dólar americano seria a moeda global para o comércio e os bancos centrais negociariam através dele e liquidariam suas contas, evitando a necessidade do movimento físico do ouro. Em essência, esse sistema era semelhante a toda a economia mundial sendo administrada como um país em um padrão-ouro, com o Federal Reserve dos EUA atuando como banco central do mundo e todos os bancos centrais do mundo como bancos regionais; a principal diferença é que a disciplina monetária do padrão-ouro foi quase totalmente perdida neste mundo onde não havia controles eficazes sobre nenhum banco central em relação a expansão da oferta de moeda, porque nenhum cidadão podia resgatar seu dinheiro governamental em ouro. Somente os governos podiam resgatar seus dólares em ouro dos Estados Unidos, mas isso era muito mais complicado do que o esperado. Hoje, cada onça de ouro pela qual os bancos centrais estrangeiros receberam US$ 35 vale mais de US$ 1.200.

O expansionismo monetário tornou-se a nova norma global, e o vínculo tênue que o sistema tinha com o ouro mostrou-se impotente para impedir a desmoralização das moedas globais e a constante crise na balança de pagamentos que afetam a maioria dos países. Os Estados Unidos, no entanto, foram colocados em uma posição notável, semelhante à, embora extremamente grande em escopo, pilhagem do Império Romano e o aumento da oferta monetária usada pela maior parte do Velho Mundo. Com sua moeda distribuída em todo o mundo, e os bancos centrais tendo que mantê-la como reserva para negociar entre si, o governo dos EUA poderia acumular uma senioridade significativa ao expandir a oferta de dólares e também não tinha motivos para se preocupar em manter uma balança de pagamento deficitária. O economista francês Jacques Reuff cunhou a frase "déficit sem lágrimas" para descrever a nova realidade econômica que os Estados Unidos habitavam, onde poderia comprar o que quisesse do mundo e financiá-lo através de dívidas monetizadas ao inflar a moeda que o mundo inteiro usava.

A restrição fiscal relativa dos primeiros anos após a Segunda Guerra Mundial logo deu lugar à tentação politicamente irresistível de comprar almoços grátis através da inflação, particularmente para os Estados de guerra e de bem-estar social. A indústria militar que prosperou durante a Segunda Guerra Mundial transformou-se no que o presidente Eisenhower chamou de Complexo Industrial-Militar - um enorme conglomerado de indústrias poderoso o suficiente para exigir cada vez mais financiamento do governo e direcionar a política externa dos EUA para uma série interminável de conflitos custosos sem uma finalidade racional ou objetivo claro. A doutrina do militante keynesianismo violento alegou que esses gastos seriam bons para a economia, o que facilitou que as milhões de vidas destruídas fossem mais fáceis para o estômago do eleitorado americano.

Essa máquina de guerra também se tornou mais palatável para o povo americano, porque veio dos mesmos políticos que intensificaram o bem-estar do governo de várias formas e formatos. Da *The Great Society* à habitação barata, educação e assistência médica acessíveis, o dinheiro fiduciário permitiu que o eleitorado americano ignorasse as leis da economia e acreditasse que um almoço grátis, ou pelo menos um com desconto perpétuo, era de alguma forma possível. Na ausência de conversibilidade do ouro e com a capacidade de dispersar os custos da inflação no resto do mundo, a única fórmula política vencedora consistia em aumentar os gastos do governo financiados pela inflação, e todos os mandatos presidenciais da era pós-guerra testemunharam um crescimento das despesas do governo e da dívida nacional e perda do poder de compra do dólar. Na presença de dinheiro fiduciário para financiar o governo, as diferenças políticas entre os partidos desaparecem, pois a política não contém mais compromissos e todo candidato pode defender todas as causas.

Histórico do Dinheiro Governamental

O elo tênue da permutabilidade do ouro era um detalhe irritante para o inflacionismo do governo dos EUA e se manifestava em dois sintomas: primeiro, o mercado global de ouro sempre procurava refletir a realidade do inflacionismo por meio de um preço mais alto do ouro. Isso foi resolvido através do estabelecimento do London Gold Pool, que buscava reduzir o preço do ouro descarregando algumas das reservas de ouro que os governos mantinham no mercado. Isso funcionou apenas temporariamente, mas, em 1968, o dólar americano teve que começar a ser reprecificado em comparação com o ouro para reconhecer os anos de inflação que sofrera. O segundo problema foi que alguns países começaram a tentar repatriar suas reservas de ouro dos Estados Unidos, quando começaram a reconhecer a diminuição do poder de compra de seu papel-moeda. O presidente francês Charles de Gaulle chegou a enviar uma transportadora militar francesa a Nova York para recuperar o ouro de seu país, mas quando os alemães tentaram repatriar seu ouro, os Estados Unidos decidiram que tinha sido a gota d'água. As reservas de ouro estavam acabando e, em 15 de agosto de 1971, o Presidente Richard Nixon anunciou o fim da conversibilidade do dólar ao ouro, deixando, portanto, o preço do ouro flutuar no mercado livremente. De fato, os Estados Unidos não cumpriram seu compromisso de resgatar seus dólares em ouro. As taxas de câmbio fixas entre as moedas do mundo, que o FMI foi encarregado de manter, foram agora liberadas para serem determinadas pelo movimento de mercadorias e capitais através das fronteiras e nos mercados de câmbio cada vez mais sofisticados.

Livre das restrições finais da pretensão de resgate do ouro, o governo dos EUA expandiu sua política monetária em escala sem precedentes, causando uma grande queda no poder de compra do dólar e um aumento nos preços em geral. Tudo e todos foram responsabilizados pelo aumento de preços pelo governo dos EUA e seus economistas, exceto a única fonte real de aumento de preços: o aumento na oferta do dólar. A maioria das outras moedas teve um desempenho ainda pior, pois foram vítimas da inflação do dólar norte-americano que as apoia, bem como da inflação dos bancos centrais que as emitem.

Essa iniciativa do presidente Nixon concluiu o processo iniciado com a Primeira Guerra Mundial, transformando a economia mundial de um padrão global de ouro para um padrão baseado em várias moedas emitidas pelo governo. Para um mundo que estava crescendo cada vez mais globalizado, juntamente com os avanços nos transportes e telecomunicações, as taxas de câmbio livremente flutuantes constituíam o que Hoppe chamou de "um sistema de escambo parcial"[13]. Comprar coisas de pessoas que moravam do outro lado de linhas imaginárias traçadas na areia agora exigia a utilização de mais de um *meio de troca* e reacendia o antigo problema de falta de coincidência de desejos. O vendedor não deseja a moeda possuída pelo comprador e, portanto, este deve comprar outra moeda primeiro e incorrer em custos de conversão. À medida que os avanços nos transportes e telecomunicações continuaram aumentando a integração econômica global, o custo dessas ineficiências continuava a crescer. O mercado de câmbio, com US$ 5 trilhões em volume diário, existe puramente como resultado dessa ineficiência da ausência de uma única moeda internacional homogênea global.

Embora a maioria dos governos produza suas próprias moedas, o governo dos EUA foi quem produziu a moeda de reserva principal com a qual outros governos se lastrearam. Foi a primeira vez na história da humanidade que todo o planeta ficou com dinheiro do governo e, embora essa ideia seja considerada normal e inquestionável na maioria dos círculos acadêmicos, vale a pena examinar a solidez dessa forma predominante de dinheiro.

Teoricamente é possível criar um ativo artificialmente escasso para dotá-lo de um papel monetário. Governos de todo o mundo fizeram isso depois de abandonar o padrão-ouro, assim como o criador do bitcoin, com resultados contrastantes. Depois que a ligação entre o dinheiro fiduciário e o ouro foi cortada, dinheiro de papel teve um crescimento mais alto em sua taxa de oferta do que o ouro e, como resultado, houve um colapso em seu valor em comparação ao ouro. A medida total M2 da oferta monetária dos EUA em 1971 foi de cerca de US$ 600 bilhões, enquanto hoje é superior a US$ 12 trilhões,

---

[13]Hans-Hermann Hoppe, "How Is Fiat Money Possible?" *Review of Austrian Economics, vol. 7*, no. 2 (1994) [18]

crescendo a uma taxa média anual de 6,7%. Da mesma forma, em 1971, 1 onça de ouro valia US$ 35, e hoje vale mais de US$ 1.200.

Observar o histórico do dinheiro governamental mostra uma imagem mista sobre a taxa de escassez de diferentes moedas ao longo do tempo. As moedas relativamente estáveis e fortes dos países desenvolvidos geralmente apresentam taxas de crescimento de um dígito, mas com uma variação muito maior, incluindo contrações da oferta durante recessões deflacionárias[14]. As moedas dos países em desenvolvimento experimentaram muitas vezes taxas de crescimento da oferta mais próximas dos bens de consumo, levando a uma hiperinflação desastrosa e à destruição da riqueza dos detentores. O Banco Mundial fornece dados sobre amplo crescimento monetário para 167 países no período entre 1960 e 2015. Os dados para a média anual de todos os países estão representados na Figura 4.2. Embora os dados não estejam completos para todos os países e todos os anos, o crescimento médio da oferta de dinheiro é de 32,16% ao ano por país.

O valor de 32,16% não inclui vários anos hiperinflacionários durante o qual uma moeda é completamente destruída e substituída por uma nova e, portanto, os resultados dessa análise não podem nos dizer definitivamente quais moedas tiveram pior desempenho, pois alguns dos dados mais significativos não podem ser comparados. Mas uma análise dos países que tiveram o maior aumento médio da oferta monetária mostrará uma lista de países que tiveram vários episódios amplamente divulgados de luta inflacionária ao longo do período coberto. A Tabela 4.2[15] mostra os dez países com o maior aumento médio anual na oferta de moeda.

Durante períodos hiperinflacionários, as pessoas nos países em de-

---

[14]Esse é um aspecto importante, mas geralmente subestimado, do dinheiro governamental. Como os bancos criam dinheiro quando emitem empréstimos, o reembolso dos empréstimos ou a falência do tomador de empréstimo levam a uma redução na oferta de dinheiro. O dinheiro pode aumentar ou diminuir sua oferta, dependendo de várias decisões do governo e do banco central.

[15]Fonte: Banco Mundial

Dinheiro Governamental

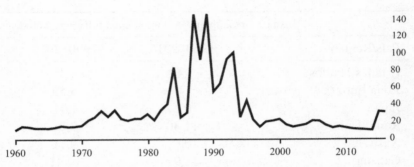

Figura 4.2: Taxa de crescimento anual média de dinheiro em sentido amplo para 167 divisas, período de 1960 a 2015

País	Média
Nicarágua	480,24
Congo, Rep. Dem.	410,92
Angola	293,79
Brasil	266,57
Peru	198,00
Bolívia	184,28
Argentina	148,17
Ucrânia	133,84
Azerbaijão	109,25
Armênia	100,67

Tabela 4.2: Os dez países com maior média anual de crescimento da oferta monetária em sentido amplo, 1960-2015

senvolvimento vendem sua moeda nacional e compram itens duráveis, commodities, ouro e moedas estrangeiras. Moedas de reserva internacionais, como o dólar, euro, iene e franco suíço, estão disponíveis na maior parte do mundo, mesmo nos mercados negros, e atendem a uma parcela significativamente alta da demanda global por uma reserva de valor. A razão disso se torna aparente quando se examina as taxas de crescimento de sua oferta, que têm sido relativamente baixas ao longo do tempo. Visto que elas constituem as principais opções de reserva de valor disponíveis para a maioria das pessoas em todo o

Taxa de Crescimento Anual da Quantidade de Moeda		
País/Região	1960–2015	1990–2015
Estados Unidos	7,42	5,45
Zona Euro (a 19 países)		5,55
Japão	10,27	1,91
Reino Unido	11,30	7,28
Austrália	10,67	9,11
Canadá	11,92	10,41
Suíça	6,50	4,88
China	21,82	20,56
Suécia	7,94	6,00
Nova Zelândia	12,30	6,78

Tabela 4.3: Aumento percentual anual médio da quantidade de moeda em sentido amplo para as maiores economias globais

mundo, vale a pena examinar as taxas de crescimento da oferta separadamente das moedas menos estáveis. As dez maiores moedas atuais nos mercados de câmbio estão listadas na Tabela 4.3, juntamente com seu aumento anual da oferta monetária nos períodos entre 1960–2015 e 1990–2015[16]. A média das dez moedas mais líquidas internacionalmente é de 11,13% para no período 1960–2015, e apenas 7,79% no período entre 1990 e 2015. Isso mostra que as moedas mais aceitas no mundo todo e que têm a maior capacidade de venda do mundo têm uma taxa de escassez mais alta do que as outras moedas, como seria previsto pela análise deste livro.

O período das décadas de 1970 e 1980, que engloba o início da era das moedas nacionais flutuantes, foi aquele em que a maioria dos países experimentou inflação alta. As coisas melhoraram depois de 1990 e as taxas médias de crescimento da oferta caíram. Os dados da OCDE mostram que, para os países da OCDE, no período entre 1990 e 2015, a taxa anual de crescimento de oferta de dinheiro amplo ficou

[16]Fonte: Banco Mundial para todos os países, e OECD.Stat para a zona do Euro.

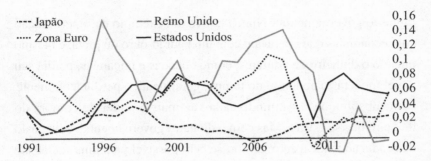

Figura 4.3: Taxa anual de crescimento de dinheiro em sentido amplo no Japão, Reino Unido, Estados Unidos e Zona Euro

em média 7,17%.

Podemos ver que as principais moedas nacionais do mundo geralmente têm seu crescimento de oferta a taxas previsivelmente baixas. As economias desenvolvidas tiveram aumentos mais lentos na oferta de suas moedas do que as economias em desenvolvimento, que testemunharam aumentos de preços mais rápidos e vários episódios hiperinflacionários na história recente. As economias avançadas tiveram seu dinheiro amplo crescendo a taxas geralmente entre 2% e 8%, em média em torno de 5%, e raramente subindo em dois dígitos ou caindo em território negativo. Os países em desenvolvimento têm taxas de crescimento muito mais irregulares, que variam para dígitos duplos, às vezes triplo e até quádruplo, enquanto caem ocasionalmente em território negativo, refletindo a maior instabilidade financeira nesses países e moedas (Veja a Figura 4.3[17]).

O crescimento de 5% ao ano pode não parecer muito, mas dobrará a oferta de dinheiro de um país em apenas 15 anos. Essa foi a razão pela qual a prata perdeu na corrida monetária em relação ao ouro, cuja menor taxa de crescimento da oferta significou uma erosão muito mais lenta do poder de compra.

A hiperinflação é uma forma de desastre econômico exclusiva do

---

[17]Fonte: OECD.Stat.

dinheiro governamental. Nunca houve um exemplo de hiperinflação com economias que operavam com um padrão-ouro ou prata, e mesmo quando o dinheiro de artefatos, como conchas e miçangas, perdia seu papel monetário ao longo do tempo, geralmente o perdia lentamente, com substituições assumindo cada vez mais o poder de compra do dinheiro que se esvaía. Mas com o dinheiro governamental, cujo custo de produção tende a zero, tornou-se bem possível para uma sociedade inteira testemunhar que todas as suas economias na forma de dinheiro desaparecem no espaço de alguns meses ou até semanas.

A hiperinflação é um fenômeno muito mais pernicioso do que apenas a perda de muito valor econômico por muitas pessoas; constitui um colapso completo da estrutura da produção econômica de uma sociedade construída ao longo de séculos e milênios. Com o colapso do dinheiro, torna-se impossível negociar, produzir ou se envolver em qualquer outra coisa do que procurar o essencial da vida. À medida que as estruturas de produção e comércio que as sociedades desenvolveram ao longo dos séculos se deterioram devido à incapacidade de consumidores, produtores e trabalhadores de pagar uns aos outros, os bens que os humanos consideram garantidos começam a desaparecer. O capital é destruído e vendido para financiar o consumo. Primeiro, vai para os bens de luxo, mas logo segue o básico para a sobrevivência, até que os humanos sejam trazidos de volta a um estado bárbaro em que precisam se defender e lutar para garantir as necessidades mais básicas da sobrevivência. À medida que a qualidade de vida do indivíduo se degenera acentuadamente, o desespero começa a se transformar em raiva, bodes expiatórios são procurados e os políticos mais demagógicos e oportunistas se aproveitam dessa situação, alimentando a raiva das pessoas para ganhar poder. O exemplo mais vívido disso é a inflação da República de Weimar na década de 1920, que não apenas levou à destruição e ao colapso de uma das economias mais avançadas e prósperas do mundo, mas também alimentou a ascensão de Adolf

Hitler ao poder.

Mesmo que os livros didáticos estivessem corretos sobre os benefícios do governo na gestão da oferta de dinheiro, os danos de um episódio de hiperinflação em qualquer lugar do mundo os superam de longe. E o século do dinheiro governamental teve muito mais que um desses episódios calamitosos.

Enquanto essas linhas são escritas, é a vez da Venezuela passar por essa farsa e testemunhar os estragos da destruição de dinheiro, mas esse é um processo que ocorreu 56 vezes desde o final da Primeira Guerra Mundial, de acordo com uma pesquisa de Steve Hanke e Charles Bushnell, que define hiperinflação como um aumento de 50% no nível de preços durante um período de um mês. Hanke e Bushnell conseguiram verificar 57 episódios de hiperinflação na história[18] e apenas um ocorreu antes da era do nacionalismo monetário, e foi a inflação na França em 1795, após a bolha do Mississippi, que também foi produzida através de dinheiro governamental e projetado pelo pai honorário do dinheiro governamental moderno, John Law.

O problema com o dinheiro fornecido pelo governo é que sua força depende inteiramente da capacidade dos responsáveis de não inflar sua oferta. Somente restrições políticas fornecem força e não há restrições físicas, econômicas ou naturais sobre quanto dinheiro o governo pode produzir. Gado, prata, ouro e conchas do mar exigem um esforço sério para produzi-los e nunca podem ser gerados em grandes quantidades com um passe de mágica, mas o dinheiro do governo exige apenas a vontade do governo. A oferta constantemente crescente significa uma desvalorização contínua da moeda, expropriando a riqueza dos detentores para beneficiar aqueles que a imprimem e os que a recebem

---

[18] Steve Hanke e Charles Bushnell, "Venezuela Enters the Record Book: The 57th Entry in the Hanke-Krus World Hyperinflation Table", Studies in Applied Economics, no. 69 (December 2016).

mais cedo[19]. A História mostrou que os governos inevitavelmente sucumbirão à tentação de inflar a oferta de moeda. Seja por causa de uma corrupção absoluta, por uma "emergência nacional" ou por uma infestação de escolas inflacionistas de economia, o governo sempre encontrará uma razão e uma maneira de imprimir mais dinheiro, expandindo o poder do governo e reduzindo a riqueza dos detentores de moeda. Isso não é diferente dos produtores de cobre que extraem mais cobre em resposta à demanda monetária por cobre; recompensa os produtores do bem monetário, mas pune aqueles que optam por colocar suas economias em cobre.

Se uma moeda demonstrar com credibilidade que sua oferta não pode ser expandida, ela imediatamente ganhará valor significativamente. Em 2003, quando os Estados Unidos invadiram o Iraque, o bombardeio aéreo destruiu o banco central do Iraque e, com ele, a capacidade do governo iraquiano de imprimir novos dinares iraquianos. Isso levou o dinar a se valorizar drasticamente da noite para o dia, quando os iraquianos ficaram mais confiantes na moeda, uma vez que nenhum banco central conseguiu imprimi-lo[20]. Uma história semelhante aconteceu com os xelins somalis depois que o banco central foi destruído[21]. O dinheiro é mais desejável quando comprovadamente

---

[19]Isso é chamado de Efeito Cantillon, em homenagem ao economista irlandês-francês Richard Cantillon, que o explicou no século XVIII. Segundo Cantillon, os beneficiários da expansão da oferta monetária são os primeiros destinatários da nova moeda, que podem gastá-la antes que ela faça com que os preços subam. Quem o recebe é capaz de gastá-lo com um pequeno aumento no nível de preços. À medida que o dinheiro é mais gasto, o nível de preços aumenta, até que aqueles que recebem depois sofram uma redução em seu poder de compra real. Esta é a melhor explicação para o motivo pelo qual a inflação prejudica os mais pobres e ajuda os mais ricos da economia moderna. Os que mais se beneficiam são os que têm melhor acesso ao crédito do governo, e os que mais sofrem são aqueles com renda fixa ou salário mínimo.

[20]"Dollar or Dinar?" Mises Daily. Disponível em https://mises.org/library/dollar-or-dinar

[21]J. P. Koning, "Orphaned Currency: Odd Case of Somali Shillings". Disponível em https://jpkoning.blogspot.ca/2013/03/orphaned-currency-odd-case-of-somali.html?m=1

escasso do que quando passível de ser depreciado.

Algumas razões mantêm o dinheiro governamental como o dinheiro principal do nosso tempo. Primeiro, os governos determinam que os impostos sejam pagos em dinheiro governamental, o que significa que os indivíduos têm grande probabilidade de aceitá-lo, dando-lhe uma vantagem em sua venda. Segundo, o controle e a regulamentação do governo pelo sistema bancário significa que os bancos só podem abrir contas e agir com dinheiro sancionado pelo governo, dando ao dinheiro do governo um grau de venda muito mais alto do que qualquer outro concorrente em potencial. Terceiro, as leis de curso forçado tornam ilegal em muitos países o uso de outras formas de dinheiro para pagamento. Quarto, todos os dinheiros governamentais ainda são lastreados por reservas de ouro ou por moedas lastreadas por reservas de ouro. De acordo com dados do World Gold Council, os bancos centrais têm atualmente cerca de 33.000 toneladas de ouro em suas reservas. As reservas de ouro dos bancos centrais aumentaram rapidamente no início do século XX, com muitos governos confiscando o ouro de seus povos e bancos e forçando-os a usar seu dinheiro. No final da década de 1960, com o sistema de Bretton Woods sendo forçado pela pressão de aumento da oferta de moeda, os governos começaram a descarregar algumas de suas reservas de ouro. Mas em 2008 essa tendência se inverteu e os bancos centrais voltaram a comprar ouro e a oferta global aumentou. É irônico, e muito revelador, que na era do dinheiro governamental, os próprios governos possuem muito mais ouro em suas reservas oficiais do que no padrão internacional de ouro de 1871 a 1914. O ouro claramente não perdeu seu papel monetário; continua sendo o único extintor final da dívida, o dinheiro cujo valor não é passivo de mais ninguém e o principal ativo global que não apresenta risco da contraparte. O acesso ao seu papel monetário, no entanto, foi restrito aos bancos centrais, enquanto os indivíduos foram direcionados ao uso de dinheiro governamental.

As grandes reservas de ouro dos bancos centrais podem ser usadas como uma oferta de emergência para vender ou arrendar no mercado de ouro para impedir que o preço do ouro suba durante períodos de maior demanda, para proteger o papel de monopólio do dinheiro governamental. Como Alan Greenspan explicou certa vez: "Os bancos centrais estão prontos para arrendar ouro em quantidades crescentes, caso o preço suba[22]" (Veja Figura 3.4[23]).

À medida que a tecnologia progredia para permitir formas de dinheiro cada vez mais sofisticadas, incluindo papel-moeda fácil de transportar, um novo problema de vendabilidade foi introduzido: a capacidade do vendedor de vender seu bem sem a intervenção de terceiros que possam restringir a vendabilidade desse dinheiro. Essa não é uma questão que existe com o dinheiro commodity, cujo valor emerge do mercado e não pode ser ditado por terceiros à transação: gado, sal, ouro e prata têm mercado e compradores interessados. Porém, com o dinheiro emitido pelo governo com valor insignificante como mercadoria, a vendabilidade pode ser comprometida pelos governos que o emitiram, declarando que não é mais adequado como moeda legal. Os indianos que acordaram em 8 de novembro de 2016, ao saber que seu governo havia suspendido o status de curso legal das notas de 500 e 1.000 rupias, certamente podem se lembrar. Num piscar de olhos, o que era dinheiro altamente vendável perdeu seu valor e teve que ser trocado em bancos com filas muito longas. E, à medida que o mundo caminha para reduzir sua dependência de dinheiro físico, mais dinheiro das pessoas está sendo colocado em bancos supervisionados pelo governo, tornando-o vulnerável a confiscos ou controles de capital. O fato de esses procedimentos geralmente acontecerem em

---

[22]"Regulation of OTC Derivatives". Depoimento do ex-presidente do FED Alan Greenspan perante o Comitê de Bancos e Serviços Financeiros da Câmara dos Deputados dos Estados Unidos em julho 24 de 1998.

[23]Fonte: World Gold Council, Reserve Statistics. Disponível em: https:// www.gold.org/data/gold-reserves

tempos de crise econômica, quando os indivíduos mais precisam desse dinheiro, é um grande impedimento para vendabilidade do dinheiro emitido pelo governo.

O controle governamental do dinheiro o transformou de recompensa por produzir valor em recompensa à obediência a funcionários do governo. É impraticável para qualquer pessoa gerar riqueza em dinheiro governamental sem a aceitação do governo. O governo pode confiscar dinheiro dos monopólios bancários que controla, inflar a moeda para desvalorizar a riqueza dos detentores e recompensá-la aos mais leais de seus súditos, impor impostos draconianos e punir aqueles que os evitam, e até confiscar contas.

Enquanto no tempo do economista austríaco Menger os critérios para determinar qual é a melhor moeda giravam em torno da compreensão da vendabilidade e o que o mercado escolheria como moeda, no século XX o controle governamental da moeda significou um novo e muito importante critério sendo adicionado à vendabilidade, e essa é a venda do dinheiro de acordo com a vontade do seu titular e não de outra parte. A combinação desses critérios estabelece um entendimento completo do termo *moeda sonante* como o dinheiro escolhido pelo mercado livremente e o dinheiro completamente sob o controle da pessoa que o ganhou legitimamente no mercado livre e não de uma terceira parte.

Enquanto um firme defensor do papel do ouro como dinheiro durante sua época, Ludwig von Mises entendeu que esse papel monetário não era algo inerente ou intrínseco ao ouro. Como um dos decanos da tradição austríaca em economia, Mises entendeu que o valor não existe fora da consciência humana e que metais e substâncias não tinham nada inerente a eles que lhes pudesse atribuir um papel monetário. Para Mises, o status monetário do ouro era devido ao cumprimento dos critérios de moeda sonante, como ele os entendia:

O princípio da moeda sonante tem dois aspectos. É afirmativo ao aprovar a escolha do mercado de um *meio de troca* comumente usado. É negativo ao obstruir a propensão do governo a se intrometer no sistema monetário[24].

Moeda sonante, então, de acordo com Mises, é o que o mercado escolhe livremente ser dinheiro, e o que permanece sob o controle de seu proprietário, a salvo de interferências e intervenções coercitivas. Enquanto o dinheiro for controlado por alguém além do proprietário, quem o controla sempre enfrenta um incentivo muito forte para furtar o valor do dinheiro através de inflação ou confisco e usá-lo como uma ferramenta política para alcançar seus objetivos políticos às custas dos titulares. Isso, de fato, retira a riqueza das pessoas que a produzem e a transfere a pessoas especializadas no controle do dinheiro sem realmente produzir coisas valorizadas pela sociedade, da mesma forma que os comerciantes europeus poderiam furtar a sociedade africana inundando-os com miçangas baratas mencionado no Capítulo 2. Nenhuma sociedade poderia prosperar quando essa avenida para a riqueza permanecesse aberta, à custa de empobrecer aqueles que buscam avenidas produtivas para a riqueza. Uma moeda sonante, por outro lado, torna o serviço valioso prestado a outros a única via aberta para a prosperidade de alguém, concentrando assim os esforços da sociedade na produção, cooperação, acumulação de capital e comércio.

O século XX foi o século da moeda fraca e do Estado onipotente, uma vez que a escolha do dinheiro pelo mercado foi negada pelo *diktat* governamental, e o papel-moeda emitido pelo governo foi forçado a pessoas sob ameaça de violência. Com o passar do tempo, os governos se afastaram cada vez mais de uma moeda sonante à medida que seus gastos e déficits aumentavam, suas moedas desvalorizavam-se continuamente e uma parcela cada vez maior da renda nacional era

---

[24]Ludwig von Mises, *The Theory of Money and Credit*, 2.ª ed. (Irvington-on-Hudson, Nova Iorque: Fundação para a Educação Económica, 1971), pp. 414-416 [19].

controlada pelo governo. Com o governo aumentando sua intromissão em todos os aspectos da vida, ele controlava cada vez mais o sistema educacional e o usava para imprimir na mente das pessoas a noção fantasiosa de que as regras da economia não se aplicavam aos governos, que prosperariam quanto mais gastassem. O trabalho de impostores monetários como John Maynard Keynes ensinou nas universidades modernas a noção de que os gastos do governo têm apenas benefícios, nunca custos. Afinal, o governo sempre pode imprimir dinheiro e, portanto, não enfrenta restrições reais em seus gastos, o que pode ser usado para alcançar qualquer que seja o objetivo que o eleitorado estabeleça para ele.

Para aqueles que adoram o poder governamental e se alegram com o controle totalitário, como os muitos regimes totalitários e de assassinatos em massa do século XX, esse arranjo monetário foi uma dádiva de Deus. Mas para aqueles que valorizavam a liberdade humana, a paz e a cooperação entre os seres humanos, foi um período deprimente, com as perspectivas de reforma econômica diminuindo cada vez mais com o tempo e as perspectivas do processo político para nos devolver a sanidade monetária tornando-se cada vez mais sonhos caprichosos. Como Friedrich Hayek colocou:

> Eu não acredito que jamais teremos um bom dinheiro novamente antes de tirarmos a coisa das mãos do governo, isto é, não podemos tirá-la violentamente das mãos do governo, tudo o que podemos fazer é de alguma maneira astuta introduzir algo que eles não possam parar[25].

Falando em 1984, completamente alheio à forma real desse "algo que eles não possam parar", a presciência de Friedrich Hayek parece estar em evidência hoje. Três décadas depois que ele proferiu essas

---

[25]Excerto de uma entrevista em vídeo de 1984 com James U. Blanchard na Universidade de Freiburg.

palavras, e um século depois que os governos destruíram o último vestígio de moeda sonante que era o padrão-ouro, indivíduos em todo o mundo têm a chance de economizar e negociar com uma nova forma de dinheiro, escolhida livremente no mercado e fora do controle governamental. Na sua infância, o bitcoin já parece satisfazer todos os requisitos de Menger, Mises e Hayek: é uma opção de mercado livre altamente vendável que é resistente à intromissão do governo.

5

DINHEIRO E PREFERÊNCIA TEMPORAL

UMA moeda sonante é escolhida livremente no mercado pela sua vendabilidade, porque mantém valor ao longo do tempo, porque pode transferir valor efetivamente através do espaço, e porque pode ser dividida e agrupada em grandes ou pequenas escalas. É o dinheiro cuja oferta não pode ser manipulada por uma autoridade coercitiva que impõe seu uso a outros. Pela discussão precedente, e pelo entendimento de economia monetária oferecido para nós pela Escola Austríaca de Economia, a importância de uma moeda sonante pode ser explicada por três razões abrangentes: primeiro, protege valor através do tempo, o que dá as pessoas um maior incentivo para pensar em seu futuro, e diminui a sua preferência temporal. A diminuição da preferência temporal é o que inicia o processo de civilização humana e o que permite humanos cooperarem, prosperarem e viverem em paz. Segundo, moeda sonante permite que trocas sejam baseadas numa unidade de medida estável, facilitando mercados cada vez maiores, livres de controle governamental e coerção, e com livre comércio vêm paz e prosperidade. Além disso, uma unidade de conta é essencial em todas as formas de cálculo econômico e planejamento, e moeda fraca torna não confiável o cálculo econômico e é a raiz de recessões e crises financeiras. Finalmente, uma moeda sonante é um pré-requisito essencial para a liberdade individual contra despotismo e repressão, já que a capacidade de um Estado coercitivo de criar dinheiro pode dar um poder indevido sobre seus cidadãos, poder esse que pela sua própria natureza irá atrair aqueles menos dignos, e mais imorais, a tomar suas rédeas.

Moeda sonante é um fator primordial em determinar *preferência temporal* individual, um aspecto enormemente importante e amplamente negligenciado na tomada de decisão individual. Preferência temporal refere-se à razão entre a valorização individual do presente em comparação com o futuro. Porque humanos não vivem para sempre, a morte pode vir até nós a qualquer momento, tornando o futuro incerto. E porque consumo é necessário para a sobrevivência, as pessoas sempre valorizam mais o consumo no presente do que o consumo no futuro, afinal a falta de consumo no presente pode fazer com o que o futuro nunca chegue. Em outras palavras, a preferência temporal é positiva para todos os humanos; há sempre um desconto ao futuro comparado ao presente.

Além disso, porque mais bens podem ser produzidos com tempo e recursos, indivíduos racionais sempre prefeririam ter uma certa quantidade de recursos no presente do que no futuro, já que poderiam utilizar desses recursos para produzir mais. Para um indivíduo aceitar adiar o recebimento de um bem por um ano, é preciso que se ofereça a ele uma quantidade maior daquele bem. O aumento necessário para persuadir um indivíduo a adiar o recebimento de tal bem é o que determina sua preferência temporal. Todos os indivíduos racionais têm uma preferência temporal acima de zero, mas a preferência temporal varia de um indivíduo para o outro.

Animais têm uma preferência temporal muito maior que humanos, já que agem para satisfazer seus impulsos instintivos imediatos e têm pouca percepção do conceito de futuro. Poucos animais são capazes de construir ninhos ou lares que possam durar para o futuro, e esses têm uma preferência temporal menor do que os animais que agem para satisfação das suas necessidades imediatas como fome e agressividade. A baixa preferência temporal dos seres humanos nos permite suprimir nossos impulsos instintivos e animalescos, pensar no que é melhor para o nosso futuro e agir racionalmente ao invés de impulsivamente. Em vez de dedicar todo o nosso tempo produzindo bens para consumo imediato, podemos escolher dedicar tempo a produção de bens que levarão mais tempo para serem feitos, se forem bens superiores. Na medida em que humanos reduzem sua preferência temporal, desenvolvemos o escopo para executar tarefas ao longo de maiores horizontes de tempo para a satisfação de necessidades cada vez mais remotas. Desenvolvemos a capacidade mental de criar bens não para o consumo imediato mas para a produção de bens futuros, em outras palavras, para criar *bens de capital*.

Embora ambos os humanos e animais possam caçar, humanos diferenciaram-se dos animais por dedicar tempo ao desenvolvimento de ferramentas para caçar. Alguns animais podem ocasionalmente usar uma ferramenta ao caçar outro animal, mas eles não têm a capacidade de manter essas ferramentas para uso a longo prazo. Somente com baixa preferência temporal é possível um humano decidir dedicar menos tempo à caça no momento em prol da construção de uma lança ou vara de pescar que não podem ser comidas, mas podem permitir a ele uma caça mais produtiva. Essa é a essência do investimento: à medida em que humanos atrasam a gratificação imediata, eles investem seu tempo e recursos na produção de bens de capital que farão de sua produção mais sofisticada ou tecnologicamente mais avançada e irão estendê-la a um maior horizonte de tempo. A única razão pela qual um indivíduo escolheria adiar sua gratificação para engajar no risco de produzir através de um longo período é que esses processos mais longos gerarão mais resultados e bens de qualidade superior. Em outras palavras, *investimento aumenta a produtividade do produtor*.

O economista Hans-Hermann Hoppe explica que, uma vez reduzida o suficiente para permitir qualquer formação de poupança e capital ou bens de consumo, a preferência temporal tende a cair ainda mais à medida em que um "processo de civilização" é iniciado[1].

O pescador que constrói uma vara de pescar é capaz de pegar mais peixes por hora que o pescador caçando com as próprias mãos. Mas a única maneira de construir a vara de pescar é dedicando um período inicial a um trabalho que não produz peixes comestíveis, e sim uma vara de pescar. Esse é um processo que envolve incerteza, afinal a vara pode não funcionar e nesse caso o pescador terá desperdiçado tempo sem sucesso. Investimento não só requer adiamento de gratificação, também sempre carrega o risco de falha, o que significa que o investimento só pode ser empreendido com uma expectativa de recompensa. Quanto menor a preferência temporal de um indivíduo, mais propício ele se engajar em investimento, a atrasar gratificação, e a acumular capital. Quanto mais capital é acumulado maior é a produtividade do trabalho, e mais longo é o horizonte de tempo da produção.

Para entender a diferença mais vividamente, contraste dois indivíduos hipotéticos que comecem com nada além de suas próprias mãos e diferentes preferências temporais: Harry tem uma maior preferência temporal que Linda. Harry escolhe dedicar seu tempo apenas pegando peixes com suas próprias mãos, precisando de cerca de oito horas por dia para pescar o suficiente para se alimentar por aquele dia. Linda, por outro lado, tendo uma preferência temporal mais baixa, dedica cerca

---

[1]Hans-Hermann Hoppe, *Democracy: The God That Failed*, p. 6 [20]

de seis horas por dia caçando peixes, pega uma menor quantidade de peixes todos os dias, mas dedica as outras duas horas trabalhando em construir uma vara de pescar. Depois de uma semana, Linda teve êxito em construir a vara de pescar. Na segunda semana ela pesca em oito horas o dobro de peixes que Harry pesca. O investimento de Linda na vara de pescar poderia permitir a ela trabalhar apenas quatro horas por dia e comer a mesma quantidade de peixes que Harry por dia, mas porque ela tem uma preferência temporal menor, ela não faz corpo mole. Ela irá, ao invés disso, dedicar quatro horas por dia para pegar a mesma quantidade de peixes que Harry pesca em oito horas, e então dedica as outras quatro horas em mais acumulação de capital, construindo para si um barco de pesca, por exemplo. Um mês depois, Linda tem uma vara de pescar e um barco que lhe permite ir mais fundo ao mar, para pegar peixes que Harry sequer viu na vida. A produtividade de Linda não é somente maior por hora, seus peixes agora são diferentes e superiores àqueles que Harry pega. Ela agora apenas precisa de uma hora por dia de pesca para garantir sua alimentação pelo dia, e então ela dedica o resto de seu tempo para ainda mais acúmulo de capital, construindo maiores e melhores varas de pescar, redes, e barcos, os quais por sua vez aumentam ainda mais sua produtividade e melhoram a qualidade de sua vida.

Caso os descendentes de Harry continuem a trabalhar e consumir com a mesma preferência temporal que ele, eles continuarão a viver no mesmo padrão de vida que ele, com o mesmo nível de produção e consumo que ele. Se Linda e seus descendentes continuarem com a mesma baixa preferência temporal dela, eles irão melhorar constantemente sua qualidade de vida ao longo do tempo, aumentando seu estoque de capital e engajando em trabalhos cada vez mais produtivos, em processos que levam cada vez mais tempo para serem completados. A versão equivalente na vida real desses descendentes de Linda hoje seriam os donos da *Annelies Ilena*, a maior traineira de pesca do mundo. Essa máquina formidável que levou décadas para ser concebida, projetada, e construída antes de ser completa próxima ao ano 2000, e vai continuar a operar por décadas para oferecer aos seus investidores com baixa preferência temporal um retorno no capital provido para o processo de construção muitas décadas antes. O processo de produzir peixes para os descendentes de Linda se tornou tão longo e sofisticado que levou décadas para completar, enquanto os descendentes de Harry ainda completam seu processo em algumas horas no dia. A diferença, claro, é que os descendentes de Linda têm uma produtividade imensamente maior que os de Harry, e é isso que faz o engajamento em processos mais longos valer à pena.

Uma importante demonstração da importância da preferência temporal vem do famoso experimento marshmallow da Universidade de Stanford[2], conduzido no fim da década de 60. O psicólogo Walter Mischel deixara crianças numa sala com um pedaço de marshmallow ou um cookie, e instruiu-as que estavam livres para comer os doces se quisessem, mas que ele voltaria à sala em 15 minutos, e se as crianças não tivessem comido o doce, ele ofereceria um segundo doce como recompensa. Em outras palavras, as crianças tinham a escolha entre a gratificação imediata de um doce, ou adiar a gratificação e receber dois doces. Essa é uma maneira simples de testar a preferência temporal de crianças: estudantes com uma menor preferência temporal eram aqueles que podiam esperar pelo segundo doce, enquanto estudantes com maior preferência temporal não podiam. Mischel acompanhou as crianças décadas depois e encontrou uma forte correlação entre ter uma baixa preferência temporal de acordo com o que foi medido no experimento do marshmallow e bom rendimento acadêmico, notas superiores, baixo índice de massa corporal, e falta de vício em drogas.

Como um professor de economia, eu faço questão de ensinar o

---

[2]Walter Mischel, Ebbe B. Ebbesen, e Antonette Raskoff Zeiss, "Cognitive and Attentional Mechanisms in Delay of Gratification", Journal of Personality and Social Psychology, vol. 21, no. 2 (1972): 204–218 [21]

experimento do marshmallow em todos os cursos que dou, já que acredito que esta é a lição de mais importante que a economia pode ensinar aos indivíduos, e fico espantado como essa lição é ignorada como parte do currículo universitário em economia, ao ponto em que muitos economistas acadêmicos não têm nenhuma familiaridade com o termo *preferência temporal* ou com sua importância.

Enquanto microeconomistas têm se focado em transações entre indivíduos, e macroeconomistas no papel do governo na economia, a realidade é que as decisões econômicas de maior importância para o bem-estar de qualquer indivíduo são aquelas conduzidas em suas trocas com seu eu futuro. Todos os dias, um indivíduo irá conduzir algumas transações econômicas com outras pessoas, mas irão participar em um número imensamente maior de transações com seu eu futuro. Os exemplos dessas trocas são infinitos: decidir guardar dinheiro ao invés de gastar; decidir investir em adquirir uma certa habilidade para um emprego futuro ao invés de buscar um emprego imediato de pagamento inferior; comprar um carro funcional e acessível ao invés de contrair uma dívida por um carro caro; trabalhar horas extras ao invés de festejar com amigos; ou, meu exemplo favorito em sala de aula: decidir estudar o material do curso todas a semanas do semestre ao invés de deixar tudo para a véspera da prova final.

Em cada um desses exemplos, ninguém está forçando a decisão no indivíduo, e o próprio indivíduo é quem se beneficia ou se prejudica com as consequências dessas escolhas. O principal fator que determina as escolhas de um homem na vida é sua preferência temporal. Enquanto a preferência temporal e autocontrole das pessoas varia de uma situação para a outra, em geral, uma correlação forte pode ser encontrada através de todos os aspectos da tomada de decisão. A realidade preocupante para se manter em mente é que muito da vida do indivíduo será amplamente determinado por essas trocas entre ele e seu eu futuro. Por mais que ele goste de culpar outros por suas falhas, ou creditar outros pelo seu sucesso, as infinitas trocas feitas por ele consigo mesmo são provavelmente mais significantes que quaisquer condições ou circunstâncias exteriores. Não importa como as circunstâncias conspirem contra o homem com uma baixa preferência temporal, ele provavelmente encontrará uma maneira de seguir priorizando seu eu futuro até que ele alcance seus objetivos. E não importa o tamanho da fortuna que favorece o homem com alta preferência temporal, ele encontrará uma maneira de continuar sabotando e enganando seu eu futuro. As várias histórias de pessoas que triunfaram contra todas as probabilidades e circunstâncias adversas gritam em contraste às histórias de pessoas abençoadas com habilidades e talento que lhe recompensaram generosamente, mas que, no entanto, conseguiram desperdiçar todo aquele talento e não alcançaram nenhum bem duradouro para si mesmos. Muitos foram os profissionais do entretenimento ou atletas que, mesmo dotados com talentos que lhe renderam grandes somas de dinheiro, morreram falidos à medida em que permitiram sua alta preferência temporal levar a melhor. Por outro lado, muitas pessoas comuns com nenhum talento especial trabalham diligentemente, poupam e investem por toda a vida para alcançar segurança financeira e legar para seus filhos uma vida melhor do que aquela que eles herdaram.

É apenas abaixando a preferência temporal que indivíduos começam a investir no longo prazo e começam a priorizar retornos futuros. Uma sociedade na qual indivíduos legam aos seus filhos mais do que receberam de seus pais é uma sociedade civilizada: é um lugar onde a vida está melhorando, e as pessoas vivem com o propósito de fazer as vidas da próxima geração melhor. À medida que os níveis de capital da sociedade aumentam, produtividade aumenta e, com ela, a qualidade de vida. Com a segurança de suas necessidades básicas garantidas, e os perigos do ambiente controlados, pessoas viram a atenção para aspectos mais profundos de suas vidas dos que o bem-estar material e a labuta do trabalho. Eles cultivam famílias e laços sociais; passam a empreender em projetos culturais, artísticos e literários; e buscam oferecer contribuições duradouras para sua comunidade e para o mundo. Civilização não significa mais acumulação de capital em si; na verdade, significa o que a acumulação de capital permite humanos atingirem, o florescimento e a liberdade para buscar maiores sentidos na vida quando suas necessidades básicas estão asseguradas e os perigos mais imediatos estão sob controle.

Existem diversos fatores envolvidos para determinar a preferência temporal de indivíduos[3]. Segurança pessoal e de sua propriedade é sem dúvida a mais importante. Indivíduos que vivem em áreas de conflito e crime terão uma chance significativa de perder suas vidas e, portanto, são mais propensos a descontar mais o futuro em nome do presente, resultando numa maior preferência temporal do que aqueles que vivem em sociedades pacíficas. Segurança de propriedade é outro grande fator que influencia a preferência temporal de um indivíduo: sociedades onde é altamente provável que o governo ou ladrões caprichosamente expropriem indivíduos terão uma maior preferência temporal, já que ações como essas levam indivíduos a priorizarem gastar seus recursos o quanto antes em gratificação imediata ao invés de investir em propriedades que podem ser tomadas a qualquer momento. Taxas de impostos também afetam adversamente a preferência temporal: quanto maior os impostos, menos de sua renda os indivíduos são permitidos a manter; isso levaria os indivíduos a trabalhar menos na margem e poupar menos para seus futuros, porque o fardo dos impostos é mais propenso a diminuir a poupança do que o consumo, particularmente para aqueles com baixa renda, cuja maior

---

[3]Sugere-se aqui o primeiro capítulo de Hoppe, *Democracy: The God That Failed* [20], para uma excelente discussão sobre esses fatores. Discussões mais técnicas e fundacionais podem ser encontradas no Capítulo 6 de *Man, Economy, and State* de Murray Rothbard [22], Capítulos 18 e 19 em *Human Action* de Mises [2] e em *Capital and Interest* de Eugen von Böhm-Bawerk [23]

parte é necessária para sobrevivência básica.

O fator mais relevante para nossa discussão, que afeta a preferência temporal, entretanto, é o valor futuro esperado do dinheiro. Em um livre mercado onde as pessoas são livres para escolher seu dinheiro, eles escolherão a forma de dinheiro com maior probabilidade de reservar seu valor ao longo do tempo. Quanto melhor for o dinheiro em reservar valor, mais ele incentiva as pessoas a adiar o consumo e dedicar recursos para a produção no futuro, levando a um maior acúmulo de capital e a melhoria dos padrões de vida, e ao mesmo tempo engendrando nas pessoas uma baixa preferência temporal em outros aspectos não-econômicos de suas vidas. Quando a tomada de decisão econômica é direcionada ao futuro, é natural que as decisões de demais naturezas estejam direcionadas ao futuro também. Pessoas se tornam mais pacíficas e cooperativas, entendendo que cooperação é uma estratégia com mais recompensas a longo prazo do que qualquer ganho a curto prazo fruto de conflito. As pessoas desenvolvem um forte senso de moralidade, priorizando as escolhas morais que irão causar o melhor resultado no longo prazo para eles e seus filhos. A pessoa que pensa no longo prazo está menos propensa a mentir, enganar, ou roubar, porque as recompensas para tais atividades podem ser positivas no curto prazo, mas podem ser devastadoramente negativas no longo prazo.

A redução do poder de compra do dinheiro é similar a uma forma de taxação e expropriação, reduzindo o valor real do dinheiro enquanto mantém o valor nominal constante. Nas economias modernas o dinheiro emitido pelo governo é inextricavelmente ligado a taxas de juros artificialmente baixas, o que é um objetivo desejável para os economistas modernos porque isso promove empréstimos e investimentos. Mas o efeito dessa manipulação no preço do capital é reduzir artificialmente a taxa de juros que resultam para poupadores e investidores, assim como para aqueles que emprestam. A implicação natural desse processo é a redução da poupança e aumento de empréstimos. Na margem, indivíduos irão consumir mais de sua renda e pegar mais emprestado contra o futuro. Isso não somente terá implicações na sua preferência temporal e suas decisões financeiras; muito provavelmente irá refletir em tudo nas suas vidas.

A mudança do dinheiro que reserva valor ou aprecia para o dinheiro que perde valor é muito significativa no longo prazo: a sociedade poupa menos, acumula menos capital, e possivelmente começa a consumir seu capital; a produtividade dos trabalhadores se mantém constante ou diminui, resultando na estagnação dos salários reais, mesmo que os salários nominais possam ser aumentados através do poder mágico da impressão dos cada vez mais depreciados pedaços de papel moeda. À medida que as pessoas começam a gastar mais e poupar menos, elas se tornam mais orientadas para o presente em todas as suas tomadas de decisões, resultando em falhas morais e uma probabilidade maior de engajamento em conflito e comportamento destrutivo e autodestrutivo.

Isso ajuda a explicar por que civilizações prosperam sob um sistema monetário sadio, mas se desintegram quando seu sistema monetário é degradado, como foi o caso com os romanos, os bizantinos e as sociedades modernas europeias. O contraste entre os séculos XIX e XX pode ser entendido no contexto da saída do direito sadio e todos os problemas concomitantes que isso cria.

Inflação Monetária

A simples realidade, demonstrada ao longo da historia, é que qualquer pessoa que encontre uma maneira de criar um meio monetário tentará fazê-lo. A tentação de se engajar nisso é muito forte, mas a criação do *meio de troca* monetário não é uma atividade produtiva para a sociedade, visto que qualquer oferta de dinheiro é suficiente para qualquer economia de qualquer tamanho. Quanto mais um meio monetário restringe este impulso de criação, melhor ele funciona como *meio de troca* e como uma reserva de valor estável. Ao contrário de todos os outros bens, as funções do dinheiro como um *meio de troca*, reserva de valor e unidade de conta são completamente ortogonais à sua quantidade. O que importa no dinheiro é seu poder de compra, não sua quantidade, e como tal, qualquer quantidade de dinheiro é suficiente para suprir as funções monetárias, contanto que seja divisível e agrupável o suficiente para satisfazer as necessidades transacionais e de reserva daqueles que o mantém guardado. Qualquer quantidade de transações econômicas pode ser provida por uma oferta de dinheiro de qualquer tamanho contanto que as unidades sejam divisíveis o suficiente.

Um dinheiro teoricamente ideal seria aquele cuja oferta é fixa, significando que ninguém poderia produzir mais dele. A única maneira não criminosa de conseguir dinheiro numa sociedade como essa seria produzir algo de valor para alguém em troca do dinheiro. À medida que todos procuram adquirir mais dinheiro, todos trabalham mais e produzem mais, levando a uma melhora do bem-estar material de todos, o que por sua vez permite às pessoas acumular mais capital e aumentar sua produtividade. Tal dinheiro também funcionaria perfeitamente como uma reserva de valor, por impedir terceiros de aumentar a oferta de dinheiro; a riqueza guardada nele não iria depreciar com o tempo, incentivando as pessoas a poupar e permitindo a elas a pensar mais no futuro. Com o crescimento da riqueza, produtividade e uma maior habilidade de focar no futuro, pessoas começam a reduzir sua preferência temporal e podem focar-se em melhorar aspectos não-materiais de suas respectivas vidas, incluindo empreendimentos espirituais, sociais e culturais.

Já havia se provado, entretanto, que é impossível criar uma forma de dinheiro do qual mais não possa ser criado. Qualquer coisa que seja escolhida como *meio de troca* irá apreciar em valor e consequentemente incentivar mais pessoas a tentar produzir mais desse meio. A melhor forma de dinheiro da história foi aquela em que a nova oferta de dinheiro causou o impacto menos significante em relação ao estoque já existente, e, portanto, tornou sua criação uma fonte pouco eficiente de lucro. Vendo o ouro como indestrutível, ele é o metal cujo estoque existente só aumenta desde que o primeiro humano minerou a primeira pepita. Visto que essa mineração acontece há milhares de anos, e que a alquimia ainda precisa provar sua viabilidade comercial em larga escala, a nova oferta via mineração continua a ser confiavelmente uma pequena fração do estoque preexistente.

Essa propriedade é a razão pela qual o ouro tem sido sinônimo de moeda sonante: é dinheiro cuja oferta é garantida, graças às regras rígidas da física e da química, para nunca ser significativamente aumentada. Sempre tentando, humanos falham há séculos em produzir uma forma de dinheiro mais sadia que ouro, e é por isso que esse tem sido o instrumento monetário primário usado pela maioria das civilizações humanas ao longo da história. Mesmo quando o mundo mudou para o dinheiro governamental como reserva de valor, *meio de troca*, e unidade de conta, os próprios governos continuam mantendo uma porcentagem significativa de suas reservas em ouro, constituindo uma parcela significante da oferta total de ouro.

Keynes criticava a mineração de ouro como um desperdício de atividade que consumia muitos recursos adicionando nada à riqueza real. Enquanto sua crítica contém um núcleo de verdade, no sentido de que aumentar a oferta de um meio monetário de fato não aumenta a riqueza da sociedade que o utiliza, ele perde o ponto de que a função monetária do ouro é resultado do fato de tratar-se de de um metal com a menor possibilidade de atrair recursos humanos e de capital para minerá-lo e prospectá-lo comparado a todos os outros. Porque a oferta de ouro só pode ser aumentada em quantidades muito pequenas, até mesmo quando o preço sobe subitamente, e como ouro é muito difícil de encontrar, minerar ouro monetário seria menos lucrativo do que minerar qualquer outro metal que assuma a uma função monetária, levando à menor quantidade de tempo e recursos humanos para minerá-lo. Sendo qualquer outro metal usado como meio monetário, a qualquer momento em que a preferência temporal da sociedade caísse e mais pessoas comprassem o metal para poupança, aumentando seu preço, haveria uma oportunidade significativa de lucro em produzir mais daquele metal. Porque o metal é perecível, a nova produção sempre será muito maior (relativa ao ouro) em porcentagem do estoque existente, como no exemplo do cobre acima, puxando o preço para baixo e desvalorizando a poupança dos mantenedores. Em tal sociedade, poupanças seriam efetivamente roubadas dos poupadores para premiar as pessoas que empreendem na mineração de metais muito além de sua utilidade econômica. Pouca produção útil e poupança seria a norma em tal sociedade, a obsessão pela produção do meio monetário resultaria em empobrecimento, e a sociedade estaria pronta para ser dominada e conquistada por outras sociedades mais produtivas cujos indivíduos têm coisas melhor para fazer do que produzir mais meios monetários.

A realidade da competição monetária constantemente trouxe desvantagens a indivíduos e sociedades que investiram suas poupanças em outros metais além de ouro enquanto recompensaram aqueles que investiram suas economias em ouro, porque ouro não pode ser facilmente inflacionado e, também, força as pessoas a direcionar suas energias para outras atividades além da produção de um meio monetário, como produtos e serviços úteis. Isso ajuda a explicar por que o polímata árabe Ibn Khaldum se referia à prospecção e mineração de ouro como a profissão menos respeitável, depois do sequestro por resgate[4]. A loucura de Keynes em condenar o ouro como dinheiro porque sua mineração é um desperdício é que esse é o *menor* desperdício de todos os

---

[4]Ibn Khladun, *Al-Muqaddima* [24].

outros metais com potencial de uso como dinheiro. Mas essa loucura é duplamente composta pela "solução" proposta por Keynes para essa deficiência do ouro: um padrão monetário fiduciário que acabou por resultar na dedicação de muito mais tempo de vida humano, trabalho, e recursos para a gestão da emissão da oferta de dinheiro e para o lucro que advém disso. Nunca na história do ouro enquanto meio monetário foram empregados tantos mineradores e trabalhadores quanto nos bancos centrais contemporâneos, em associação com empresas e bancos privados, que lucram por terem acesso restrito as prensas de impressão monetária, como será discutido no Capítulo 7.

Quando a nova oferta é insignificante em relação ao estoque existente, o valor de mercado de uma forma de dinheiro é determinado pela vontade das pessoas de manter reservas desse dinheiro e de seu desejo de gastá-lo. Tais fatores irão variar significantemente com o tempo para cada indivíduo, à medida que as circunstâncias pessoais de cada indivíduo mudam de períodos onde eles priorizam manter muitas reservas de dinheiro para períodos onde mantêm menos reservas. Mas, no agregado, eles irão variar pouco para a sociedade como um todo, porque dinheiro é o bem de mercado com a menor diminuição de *utilidade marginal*. Uma das leis fundamentais da economia é a lei da diminuição da utilidade marginal, o que significa que adquirir mais de qualquer bem reduz a utilidade marginal de cada unidade extra deste bem. Dinheiro, que não é guardado por si só, mas para ser trocado por outros bens, terá sua utilidade marginal diminuída num ritmo menor que qualquer outro bem, porque ele sempre pode ser trocado por outro bem. À medida que as reservas de casas, carros, TVs, maçãs ou diamantes de um indivíduo aumentam, a valoração marginal dada por eles diminui a cada unidade extra, levando a uma diminuição no desejo de acumular mais de cada. Mas mais dinheiro não é como nenhum desses bens, porque quanto mais é mantido, mais o mantenedor pode simplesmente trocar o dinheiro por mais do próximo bem que ele mais valorize. A utilidade marginal do dinheiro de fato declina, como evidenciado pelo fato de que um dólar extra significa muito mais para alguém com uma renda diária de $1 do que para alguém com renda diária de $1000. Mas a utilidade marginal do dinheiro diminui num ritmo muito mais lento do que qualquer outro bem, por que declina junto com a utilidade de querer qualquer bem, não um bem específico.

A utilidade marginal em declínio lento de manter dinheiro significa que a demanda por dinheiro na margem não varia significativamente. Combinar isso com uma oferta quase constante resulta em um valor de mercado relativamente estável em termos de bens e serviços. Isso significa que é improvável que o dinheiro aprecie ou deprecie significativamente, tornando-o um péssimo investimento a longo prazo, mas uma boa reserva de valor. Espera-se que um investimento tenha um potencial de valorização significativo, mas também leve um risco significativo de perda ou depreciação. O investimento é uma recompensa por assumir riscos, mas moeda sonante, com o menor risco, não oferece recompensa.

No agregado, a demanda por dinheiro provavelmente varia apenas com a variação da preferência temporal. À medida que as pessoas desenvolvem uma preferência de tempo menor, mais pessoas provavelmente desejam reter dinheiro, causando um aumento no seu valor de mercado em comparação com outros bens e serviços, recompensando ainda mais seus detentores. Uma sociedade que desenvolve uma preferência temporal mais alta, por outro lado, tenderia a diminuir suas reservas de dinheiro, diminuindo ligeiramente seu valor de mercado na margem. Em ambos os casos, manter o dinheiro continuaria sendo o ativo menos arriscado e recompensador em geral, e essa é, em essência, a causa principal da demanda por ele.

Essa análise ajuda a explicar a notável capacidade do ouro de manter seu valor ao longo de anos, décadas e séculos. Observar os preços das commodities agrícolas no Império Romano em termos de gramas de ouro mostra que elas têm notável semelhança com os preços atuais. Examinando o édito de Diocleciano[5] dos preços de 301 D.C. e convertendo os preços do ouro para o equivalente em dólar dos EUA dos dias atuais, descobrimos que uma libra de carne bovina custava cerca de US$ 4,50, enquanto um copo grande de cerveja custava cerca de US$ 2, uma jarra de vinho US$ 13 para alta qualidade vinho e US$ 9 para qualidade inferior, e um litro de azeite custa cerca de US$ 20. Comparações de vários dados para salários de certas profissões mostram padrões semelhantes, mas esses pontos de dados individuais, embora indicativos, não podem ser tomados como uma solução definitiva da questão.

Roy Jastram produziu um estudo sistemático do poder de compra do ouro a partir do conjunto de dados mais longos disponíveis[6]. Observando os dados ingleses de 1560 a 1976 para analisar a mudança no poder de compra do ouro em termos de commodities, Jastram constata que o ouro diminuiu seu poder de compra durante os primeiros 140 anos, mas depois permaneceu relativamente estável entre 1700 a 1914, quando a Grã-Bretanha saiu do padrão-ouro. Por mais de dois séculos durante os quais a Grã-Bretanha usou principalmente ouro como dinheiro, seu poder de compra permaneceu relativamente constante, assim como o preço das mercadorias no atacado. Depois que a Grã-Bretanha saiu efetivamente do padrão-ouro após a Primeira Guerra Mundial, o poder de compra do ouro aumentou, assim como o índice de preços no atacado (Veja a Figura 5.1[7]).

É importante entender que um meio monetário permanecer em um valor perfeitamente constante não é teoricamente possível ou determinável. Bens e serviços comprados pelo dinheiro mudam ao longo

---

[5]R. Kent, "The Edict of Diocletian Fixing Maximum Prices", University of Pennsylvania Law Review, vol. 69 (1920): 35 [25]

[6]Roy Jastram, *The Golden Constant: The English and American Experience 1560–2007* (Cheltenham, UK: Edward Elgar, 2009) [26]

[7]Fonte: Jastram, *The Golden Constant*

Figura 5.1: Poder de compra do ouro e índice de commodities no atacado na Inglaterra, 1560–1976.

do tempo, à medida que novas tecnologias introduzem novos bens que substituem os antigos e que as condições de oferta e demanda de diferentes bens variam ao longo do tempo. Uma das principais funções da unidade monetária é servir como unidade de medida para bens econômicos, cujo valor está mudando constantemente. Portanto, não é possível mensurar satisfatoriamente o preço de um bem monetário com precisão, embora, a longo prazo, estudos semelhantes aos de Jastram possam ser indicativos de uma tendência geral de um *meio de troca* manter seu valor, principalmente quando comparado a outras formas de dinheiro.

Dados mais recentes dos Estados Unidos, focados nos últimos dois séculos, que testemunharam um crescimento econômico mais rápido do que o período coberto pelos dados de Jastram, mostram que o ouro aumentou em valor em termos de commodities, cujos preços subiram dramaticamente em termos de dólares americanos. Isso é perfeitamente consistente, pois o ouro é a moeda mais forte disponível. É mais fácil continuar aumentando a oferta de todas as mercadorias que o ouro e, com o tempo, todas essas outras mercadorias se tornarão relativamente mais abundantes que o ouro, causando um aumento no poder de compra do ouro ao longo do tempo. Como pode ser visto

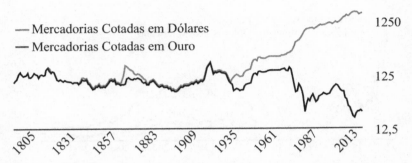

Figura 5.2: Preço das matérias-primas em ouro e em dólares norte-americanos, em escala logarítmica, 1792 a 2016

na Figura 5.2[8], o dólar dos EUA também estava ganhando valor em relação às mercadorias sempre que estava atrelado ao ouro, mas perdia significativamente quando sua conexão com o ouro era cortada, como foi o caso durante a Guerra Civil dos EUA e a impressão de *greenbacks* e no período após a desvalorização do dólar em 1934 e o confisco de ouro dos cidadãos.

O período entre 1931 e 1971 foi aquele em que dinheiro estava nominalmente ligado ao ouro, mas apenas através de vários acordos governamentais que permitiam a troca de ouro por papel-moeda em condições misteriosas. Este período testemunhou instabilidade tanto no dinheiro governamental quanto no ouro, juntamente com as mudanças políticas. Para uma comparação entre ouro e dinheiro governamental, é mais útil observar o período de 1971 até os dias modernos, onde as moedas nacionais flutuantes são negociadas em mercados com bancos centrais encarregados de garantir seu poder de compra (Veja a Figura 5.3[9]).

Mesmo as formas de dinheiro governamental com melhor desempenho e mais estáveis testemunharam seu valor dizimado em relação

---

[8]Fonte: Historical statistics of the United States, Series E 52-63 and E 23-3. Disponível em https://fred.stlouisfed.org

[9]Fonte: U.S. Federal Reserve statistics. Disponível em https://fred.stlouisfed.org. Gold price data from World Gold Council, www.gold.org

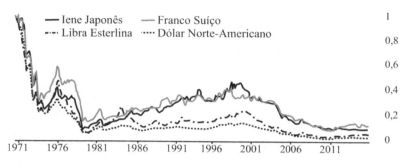

Figura 5.3: Principais divisas cotadas em ouro, 1971 a 2017

ao ouro, com seu valor atualmente sendo de cerca de 2 a 3% do seu valor em 1971, quando todos foram desvinculados do ouro. Isso não representa um aumento no valor de mercado do ouro, mas uma queda no valor das moedas fiduciárias. Ao comparar preços de bens e serviços com o valor do dinheiro governamental e ouro, encontramos um aumento significativo em seus preços, expresso em dinheiro governamental, mas uma relativa estabilidade nos preços do ouro. O preço de um barril de petróleo, por exemplo, que é uma das principais commodities da sociedade industrial moderna, tem sido relativamente constante em termos de ouro desde 1971, enquanto aumenta em várias ordens de magnitude em termos de dinheiro governamental (Veja a Figura 5.4[10]).

O dinheiro forte, cuja oferta não pode ser facilmente expandida, provavelmente terá um valor mais estável do que o dinheiro fraco, porque sua oferta é amplamente inelástica, enquanto a demanda social por dinheiro varia pouco ao longo do tempo, conforme a preferência temporal. O dinheiro fraco, por outro lado, devido à capacidade de seus produtores de variar drasticamente sua quantidade, gerará uma demanda amplamente flutuante dos mantenedores à medida que a quantidade varia e sua confiabilidade como reserva de valor diminui e aumenta.

---

[10]Fonte: BP statistical review & World Gold Council.

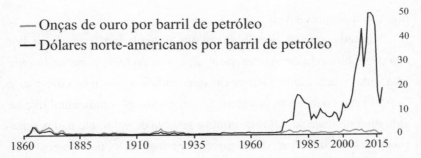

Figura 5.4: Petróleo cotado em dólares norte-americanos e em onças de ouro, 1861 a 2017, como múltiplo do preço em 1971

A estabilidade relativa do valor não é apenas importante para preservar o poder de compra da poupança dos mantenedores, é indiscutivelmente mais importante para preservar a integridade da unidade monetária como unidade de conta. Quando o valor do dinheiro é previsivelmente estável devido à pequena variação na oferta e na demanda, ele pode atuar como um sinal confiável para mudanças nos preços de outros bens e serviços, como foi o caso do ouro.

Por outro lado, no caso do dinheiro governamental, a oferta de moeda aumenta através da expansão da oferta pelo banco central e pelos bancos comerciais, e contrai por meio de recessões deflacionárias e falências, enquanto a demanda por dinheiro pode variar ainda mais imprevisivelmente, dependendo de expectativas das pessoas sobre o valor do dinheiro e das políticas do banco central. Essa combinação altamente volátil resulta no valor do dinheiro governamental ser imprevisível a longo prazo. A missão dos bancos centrais de garantir a estabilidade dos preços os leva a gerenciar constantemente a oferta de dinheiro por meio de suas várias ferramentas para garantir a estabilidade dos preços, fazendo com que muitas das principais moedas pareçam menos voláteis no curto prazo em comparação ao ouro. Mas, a longo prazo, o aumento constante da oferta de dinheiro do governo em comparação com o aumento constante e lento do ouro torna o valor do ouro mais previsível.

A moeda sonante, escolhida em um mercado livre justamente por sua probabilidade de manter valor ao longo do tempo, naturalmente terá uma estabilidade melhor do que dinheiro noscivo, cujo uso é imposto por coerção do governo. Se o dinheiro governamental tivesse sido uma unidade superior de conta e reserva de valor, ele não precisaria de leis de curso forçado do governo para exigi-lo, nem os governos de todo o mundo teriam que confiscar grandes quantidades de ouro e continuar a mantê-las em suas reservas do banco central. O fato de os bancos centrais continuarem mantendo ouro, e até começarem a aumentar suas reservas, atesta a confiança que eles têm em suas próprias moedas a longo prazo e no papel monetário inevitável do ouro, à medida que o valor das moedas de papel continua a afundar ainda mais.

Poupança e Acumulação de Capital

Um dos principais problemas causados por uma moeda cujo valor está diminuindo é que ela incentiva negativamente a economia para o futuro. A preferência temporal é universalmente positiva: dada a escolha entre o mesmo bem hoje ou no futuro, qualquer pessoa sã preferiria tê-lo hoje. Somente aumentando o retorno no futuro as pessoas considerarão adiar a gratificação. Moeda sonante é dinheiro que ganha um pouco de valor ao longo do tempo, o que significa que manter esse valor provavelmente oferecerá um aumento no poder de compra. A moeda fraca, sendo controlada pelos bancos centrais cuja missão expressa é manter a inflação positiva, oferecerá pouco incentivo para que os detentores o mantenham, à medida que se tornam mais propensos a gastá-lo ou a emprestá-lo.

Quando se trata de investimento, a moeda sonante cria um ambiente econômico em que qualquer taxa de retorno positiva será favorável ao investidor, pois a unidade monetária provavelmente manterá seu

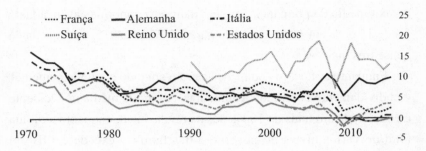

Figura 5.5: Taxas de juro nacionais dos produtos de poupança em economias de referência, 1970 a 2016, em percentagem

valor, se não for valorizado, fortalecendo assim o incentivo ao investimento. Com moeda fraca, por outro lado, somente retornos superiores à taxa de depreciação da moeda serão positivos em termos reais, criando incentivos para investimentos e gastos de alto retorno, mas de alto risco. Além disso, como o aumento na oferta monetária significa efetivamente baixas taxas de juros, o incentivo para economizar e investir diminui enquanto o incentivo para emprestar aumenta.

O histórico do experimento de 46 anos com moeda fraca confirma esta conclusão. As taxas de poupança têm diminuído nos países desenvolvidos, caindo para níveis muito baixos, enquanto as dívidas pessoais, municipais e nacionais aumentaram para níveis que pareciam inimagináveis no passado (Veja a Figura 5.5[11]).

Somente a Suíça, que permaneceu em um padrão-ouro oficial até 1936 e continuou a lastrear sua moeda com grandes reservas de ouro até o início dos anos 90, continuou a ter uma alta taxa de poupança, permanecendo como o último bastião da economia de baixa preferência temporal da civilização ocidental com uma taxa de poupança de dois dígitos, enquanto todas as outras economias ocidentais caíram para um dígito e até para taxas de poupança negativas em alguns casos.

---

[11]Fonte: estatísticas da OCDE.

A taxa média de poupança das sete maiores economias avançadas[12] foi de 12,66% em 1970, mas caiu para 3,39% em 2015, uma queda de quase três quartos.

Enquanto as taxas de poupança caíram em todo o mundo ocidental, o endividamento continuou a aumentar. A família média no Ocidente é endividada em mais de 100% de sua renda anual, enquanto a dívida total de vários níveis do governo e das famílias excede o PIB em múltiplos, com conseqüências significativas. Tais números são normalizados por economistas keynesianos que asseguram aos cidadãos que a dívida é boa para o crescimento e que a poupança resultaria em recessões. Uma das fantasias mais mentirosas que permeiam o pensamento econômico keynesiano é a ideia de que a dívida nacional "não importa, pois devemos a nós mesmos". Somente um discípulo de Keynes com alta preferência temporal poderia deixar de entender que esse "nós mesmos" não é um conjunto homogêneo, mas é diferenciado em várias gerações - a saber, as atuais que consomem imprudentemente às custas das futuras. Para piorar a situação, essa frase é geralmente seguida por chantagem emocional, na linha de "estaríamos nos sabotando se não tomássemos emprestado para investir em nosso futuro".

Muitos fingem que essa é uma descoberta moderna milagrosa da autoria de Keynes de que os gastos são tudo o que importa e que, ao garantir que os gastos permaneçam altos, as dívidas podem continuar a crescer indefinidamente e as economias podem ser eliminadas. Na realidade, não há nada de novo nessa política, que foi empregada pelos imperadores decadentes de Roma durante seu declínio, exceto que ela está sendo aplicada com papel-moeda emitido pelo governo. De fato, o papel-moeda permite que ele seja gerenciado de maneira um pouco mais suave e menos óbvia do que as moedas metálicas da antiguidade. Mas os resultados são os mesmos.

---

[12]São elas os Estados Unidos, Japão, Alemanha, Reino Unido, França, Itália e Canadá.

A compulsão do século XX pelo consumo conspícuo não pode ser entendida separadamente da destruição do dinheiro sólido e da eclosão do pensamento keynesiano de alta preferência temporal, na difamação da poupança e na deificação do consumo como a chave para a prosperidade econômica. O menor incentivo para economizar reflete-se no aumento do incentivo para gastar, e com as taxas de juros regularmente manipuladas para baixo e os bancos capazes de emitir mais crédito do que nunca, os empréstimos deixaram de se restringir ao investimento, mas passaram ao consumo. Cartões de crédito e empréstimos ao consumidor permitem que os indivíduos tomem empréstimos em nome do consumo sem nem mesmo a pretensão de realizar investimentos no futuro. É um sinal irônico da profundidade da ignorância econômica moderna fomentada pela economia keynesiana de que o capitalismo – um sistema econômico baseado na *acumulação de capital* proveniente da poupança - é responsabilizado por desencadear um consumo conspícuo - exatamente o oposto da acumulação de capital. Capitalismo é o que acontece quando as pessoas abaixam sua preferência temporal, adiam gratificação imediata e investem no futuro. O consumo em massa alimentado por dívidas é uma parte tão normal do capitalismo como a asfixia é uma parte normal da respiração.

Isso também ajuda a explicar um dos principais mal-entendidos keynesianos da economia, que considera que atrasar o consumo atual economizando gerará desemprego e fará com que a produção econômica pare. Keynes via o nível de gastos em qualquer momento como o determinante mais importante do estado da economia, porque, não tendo estudado economia, ele não tinha entendimento da teoria do capital e como o emprego não precisa apenas no produto final, mas também pode estar na produção de bens de capital que só produzirão bens finais no futuro. E tendo vivido da considerável fortuna de sua família sem ter que trabalhar em empregos reais, Keynes não apreciava a poupança ou a acumulação de capital e seu papel essencial no crescimento econômico. Portanto, Keynes observaria uma recessão concomitantemente com uma queda nos gastos dos consumidores e um aumento na poupança, e assumiria que a causalidade vem do aumento da poupança ao menor consumo até a recessão.

Se tivesse o temperamento para estudar a teoria do capital, teria entendido que a diminuição do consumo era uma reação natural ao ciclo de negócios, que por sua vez era causado pela expansão da oferta monetária, como será discutido no Capítulo 6. Também teria entendido que a única causa do crescimento econômico em primeiro lugar é a gratificação atrasada, a economia e o investimento, que prolongam a duração do ciclo de produção e aumentam a produtividade dos métodos de produção, levando a melhores padrões de vida. Ele teria percebido que a única razão pela qual ele nasceu em uma família rica em uma sociedade rica era que seus ancestrais haviam passado séculos acumulando capital, adiando gratificação e investindo no futuro. Mas, como os imperadores romanos durante a decadência do império, ele nunca pôde entender o trabalho e o sacrifício necessários para construir sua riqueza e acreditou que o alto consumo é a causa da prosperidade e não a sua conseqüência.

Dívida é o oposto de poupança. Se a poupança cria a possibilidade de acumulação de capital e avanço civilizacional, a dívida é o que pode revertê-la através da redução dos estoques de capital através das gerações, da produtividade reduzida e do declínio nos padrões de vida. Quer se trate de dívidas imobiliárias, obrigações da seguridade social ou dívidas do governo que exigirão impostos e monetização de dívidas cada vez mais altas para refinanciar, as gerações atuais podem ser as primeiras no mundo ocidental desde o fim do Império Romano (ou, pelo menos, Revolução Industrial) a vir ao mundo com menos capital que seus pais. Em vez de testemunhar que suas economias acumulam e aumentam o capital social, essa geração precisa trabalhar para pagar os juros crescentes de sua dívida, trabalhando mais para financiar programas de direitos que eles mal conseguirão usufruir enquanto pagam impostos mais altos e mal conseguindo economizar para a velhice.

Essa mudança da moeda sonante para o dinheiro que deprecia levou várias gerações de riqueza acumulada a serem desperdiçadas em consumo conspícuo dentro de uma ou duas gerações, tornando o endividamento o novo método para financiar grandes despesas. Enquanto há 100 anos a maioria das pessoas pagaria por sua casa, educação ou casamento com seu próprio trabalho ou com a poupança acumulada, essa noção parece ridícula para as pessoas hoje em dia. Mesmo os ricos não viverão por seus recursos e, em vez disso, usarão sua riqueza para permitir empréstimos maiores para financiar grandes compras. Esse tipo de arranjo pode durar um tempo, mas sua duração não pode ser confundida com sustentabilidade, pois não é mais do que o consumo sistemático do estoque de capital da sociedade - o consumo da colheita de sementes.

Quando o dinheiro foi nacionalizado, ele foi colocado sob o comando de políticos que operam em curtos horizontes de tempo de alguns anos, tentando o seu melhor para serem reeleitos. Era natural que esse processo levasse à tomada de decisões de curto prazo, onde os políticos abusam da moeda para financiar suas campanhas de reeleição às custas das gerações futuras. Como H. L. Mencken colocou: "Toda eleição é um leilão avançado de bens roubados"[13]. Em uma sociedade onde o dinheiro é livre e sadio, os indivíduos precisam tomar decisões com seu capital que afetam suas famílias a longo prazo. Embora seja provável que alguns tomem decisões irresponsáveis que prejudicam seus filhos, aqueles que desejam tomar decisões responsáveis tiveram a opção de fazê-lo. Com o dinheiro nacionalizado, isso se tornou uma escolha cada vez mais difícil, pois o controle central governamental da

---

[13]H. L. Mencken e Malcolm Moos (eds.), *A Carnival of Buncombe* (Baltimore: Johns Hopkins Press, 1956), p. 325 [27]

oferta de dinheiro destrói inevitavelmente os incentivos para economizar e aumenta o incentivo para pedir empréstimos. Não importa quão prudente seja uma pessoa, seus filhos ainda testemunharão a perda do valor de suas poupanças e terão que pagar impostos para cobrir a generosidade inflacionária de seu governo.

Como a redução na herança intergeracional reduziu a força da família como uma unidade, o talão de cheques ilimitado do governo aumentou sua capacidade de direcionar e moldar a vida das pessoas, permitindo um papel cada vez mais importante a desempenhar em mais aspectos da vida dos indivíduos. A capacidade da família de financiar o indivíduo foi ofuscada pela generosidade do Estado, resultando em um declínio de incentivos para a manutenção de uma família.

Em uma sociedade tradicional, os indivíduos estão cientes de que precisarão de filhos para apoiá-los no futuro, e assim passarão seus anos jovens e saudáveis iniciando uma família e investindo em dar a seus filhos a melhor vida possível. Mas se o investimento a longo prazo em geral for desincentivado, se a poupança provavelmente for contraproducente à medida que o dinheiro se depreciar, esse investimento se tornará menos rentável. Além disso, à medida que os políticos vendem às pessoas a mentira de que benefícios eternos de bem-estar e aposentadoria são possíveis através da magia da impressora monetária, o investimento em uma família se torna cada vez menos valioso.

Com o tempo, o incentivo para iniciar uma família diminui e mais e mais pessoas acabam levando uma vida solteira. É provável que mais casamentos desmoronem, pois é menos provável que os parceiros apostem nos investimentos emocionais, morais e financeiros necessários para fazê-los funcionar, enquanto os casamentos que sobrevivem provavelmente produzirão menos filhos. O fenômeno bem conhecido do colapso moderno da família não pode ser entendido sem o reconhecimento do papel da moeda fraca, permitindo que o Estado se aproprie de muitos dos papéis essenciais que a família desempenha há milênios e reduzindo o incentivo de todos os membros em relações familiares de longo prazo.

Substituir a família pela generosidade do governo tem sido indiscutivelmente uma troca perdedora para os indivíduos que nela participaram. Vários estudos mostram que a satisfação com a vida depende em grande parte do estabelecimento de vínculos familiares íntimos e de longo prazo com um parceiro e filhos[14]. Muitos estudos também mostram que as taxas de depressão e doenças psicológicas aumentam ao longo do tempo à medida que a família se decompõe, principalmente para as mulheres[15]. Os casos de depressão e distúrbios psicológicos muito freqüentemente têm a quebra do laço familiar uma das principais causas.

Não é coincidência que o colapso da família ocorreu através da implementação dos ensinamentos econômicos de um homem que nunca teve nenhum interesse no longo prazo. Filho de uma família rica que acumulou capital significativo ao longo de gerações, Keynes era um hedonista libertino que desperdiçou a maior parte de sua vida adulta em relacionamentos sexuais com crianças, inclusive viajando pelo Mediterrâneo para visitar bordéis de crianças[16]. Enquanto a Inglaterra vitoriana era uma sociedade de baixa preferência temporal, com forte senso de moralidade, baixo conflito interpessoal e famílias estáveis, Keynes fazia parte de uma geração que se levantou contra essas tradições e as via como uma instituição repressiva a ser derrubada.

---

[14]George Vaillant, *Triumphs of Experience: The Men of the Harvard Grant Study.* (Cambridge, MA: Harvard University Press, 2012)

[15]Betsy Stevenson e Justin Wolfers, "The Paradox of Declining Female Happiness". *American Economic Journal: Economic Policy, vol. 1, no. 2* (2009): 190–225

[16]Ver Michael Holroyd, *Lytton Strachey: The New Biography*, vol. I, p. 80 [28], na qual em uma carta enviada por Keynes ao seu amigo Lytton Strachey em Bloomsbury recomendou que visitasse Tunis "onde cama e garotos não são caros". Ver também David Felix, *Keynes: A Critical Life*, p. 112 [29], que cita uma carta de Keynes na qual ele informa um amigo "Estou saindo do Egito... Eu acabei de saber que 'a cama e o garoto' estão preparados". Em outra carta, ele recomendou a Strachey a ir a Tunis ou Sicília "se quiser ir onde os garotos pelados dançam".

É impossível entender a economia de Keynes sem entender o tipo de moralidade que ele queria ver em uma sociedade que ele cada vez mais acreditava poder moldar de acordo com sua vontade.

Inovações: "Zero Para Um" Versus "Um para Muitos"

O impacto da moeda sonante na preferência temporal e na orientação futura pode ser visto não só no nível de poupança, mas também nos tipos de projetos em que uma sociedade investe. Sob um regime monetário sadio, semelhante ao que o mundo possuía no final do século XIX, os indivíduos têm muito mais probabilidade de se envolver em investimentos de longo prazo e de dispor de grandes quantidades de capital para financiar os tipos de projetos que exigirão muito tempo para se pagarem. Como resultado, algumas das inovações mais importantes da história da humanidade nasceram na Era de Ouro do final do século XIX.

Em seu trabalho seminal, *The History of Science and Technology* [30], Bunch e Hellemans compilam uma lista das 8.583 inovações e invenções mais importantes da história da ciência e da tecnologia. O físico Jonathan Huebner[17] analisou todos esses eventos juntamente com os anos em que eles ocorreram e a população global naquele ano e mediu a taxa de ocorrência desses eventos por ano per capita desde a Idade das Trevas. Huebner descobriu que, embora o número total de inovações tenha aumentado no século XX, o número de inovações per capita atingiu o pico no século XIX.

Um olhar mais atento às inovações do mundo anterior a 1914 dá apoio aos dados de Huebner. Não é exagero dizer que nosso mundo moderno foi inventado nos anos de padrão-ouro anteriores à Primeira Guerra Mundial. O século XX foi o século que refinou, melhorou, otimizou, economizou e popularizou as invenções do século XIX. As

---

[17]Jonathan Huebner, "A Possible Declining Trend for Worldwide Innovation", Technological Forecasting and Social Change, vol. 72 (2005): 980–986 [31].

maravilhas das melhorias do século XX tornam fácil esquecer que as invenções reais - as inovações transformadoras que mudam o mundo - quase todas vieram na era dourada.

Em seu livro popular, *De Zero a Um*, Peter Thiel discute o impacto dos visionários que criam um novo mundo, produzindo o primeiro exemplo de sucesso de uma nova tecnologia. A mudança de um exemplo bem-sucedido de uma tecnologia "zero para um", como ele a chama, é a etapa mais difícil e mais significativa de uma invenção, enquanto a mudança de "um para muitos" é uma questão de escala, marketing e otimização. Aqueles de nós que estão apaixonados pelo conceito de progresso podem achar difícil aceitar o fato de que o mundo da moeda sonante antes de 1914 era o mundo de zero para um, enquanto o mundo pós-1914 do dinheiro produzido pelo governo é o mundo onde passamos de um para muitos. Não há nada de errado com a mudança de um para muitos, mas certamente nos dá bastante alimento para pensarmos por que não temos muitas transformações de zero para um no nosso sistema monetário moderno.

A maior parte da tecnologia que usamos em nossa vida moderna foi inventada no século XIX, sob o padrão-ouro, financiada com o estoque crescente de capital acumulado por poupadores que armazenavam suas riquezas em uma moeda sonante e uma reserva de valor que não depreciava rapidamente. Um resumo de algumas das inovações mais importantes do período é fornecido aqui:

- Água corrente quente e fria, banheiros internos, encanamentos internos, tratamento de esgoto, aquecimento central:

  Essas invenções, hoje garantidas por qualquer pessoa que viva em uma sociedade civilizada, são a diferença entre vida e morte para a maioria de nós. Elas têm sido o principal fator na eliminação da maioria das doenças infecciosas em todo o mundo e permitiram o crescimento de áreas urbanas sem o flagelo sempre presente de doenças.

- Eletricidade, motor de combustão interna, produção em massa:

  Nossa moderna sociedade industrial foi construída em torno do crescimento da utilização da energia de hidrocarbonetos, sem a qual nenhum dos aparatos da civilização moderna seria possível. Essas tecnologias fundamentais de energia e indústria foram inventadas no século XIX.

- Automóvel, avião, metrô, elevador elétrico:

  Temos a *belle époque* a agradecer por as ruas de nossas cidades não estarem cheias de esterco de cavalo e por nossa capacidade de viajar pelo mundo. O automóvel foi inventado por Karl Benz em 1885, o avião pelos irmãos Wright em 1906, o metrô por Charles Pearson em 1843 e o elevador elétrico por Elisha Otis em 1852.

- Cirurgia cardíaca, transplante de órgão, apendicectomia, incubadora de bebês, radioterapia, anestésicos, aspirina, tipos sanguíneos e transfusões de sangue, vitaminas, eletrocardiógrafo, estetoscópio:

  A cirurgia e a medicina moderna devem seus avanços mais significativos à *belle époque* também. A introdução de saneamento moderno e energia confiável de hidrocarbonetos permitiu que os médicos transformassem a maneira como cuidavam de seus pacientes após séculos de medidas amplamente contraproducentes.

- Produtos químicos derivados do petróleo, aço inoxidável, fertilizantes à base de nitrogênio:

  As substâncias e materiais industriais que tornam possível a nossa vida moderna derivam das inovações transformadoras da *belle époque*, que permitiram a industrialização em massa e a agricultura de massa. Os plásticos e tudo o que vem deles são produtos da utilização de produtos químicos derivados do petróleo.

• Telefone, telegrafia sem fio, gravação de voz, fotografia colorida, filmes:

Embora gostemos de pensar em nossa era moderna como sendo a era das telecomunicações em massa, na realidade a maior parte do que alcançamos no século XX foi melhorar as inovações do século XIX. O primeiro computador foi o computador Babbage, projetado em 1833 por Charles Babbage, mas concluído por seu filho Henry em 1888. Pode ser um exagero dizer que a Internet e tudo o que ela contém são sinos e assobios acrescentados à invenção do telégrafo em 1843, mas contém um núcleo de verdade. Foi o telégrafo que transformou fundamentalmente a sociedade humana, permitindo a comunicação sem a necessidade de transporte físico de cartas ou mensageiros. Esse foi o momento zero-para-um das telecomunicações, e tudo o que se seguiu, por todas as suas maravilhas, foi uma melhoria de-um-para-muitos.

Florescimento Artístico

As contribuições da moeda sonante para o florescimento humano não se restringem ao avanço científico e tecnológico; eles também podem ser vistos vividamente no mundo da arte. Não é por acaso que os artistas florentinos e venezianos foram os líderes do Renascimento, pois essas foram as duas cidades que lideraram a Europa na adoção de moeda sonante. As escolas barrocas, neoclássicas, românticas, realistas e pós-impressionistas foram financiadas por patronos ricos, que possuíam moeda sonante, com uma preferência temporal muito baixa e paciência para esperar por anos, ou décadas, pela conclusão de obras-primas destinadas a sobreviver durante séculos. As cúpulas surpreendentes das igrejas da Europa, construídas e decoradas ao longo de décadas de trabalhos meticulosos inspirados por arquitetos e artistas incomparáveis, como Filippo Brunelleschi e Michelangelo, foram financiadas com moeda sonante por patronos com preferência temporal muito baixa. A única maneira de impressionar esses patronos era construir obras de arte que durassem tempo suficiente para imortalizar seus nomes como proprietários de grandes coleções e patronos de grandes artistas. É por isso que os Medicis de Florença talvez sejam mais lembrados por seu patrocínio das artes do que por suas inovações em bancos e finanças, embora essas últimas possam ser muito mais consequentes.

Da mesma forma, as obras musicais de Bach, Mozart, Beethoven e os compositores das eras renascentista, clássica e romântica envergonham os ruídos animalescos de hoje gravados em lotes de alguns minutos, agitados pela tonelada pelos estúdios que lucram vendendo à humanidade a excitação de seus instintos mais básicos. Enquanto a música da era dourada falava com a alma do homem e o acordava para pensar nos chamados mais elevados do que a rotina da vida cotidiana, os ruídos musicais atuais falam aos instintos animalescos mais básicos do homem, distraindo-o das realidades da vida, convidando-o a desfrutar prazeres sensoriais imediatos, sem se preocupar com consequências a longo prazo ou com algo mais profundo. Foi o dinheiro forte que financiou os *Concertos de Brandenburgo* de Bach, enquanto o dinheiro fácil financiou os *twerks* de Miley Cyrus.

Em épocas de moeda sonante e preferência temporal baixa, os artistas trabalhavam no aperfeiçoamento de seu ofício para que pudessem produzir trabalhos valiosos a longo prazo. Eles passaram anos aprendendo os intrincados detalhes e técnicas de seu trabalho, aperfeiçoando-o e destacando-se em desenvolvê-lo além das capacidades dos outros, para a surpresa de seus patronos e do público em geral. Ninguém tinha a menor chance de ser chamado de artista sem anos de trabalho duro no desenvolvimento de seu ofício. Os artistas não davam palestras condescendentes ao público sobre o que é arte e por que suas produções preguiçosas que levaram um dia para serem feitas são profundas. Bach nunca afirmou ser um gênio ou falou longamente sobre como sua música era melhor que a de outras pessoas; ele passou a vida aperfeiçoando seu ofício. Michelangelo passou quatro anos pendurado no teto da Capela Sistina, trabalhando a maior parte do dia com pouca comida para pintar sua obra-prima. Ele até escreveu um poema para descrever a provação[18]:

> Eu já fiz um bócio neste tormento
> como na Lombárdia a água com sujeira
> faz aos gatos lá ou onde queira,
> um ventre que força o queixo num momento.
> Um peito de harpia, a barba ao alento,
> a memória pesa o crânio na traseira;
> o pincel sobre a face qual goteira,
> me faz, gotejando, um rico pavimento.
> Os lombos na pança se me entraram,
> e o cu contrapesa de garupa o dorso,
> e passos sem os olhos movo em vão.
> Adiante meus couros se estiraram,
> esticando-os atrás me contorço,
> qual um arco sírio em tensão.
> Uma estranha ilusão
> surge ao juízo que a mente porta,
> qual numa zarabatana um tanto torta.
> Minha pintura morta,
> defende ora, Giovanni, e o meu valor,
> não sendo um bom lugar, nem eu pintor.

---

[18] John Addington Symonds, *The Sonnets of Michael Angelo Buonarroti* (London: Smith Elder & Co., 1904).

Somente com um esforço tão meticuloso e dedicado ao longo de muitas décadas, esses gênios conseguiram produzir essas obras-primas, imortalizando seus nomes como os mestres de seu ofício. Na era da moeda fraca, nenhum artista tem a baixa preferência temporal para trabalhar tanto quanto Michelangelo ou Bach para aprender seu ofício adequadamente ou gastar uma quantidade significativa de tempo aperfeiçoando-o. Um passeio por uma galeria de arte moderna mostra obras artísticas cuja produção não exige mais esforço ou talento do que pode ser conseguida por uma criança entediada de 6 anos de idade. Os artistas modernos substituíram o trabalho artesanal e as longas horas de prática por pretensão, valor de choque, indignação e angústia existencial como formas de convencer o público a apreciar sua arte, e muitas vezes acrescentavam alguma pretensão a ideais políticos, geralmente da pueril variação marxista de bricar de profundidade. Se algo de de bom pode ser dito sobre a "arte" moderna, é que ela é inteligente, à maneira de uma brincadeira ou pregando uma peça. Não há nada bonito ou admirável na produção ou no processo da arte mais moderna, porque foi produzido em questão de horas por truques preguiçosos e sem talento que nunca se preocuparam em praticar seu ofício. Somente pretensões baratas, obscenidade e valor de choque atraem a atenção do imperador nu da arte moderna, e apenas longas pretensões idiotas que envergonham os outros por não entenderem o trabalho que lhe dá valor.

Como o dinheiro governamental substituiu a moeda sonante, os patronos com baixa preferência temporal e gostos refinados foram substituídos por burocratas do governo com agendas políticas tão cruas quanto seu gosto artístico. Naturalmente, então, nem a beleza nem a longevidade importam mais, substituídas por tagarelice política e capacidade de impressionar os burocratas que controlam as princi-pais fontes de financiamento das grandes galerias e museus, que se tornaram um monopólio protegido pelo governo sobre o gosto artístico e os padrões da educação artística. A livre concorrência entre artistas e doadores é agora substituída pelo planejamento central por burocratas irresponsáveis, com resultados previsivelmente desastrosos. Nos mercados livres, os vencedores são sempre os que fornecem os bens considerados melhores pelo público. Quando o governo está encarregado de decidir vencedores e perdedores, o tipo de pessoa que não tem nada melhor a fazer com a vida do que trabalhar como burocratas do governo são os árbitros do bom gosto e da beleza. Em vez de o sucesso da arte ser determinado pelas pessoas que conseguiram obter riqueza através de várias gerações de inteligência e baixa preferência temporal, ele é determinado pelas pessoas com o oportunismo de se elevar mais no sistema político e burocrático. Uma familiaridade passageira com esse tipo de pessoa é suficiente para explicar a qualquer pessoa como acabamos por produzir as monstruosidades da arte de hoje.

Em seu controle cada vez maior alimentado pelo dinheiro fiduciário, quase todos os governos modernos dedicam orçamentos para financiar arte e artistas em várias mídias. Mas com o passar do tempo surgiram histórias bizarras e quase impossíveis de acreditar sobre o governo escondido se intrometendo nas artes por agendas políticas. Enquanto os soviéticos financiaram e direcionaram a "arte" comunista para alcançar objetivos políticos e de propaganda, recentemente ficamos sabendo que a CIA retrucou financiando e promovendo trabalhos de expressionistas abstratos molestadores de cartolina, como Mark Rothko e Jackson Pollock, para servirem como contra-ataque americano[19]. Somente com moeda fraca poderíamos alcançar essa calamidade artística em que os dois maiores gigantes econômicos, militares e políticos do mundo estavam promovendo e financiando ativamente o lixo de mau gosto escolhido por pessoas cujos gostos artísticos os qualificam para carreiras em Washington e Moscou, agên-

---

[19] Ver Frances Stonor Saunders, *The Cultural Cold War: The CIA and the World of Arts and Letters* (The New Press, 2000, ISBN 1-56584-596-X) [32]

cias e burocracias de espionagem.

Como os Medicis foram substituídos pelos equivalentes artísticos dos trabalhadores da DMV[20], o resultado é um mundo artístico repleto de lixo visualmente repulsivo produzido em questão de minutos por impostores preguiçosos e sem talento que procuram um salário rápido, enganando os aspirantes ao mundo da classe artística inventando histórias absurdas que simbolizam nada além da depravação total do patife que finge ser um artista. A "arte" de Mark Rothko levou apenas algumas horas para produzir, mas foi vendida para colecionadores ingênuos que tinham milhões de dólares na moeda fraca de hoje, solidificando claramente a arte moderna como o golpe mais lucrativo e enriquecedor da nossa época. Nenhum talento, trabalho árduo ou esforço é necessário por parte de um artista moderno, apenas uma cara séria e uma atitude esnobe ao relatar ao novo rico por que o respingo de tinta em uma tela é algo mais do que um respingo hediondo e sem sentido de tinta, e como sua incapacidade de entender a obra de arte inexplicada pode ser facilmente remediada com um cheque gordo.

O que é surpreendente não é apenas a preponderância de um lixo como um Rothko estar no mundo da arte moderna; é a ausência conspícua de grandes obras de arte que podem ser comparadas com as grandes obras do passado. Não se pode deixar de notar que não há muitas Capelas Sistinas sendo construídas hoje em qualquer lugar; nem existem muitas obras de arte para comparar com as grandes pinturas de Leonardo, Rafael, Rembrandt, Carvaggio ou Vermeer. Isso é ainda mais surpreendente quando se percebe que os avanços na tecnologia e na industrialização tornariam a produção de obras de arte muito mais fácil de realizar do que na era dourada. A Capela Sistina deixará seu espectador maravilhado, e qualquer explicação adicional

---

[20](N.T.) DMV nesta frase se refere aos Departments of Motor Vehicles (DMV), Departamentos de Veículos Motores dos Estados Unidos, órgãos estaduais que administram o registro de veículos e a licença de motorista. O equivalente brasileiro é o DETRAN (Departamento Estadual de Trânsito).

de seu conteúdo, método e história transformará essa maravilha em apreciação da profundidade do pensamento, do ofício e do trabalho árduo que foi empregada nela. Antes de se tornarem famosos, até os mais pretensiosos críticos de arte poderiam ter passado por uma pintura de Rothko abandonada na calçada e nem sequer notá-la, e muito menos terem o trabalho de pegá-la e levá-la para casa. Somente depois que um grupo de críticos passou inúmeras horas se esforçando para promover esse trabalho, os novatos e aspirantes a *nouveau riche* começaram a fingir que há um significado mais profundo e a gastar dinheiro moderno e nocivo nele.

Várias histórias surgiram ao longo dos anos sobre pessoas pregando uma peça e deixando objetos aleatórios em museus de arte moderna, apenas para os amantes da arte moderna ficarem admirados, ilustrando a total vacuidade dos gostos artísticos de nossa época. Mas talvez não exista um tributo mais adequado ao valor da arte moderna do que os muitos zeladores das exposições de arte em todo o mundo que, demonstrando admirável percepção e dedicação ao seu trabalho, têm muitas vezes jogado caras instalações de arte moderna nos caixotes de lixo aos quais pertencem. Alguns dos "artistas" mais icônicos de nossa época, como Damien Hirst, Gustav Metzger, Tracey Emin e a dupla italiana Sara Goldschmied e Eleonora Chiara, receberam essa avaliação crítica de zeladores mais exigentes de que o inseguro *nouveau riche* que gastou milhões de dólares com o que os zeladores jogaram fora.

Pode-se argumentar que podemos ignorar todo esse rabisco inútil como apenas uma coisa embaraçosa financiada pelo governo para a nossa época e olhar para onde vale a pena. Afinal, ninguém julgaria um país como a América pelo comportamento de seus funcionários incompetentes da DMV cochilando em seus turnos enquanto jogam suas frustrações nos seus clientes infelizes, e talvez não devêssemos julgar nossa época pelo trabalho de empregados governamentais que contam histórias sobre pilhas de papelão sem valor como se fossem conquistas artísticas. Mas, mesmo assim, encontramos cada vez menos coisas às quais podemos acender uma vela do passado. Em *From Dawn to Decadence* [33], uma crítica devastadora da cultura "demótica" moderna, Jacques Barzun conclui: "Tudo o que o século vinte contribuiu e criou desde então é refinamento pela ANÁLISE ou crítica por pastiche e paródia". O trabalho de Barzun ressoou com muitos de sua geração porque contém um alto grau de verdade deprimente: uma vez que se supera o viés inerente de acreditar na inevitabilidade do progresso, não há como escapar da conclusão de que a nossa é uma geração inferior aos de nossos ancestrais em cultura e refinamento, da mesma maneira que os súditos romanos de Diocleciano, vivendo de seus gastos inflacionários e bêbados nos espetáculos bárbaros do Coliseu, não podiam acender uma vela aos grandes romanos da era de César, que tinham que ganhar suas moedas de áureo com trabalho duro e sóbrio.

6

SISTEMA DE INFORMAÇÃO DO CAPITALISMO

A causa das ondas de desemprego não é o "capitalismo",
mas os governos, que negam às empresas o direito de
produzir um bom dinheiro.

— Friedrich Hayek[1]

A principal função do dinheiro como *meio de troca* é permitir que os atores econômicos participem do planejamento e cálculo econômico. À medida que a produção econômica sai de uma escala primitiva, fica mais difícil para os indivíduos tomarem decisões de produção, consumo e comércio sem ter um quadro fixo de referência com o qual comparar o valor de diferentes objetos entre si. Essa propriedade, a unidade de conta, é a terceira função do dinheiro depois de ser um *meio de troca* e reserva de valor. Para entender a importância dessa propriedade para um sistema econômico, fazemos o

---

[1] Hayek, Friedrich. *The Denationalization of Money*. London, Institute of Economic Affairs, 1976.

que as pessoas sábias sempre fazem quando procuram entender questões econômicas: recorrer ao trabalho de economistas austríacos que já morreram.

"O Uso do Conhecimento na Sociedade", de Friedrich Hayek, é sem dúvida um dos artigos econômicos mais importantes que já foram escritos. Diferentemente da pesquisa acadêmica moderna altamente teórica, sem impacto e esotérica, que não é lida por ninguém, as 11 páginas deste artigo continuam sendo amplamente lidas 70 anos após sua publicação e tiveram um impacto duradouro nas vidas e negócios de muitas pessoas em todo o mundo, e talvez nenhum seja tão significativo quanto seu papel na fundação de um dos sites mais importantes da Internet e o maior corpo único de conhecimento reunido na história da humanidade. Jimmy Wales, fundador da Wikipedia, afirmou que a ideia de estabelecer a Wikipedia surgiu depois que ele leu este artigo de Hayek e sua explicação sobre o conhecimento.

Hayek explicou que, ao contrário dos tratamentos populares e elementares do tópico, o problema econômico não é apenas o problema de alocar recursos e produtos, mas, mais precisamente, o problema de alocá-los usando conhecimento que não é dado em sua totalidade a um único indivíduo ou entidade. O conhecimento econômico das condições de produção, a disponibilidade e abundância relativa dos fatores de produção e as preferências dos indivíduos não são um conhecimento objetivo que possa ser totalmente conhecido por uma única entidade. Pelo contrário, o conhecimento das condições econômicas é, por sua própria natureza, *distribuído* e situado com as pessoas envolvidas por suas decisões individuais. A mente de todo ser humano é consumida em aprender e entender as informações econômicas relevantes para eles. Indivíduos altamente inteligentes e trabalhadores passarão décadas aprendendo as realidades econômicas de suas indústrias a fim de alcançar posições de autoridade sobre os processos de produção de um único bem. É inconcebível que todas essas decisões individuais tomadas por todos possam ser substituídas agregando todas essas informações na mente de um indivíduo para executar os cálculos para todos. Também não há necessidade dessa busca insana de centralizar todo conhecimento nas mãos de um tomador de decisão.

Em um sistema econômico de livre mercado, os preços são conhecimento e sinais que comunicam informações. Cada tomador de decisão individual só é capaz de tomar suas decisões examinando os preços dos bens envolvidos, que carregam neles a destilação de todas as condições e realidades do mercado em uma variável passível de ação para esse indivíduo. Por sua vez, as decisões de cada indivíduo terão um papel na definição do preço. Nenhuma autoridade central jamais poderia internalizar todas as informações necessárias para formar um preço ou substituir sua função.

Para entender o ponto de vista de Hayek, imagine o cenário de um terremoto que danifica seriamente a infraestrutura de um país que é o maior produtor mundial de uma commodity, como o terremoto de 2010 no Chile, que é o maior produtor mundial de cobre. Quando o terremoto atingiu uma região com extensas minas de cobre, causou danos a essas minas e ao porto marítimo por onde são exportadas. Isso significou uma redução na oferta de cobre para os mercados mundiais e imediatamente resultou em um aumento de 6,2% no preço do cobre[2]. Qualquer pessoa no mundo envolvida no mercado de cobre será afetada por isso, mas elas não precisam saber qualquer coisa sobre o terremoto no Chile e as condições do mercado para decidir como agir. O aumento do preço em si contém todas as informações relevantes de que precisam. Imediatamente, todas as empresas que precisam de cobre agora têm um incentivo para demandar uma quantidade menor, atrasando compras que não eram imediatamente necessárias e encontrando substitutos. Por outro lado, o aumento do preço dá a

---

[2]Ben Rooney, "Copper Strikes After Chile Quake", CNN Money (March 1, 2010). Disponível em http://money.cnn.com/2010/03/01/markets/copper/

todas as empresas que produzem cobre em qualquer lugar do mundo um incentivo para produzir mais, para capitalizar em cima do aumento de preço.

Com o simples aumento do preço, todos os envolvidos na indústria do cobre no mundo têm o incentivo para agir de maneira a aliviar as consequências negativas do terremoto: outros produtores fornecem mais enquanto os consumidores exigem menos. Como resultado, a escassez causada pelo terremoto não é tão devastadora quanto poderia ser, e a receita extra do aumento dos preços pode ajudar os mineiros a reconstruir sua infraestrutura. Dentro de alguns dias, o preço voltou ao normal. À medida que os mercados globais se tornam mais integrados e amplos, essas interrupções individuais estão se tornando menos impactantes do que nunca, pois os formadores de mercado têm profundidade e liquidez para contorná-los rapidamente, com o mínimo de interrupções. Para entender o poder dos preços como um método de comunicação de conhecimento, imagine que um dia antes do terremoto a totalidade da indústria global de cobre deixasse de ser uma instituição de mercado e passasse a estar sob o comando de uma agência especializada, ou seja, a produção é alocada sem qualquer ligação aos preços. Como essa agência reagiria ao terremoto? De todos os muitos produtores de cobre do mundo, como eles decidiriam quais produtores deveriam aumentar sua produção e em quanto? Em um sistema de preços, a própria gerência de cada empresa analisará os preços do cobre e os preços de todos os insumos em sua produção e apresentará uma resposta para o novo nível de produção mais eficiente. Muitos profissionais trabalham por décadas em uma empresa para chegar a essas respostas com a ajuda dos preços, e conhecem sua própria empresa muito mais do que os planejadores centrais, que não podem recorrer aos preços. Além disso, como os planejadores decidirão quais consumidores de cobre devem reduzir seu consumo e em quanto, quando não há preços que permitam que esses consumidores revelem suas preferências?

Independentemente da quantidade de dados objetivos e conhecimento que a agência possa coletar, ela nunca poderá saber de todo o conhecimento disperso que incide nas decisões que cada indivíduo executa, e isso inclui suas próprias preferências e avaliações de objetos. Os preços, então, não são simplesmente uma ferramenta para permitir que os capitalistas lucrem; eles são o sistema de informação de produção econômica, comunicando conhecimento em todo o mundo e coordenando os complexos processos de produção. Qualquer sistema econômico que tente dispensar os preços causará o colapso completo da atividade econômica e levará a sociedade humana de volta a um estado primitivo.

Os preços são o único mecanismo que permite que o comércio e a especialização ocorram em uma economia de mercado. Sem recorrer a preços, os humanos não poderiam se beneficiar da divisão do trabalho e da especialização além de uma pequena escala muito primitiva. O comércio permite que os produtores aumentem seus padrões de vida através da especialização nos bens em que têm uma *vantagem comparativa* - bens que eles podem produzir a um custo relativo mais baixo. Somente com preços precisos expressos em um *meio de troca* comum é possível que as pessoas identifiquem sua vantagem comparativa e se especializem nela. A própria especialização, guiada pelos sinais de preço, levará os produtores a melhorar ainda mais sua eficiência na produção desses bens através do aprendizado na prática e, mais importante, acumulando capital específico a ela. De fato, mesmo sem diferenças inerentes nos custos relativos, a especialização permitiria a cada produtor acumular capital relevante para sua produção e, assim, aumentar sua produtividade marginal, permitindo que diminuísse seu custo marginal de produção e comercializar com aqueles que acumulam capital para se especializar em outros bens.

Socialismo do Mercado de Capitais

Embora a maioria entenda a importância do sistema de preços para a divisão do trabalho, poucos entendem o papel crucial que ele desempenha na acumulação e alocação de capital, para o qual precisamos recorrer ao trabalho de Mises. Em seu livro de 1922, *Socialismo* [34], Mises explicou a razão básica por que os sistemas socialistas fracassam, e *não* era a ideia comum de que o socialismo simplesmente tinha um problema de incentivo (por que alguém trabalharia se todos obtivessem as mesmas recompensas, independentemente do esforço?). Dado que a falta de empenho no trabalho de uma pessoa era geralmente punida pelo governo com assassinato ou prisão, o socialismo discutivelmente superou o problema de incentivo com sucesso, independentemente de quão sangrento o processo. Após um século em que cerca de 100 milhões de pessoas em todo o mundo foram assassinadas por regimes socialistas[3], essa punição claramente não era teórica, e os incentivos para o trabalho foram provavelmente mais fortes do que em um sistema capitalista. Deve haver mais no fracasso socialista do que apenas incentivos, e Mises foi o primeiro a explicar com precisão por que o socialismo falharia, mesmo que superasse com sucesso o problema do incentivo criando "o novo homem socialista".

A falha fatal do socialismo que Mises expôs foi que, sem um mecanismo de preços emergindo no livre mercado, o socialismo falharia no cálculo econômico, mais crucialmente na alocação de bens de capital[4]. Como discutido anteriormente, a produção de capital envolve métodos de produção progressivamente sofisticados, horizontes de tempo mais longos e um número maior de bens intermediários que não são consumidos por si só, mas produzidos apenas para participar da produção de

---

[3]Stephane Courtois, Nicolas Werth, Karel Bartosek, Andrzej Paczkowski, Jean-Louis Panné e Jean-Louis Margolin, The Black Book of Communism: Crimes, Terror, Repression (Harvard University Press, 1997) [35].

[4]Ludwig von Mises. Socialism: An Economic and Sociological Analysis. Ludwig von Mises Institute. Auburn, AL. 2008 (1922) [34]

bens de consumo finais no futuro. Estruturas sofisticadas de produção só emergem de uma intrincada rede de cálculos individuais por produtores de cada bem de consumo e de capital comprando e vendendo insumos e produtos finais uns aos outros[5]. A alocação mais produtiva é determinada apenas através do mecanismo de preços, permitindo que os usuários mais produtivos dos bens de capital façam lances mais altos por eles. A oferta e a demanda de bens de capital emergem da interação dos produtores e consumidores e de suas decisões iterativas.

Num sistema socialista, o governo possui e controla os meios de produção, tornando-o ao mesmo tempo o único comprador e vendedor de todos os bens de capital da economia. Essa centralização sufoca o funcionamento de um mercado real, tornando impossíveis as decisões com base em preços. Sem um mercado para o capital onde atores independentes possam concorrer pelo capital, não pode haver preço para o capital em geral ou para bens de capital individuais. Sem os preços dos bens de capital que refletem sua oferta e demanda relativa, não há uma maneira racional de determinar os usos mais produtivos do capital, nem uma maneira racional de determinar quanto produzir de cada bem de capital. Em um mundo em que o governo é dono da fábrica de aço, bem como de todas as fábricas que utilizarão o aço na produção de vários bens de consumo e de capital, não pode haver preço emergente para o aço ou para os bens que ele é usado para produzir e, portanto, nenhuma maneira possível de saber quais usos do aço são os mais importantes e valiosos. Como o governo pode determinar se suas quantidades limitadas de aço devem ser utilizadas na fabricação de carros ou trens, visto que ele também é dono das fábricas de carros e trens e aloca por *diktat* para os cidadãos quantos carros e trens eles podem ter? Sem um sistema de preços para os cidadãos decidirem entre trens e carros, não há como saber qual é a

---

[5]Há muita coisa errada na economia keynesiana, mas talvez nada seja tão ridículo quanto a completa ausência de qualquer concepção de como funciona a estrutura de produção de capital.

alocação ideal e como saber onde o aço seria mais necessário. Pedir aos cidadãos nas pesquisas é um exercício sem sentido, porque as escolhas das pessoas não têm sentido sem um preço para refletir o custo real de oportunidade envolvido em *trade-offs* entre as escolhas. Uma pesquisa sem preços descobriria que todos gostariam de ter sua própria Ferrari, mas é claro que, quando as pessoas precisam pagar, muito poucas escolhem as Ferraris. Os planejadores centrais nunca podem conhecer as preferências de cada indivíduo nem alocar recursos da maneira que satisfaça as necessidades de cada indivíduo.

Além disso, quando o governo detém todos os insumos em todos os processos de produção da economia, a ausência de um mecanismo de preços torna praticamente impossível coordenar a produção de vários bens de capital nas quantidades certas para permitir que todas as fábricas funcionem. A escassez é o ponto de partida de toda a economia e não é possível produzir quantidades ilimitadas de todos os insumos. É preciso fazer *trade-offs*, de modo que a alocação de capital, terra e mão-de-obra para a produção de aço ocorra às custas da criação de mais cobre. Em um mercado livre, à medida que as fábricas competem pela aquisição de cobre e aço, elas criam escassez e abundância nesses mercados e os preços permitem que os fabricantes de cobre e aço concorram pelos recursos necessários para fabricá-los. Um planejador central está completamente no escuro sobre essa rede de preferências e custos de oportunidade de trens, carros, cobre, aço, mão-de-obra, capital e terra. Sem preços, não há como calcular como alocar esses recursos para produzir os melhores produtos, e o resultado é uma quebra completa na produção.

E, no entanto, tudo isso é apenas um aspecto do problema de cálculo, referente apenas à produção de bens existentes em um mercado estático. O problema é muito mais pronunciado quando se considera que nada é estático nos assuntos humanos, pois os seres humanos procuram eternamente melhorar sua situação econômica, produzir novos bens e encontrar mais e melhores maneiras de produzi-los. O sempre presente impulso humano de explorar, melhorar e inovar dá ao socialismo o seu problema mais intratável. Mesmo que o sistema de planejamento central tenha conseguido administrar uma economia estática, é impotente acomodar mudanças ou permitir o empreendedorismo. Como pode um sistema socialista fazer cálculos para tecnologias e inovações que não existem, e como os fatores de produção podem ser alocados para eles quando ainda não há indicação de que esses produtos possam funcionar?

> Aqueles que confundem empreendedorismo e administração fecham os olhos para o problema econômico ...
> O sistema capitalista não é um sistema gerencial; é um sistema empreendedor.
>
> — *Ludwig von Mises*[6]

O objetivo desta exposição não é argumentar contra o sistema econômico socialista, que nenhum adulto sério leva a sério hoje em dia, após o fracasso catastrófico, sangrento e abrangente que alcançou em todas as sociedades em que foi experimentado no último século. A questão é explicar claramente a diferença entre duas maneiras de alocar capital e tomar decisões de produção: preços e planejamento. Embora hoje em dia a maioria dos países do mundo não possua um conselho central de planejamento responsável pela alocação direta de bens de capital, é verdade que em todos os países do mundo existe um conselho central de planejamento para o mercado mais importante de todos, o mercado de capital. Entende-se por mercado livre aquele em que compradores e vendedores são livres para realizar transações nos termos determinados por eles exclusivamente e onde a entrada e saída no mercado são livres: nenhum terceiro impede que vendedores

---

[6]*Human Action*, s. 703–704 [2].

ou compradores entrem no mercado e nenhum terceiro subsidia compradores e vendedores que não podem fazer transações no mercado. Nenhum país do mundo possui um mercado de capitais que possua essas características atualmente.

Os mercados de capitais em uma economia moderna consistem nos mercados de fundos para empréstimos. À medida que a estrutura da produção se torna mais complicada e de longo prazo, os indivíduos não investem mais suas próprias economias, mas as emprestam através de várias instituições a empresas especializadas em produção. A taxa de juros é o preço que o credor recebe por emprestar seus fundos e o preço que o devedor paga para obtê-los.

Em um mercado livre de fundos para empréstimos, a quantidade desses fundos fornecidos, como todas as curvas de oferta, aumenta à medida que a taxa de juros aumenta. Em outras palavras, quanto maior a taxa de juros, mais as pessoas tendem a poupar e oferecer suas poupanças a empreendedores e empresas. A demanda para empréstimos, por outro lado, está negativamente relacionada à taxa de juros, o que significa que empreendedores e empresas desejam pegar menos emprestado quando a taxa de juros aumenta.

A taxa de juros em um mercado de capitais livre é positiva porque a preferência temporal positiva das pessoas significa que ninguém iria gastar dinheiro a menos que ele pudesse receber mais no futuro. Uma sociedade com muitos indivíduos com baixa preferência temporal provavelmente terá bastante poupança, reduzindo a taxa de juros e fornecendo bastante capital para as empresas investirem, gerando um crescimento econômico significativo para o futuro. À medida que a preferência temporal da sociedade aumenta, as pessoas têm menos chances de poupar, as taxas de juros se tornam mais altas e os produtores encontram menos capital para tomar emprestado. As sociedades que vivem em paz e têm direitos de propriedade seguros e um alto grau de liberdade econômica provavelmente terão baixa preferência temporal, pois elas dão um forte incentivo para que os indivíduos descontem menos seu futuro. Outro economista austríaco, Eugen von Böhm-Bawerk, chegou a argumentar que a taxa de juros em um país refletia seu nível cultural: quanto maior a inteligência e a força moral de um povo, mais ele poupa e menor é a taxa de juros.

Mas não é assim que o mercado de capitais funciona hoje em qualquer economia moderna, graças à invenção do banco central moderno e à sua intromissão intervencionista incessante nos mercados mais críticos. Os bancos centrais determinam a taxa de juros e a oferta de fundos para empréstimos por meio de uma variedade de ferramentas monetárias, operando através do controle do sistema bancário[7].

Um fato fundamental a entender sobre o sistema financeiro moderno é que os bancos criam dinheiro sempre que se envolvem em empréstimos. Em um sistema bancário de reservas fracionárias como em todo o mundo hoje, os bancos não apenas emprestam a poupança de seus clientes, mas também seus depósitos à vista. Em outras palavras, o depositante pode solicitar o dinheiro a qualquer momento enquanto uma grande porcentagem desse dinheiro foi emitida para um outro tomador de empréstimo. Ao dar o dinheiro ao tomador do empréstimo, mantendo-o disponível para o depositante, o banco efetivamente cria dinheiro novo e isso resulta em um aumento na oferta de dinheiro.

---

[7] As principais ferramentas usadas pelos bancos centrais são: definir a taxa de juros, definir o índice de reservas compulsórias, participar de operações de mercado aberto e determinar critérios de elegibilidade para empréstimos. Uma explicação detalhada do mecanismo de operação dessas ferramentas pode ser encontrada em qualquer manual preliminar de macroeconomia. Resumindo: o banco central pode se engajar na política monetária expansionista (1) reduzindo as taxas de juros, o que estimula empréstimos e aumenta a criação de moeda; (2) diminuindo o compulsório, permitindo que os bancos aumentem seus empréstimos, aumentando a criação de dinheiro; (3) comprando títulos do tesouro ou ativos financeiros, o que também leva à criação de dinheiro; e (4) relaxando os critérios de elegibilidade para empréstimos, permitindo que os bancos aumentem os empréstimos e, portanto, a criação de dinheiro. A política monetária contracionista é conduzida revertendo essas etapas, levando a uma redução da oferta monetária ou, pelo menos, à taxa de crescimento da oferta monetária.

Isso está subjacente à relação entre oferta de moeda e taxas de juros: quando as taxas de juros caem, há um aumento nos empréstimos, o que leva a um aumento na criação de moeda e um aumento na oferta de moeda. Por outro lado, um aumento nas taxas de juros causa uma redução nos empréstimos e contração na oferta de moeda, ou pelo menos uma redução na taxa de seu crescimento.

Ciclos Econômicos e Crises Financeiras

Enquanto em um mercado de capital livre a oferta de fundos para empréstimos é determinada pelos participantes do mercado que decidem emprestar com base na taxa de juros, em uma economia com banco central e bancos com reservas fracionárias, a oferta de fundos para empréstimos é dirigida por um comitê de economistas sob a influência de políticos, banqueiros, especialistas da TV e, às vezes, mais espetacularmente, generais militares.

Qualquer familiaridade passageira com a economia tornará claro e discernível os perigos dos controles de preços. Se um governo decidir definir o preço das maçãs e impedir que elas se movam, o resultado será escassez ou excedentes, e grandes perdas para a sociedade em geral por superprodução ou subprodução. Nos mercados de capitais, algo semelhante acontece, mas os efeitos são muito mais devastadores, pois afetam todos os setores da economia, porque o capital está envolvido na produção de todo bem econômico.

É primeiro importante entender a distinção entre fundos emprestáveis e bens de capital de fato. Em uma economia de mercado livre com moeda sonante, os poupadores precisam adiar o consumo para poupar. Dinheiro depositado em um banco como poupança é dinheiro retirado do consumo por pessoas que estão atrasando a gratificação que o consumo poderia lhes dar para obter mais gratificação no futuro. A quantia exata de poupança torna-se a quantia exata de fundos emprestáveis disponíveis para os empréstimos aos produtores. A disponibilidade de bens de capital está indissociavelmente ligada à redução do consumo: recursos físicos reais, mão-de-obra, terra e bens de capital deixarão de ser empregados nas provisões para a produção de bens de consumo finais para serem empregados na produção de bens de capital. O trabalhador marginal é direcionado para longe das vendas de carros para um emprego na fábrica de carros; a proverbial semente de milho cairá no chão em vez de ser comida.

A escassez é o ponto de partida fundamental de toda disciplina de economia, e sua implicação mais importante é a noção de que tudo tem um custo de oportunidade. No mercado de capitais, o custo de oportunidade do capital é o consumo adiado, e o custo de oportunidade do consumo é o investimento de capital adiado. A taxa de juros é o preço que regula esse relacionamento: à medida que as pessoas exigem mais investimentos, a taxa de juros aumenta, incentivando mais poupadores a reservar mais dinheiro para poupar. À medida que a taxa de juros diminui, incentiva os investidores a se envolverem em mais investimentos e a investir em métodos de produção mais avançados tecnologicamente, com um horizonte de tempo mais longo. Uma taxa de juros mais baixa, portanto, permite o engajamento de métodos de produção mais longos e mais produtivos: a sociedade passa da pesca com varas para a pesca com grandes barcos a óleo.

À medida que a economia avança e se torna cada vez mais sofisticada, a conexão entre o capital físico e o mercado de fundos de empréstimos não muda na realidade, mas fica ofuscada na mente das pessoas. Uma economia moderna com um banco central baseia-se em ignorar esse compromisso fundamental e em assumir que os bancos podem financiar investimentos com dinheiro novo sem que os consumidores tenham que renunciar ao consumo. O vínculo entre poupança e fundos emprestáveis é cortado a tal ponto que nem é mais ensinado nos livros didáticos de economia[8], e muito menos as consequências desastrosas de ignorá-lo.

Como o banco central administra a oferta de moeda e a taxa de juros, inevitavelmente haverá uma discrepância entre poupança e fundos emprestáveis. Os bancos centrais geralmente tentam estimular o crescimento econômico e os investimentos e aumentar o consumo, de modo que tendem a aumentar a oferta de moeda e reduzir a taxa de juros, resultando em uma quantidade maior de fundos para empréstimos do que poupanças. A essas taxas de juros artificialmente baixas, as empresas assumem mais dívidas para iniciar projetos do que poupadores reservam para financiar esses investimentos. Em outras palavras, o valor do consumo diferido é menor que o valor do capital emprestado. Sem um consumo suficiente diferido, não haverá capital, terra e trabalho humano suficientes transformados de bens de consumo para bens de capital de alta intensidade para serem empregados no início do estágio de produção. Afinal, não há almoço grátis e, se os consumidores pouparem menos, haverá menos capital disponível para os investidores. Criar novos pedaços de papel e entradas digitais para superar a deficiência de poupança não aumenta magicamente o estoque físico de capital da sociedade; apenas desvaloriza a oferta monetária existente e distorce os preços.

Essa escassez de capital não é imediatamente aparente, porque os bancos e o banco central podem emitir dinheiro suficiente para os tomadores de empréstimo - que é, afinal, a principal vantagem do uso de moeda fraca. Em uma economia com moeda sonante, essa manipulação do preço do capital seria impossível: assim que a taxa de juros estiver artificialmente baixa, a escassez de poupança nos bancos

---

[8] É sempre divertido ensinar aos meus alunos mais antigos sobre um hipotético mercado de capitais livre, mesmo que só para observar a reação em seus rostos quando eles comparam a lógica pura de como um mercado livre de capital poderia funcionar, versus as teorias pseudocientíficas de planejamento central keynesiano que eles tiveram o infortúnio de aprender em sua aula de teoria monetária.

será refletida na redução de capital disponível para os tomadores de empréstimo, levando a um aumento na taxa de juros, o que reduz a demanda por empréstimos e aumenta a oferta de poupança até os dois coincidirem.

A moeda fraca torna essa manipulação possível, mas apenas por pouco tempo, é claro, pois a realidade não pode ser enganada para sempre. As taxas de juros artificialmente baixas e o excesso de dinheiro impresso enganam os produtores para que se envolvam em um processo de produção que exige mais recursos de capital do que realmente está disponível. O excesso de dinheiro, apoiado por nenhum consumo diferido real, inicialmente faz com que mais produtores tomem empréstimos, operando sob a ilusão de que o dinheiro lhes permitirá comprar todos os bens de capital necessários para seu processo de produção. À medida que mais e mais produtores estão concorrendo por menos bens e recursos de capital do que esperam existir, o resultado natural é um aumento no preço dos bens de capital durante o processo de produção. Este é o ponto em que a manipulação é exposta, levando ao colapso simultâneo de vários investimentos de capital que de repente se tornam inúteis com os novos preços de bens de capital; esses projetos são o que Mises chamou de *malinvestments* - investimentos que não teriam sido realizados sem as distorções no mercado de capitais e cuja conclusão não é possível depois que os erros de alocação são expostos. A intervenção do banco central no mercado de capitais permite a realização de mais projetos devido à distorção de preços que fazem os investidores calcularem mal, mas a intervenção do banco central não pode aumentar a quantidade de capital real disponível. Portanto, esses projetos extras não são concluídos e se tornam um desperdício de capital desnecessário. A suspensão desses projetos ao mesmo tempo causa um aumento do desemprego em toda a economia. Essa falha simultânea e prolongada da economia em vários negócios que é chamada de *recessão*.

Somente com um entendimento da estrutura de capital e como a manipulação da taxa de juros destrói o incentivo à acumulação de capital podemos entender as causas das recessões e as oscilações do ciclo econômico. O ciclo econômico é o resultado natural da manipulação da taxa de juros que distorce o mercado de capital, fazendo os investidores imaginarem que podem obter mais capital do que o dinheiro disponível que lhes foi passado pelos bancos. Ao contrário da mitologia animista keynesiana, os ciclos econômicos não são fenômenos místicos causados pela sinalização de "espíritos animais", cuja causa deve ser ignorada enquanto os banqueiros centrais buscam planejar a recuperação[9]. A lógica econômica mostra claramente como as recessões são o resultado inevitável da manipulação da taxa de juros, da mesma forma que a falta de um bem é o resultado inevitável dos limites máximos de preços.

Uma analogia pode ser emprestada da obra de Mises[10] (e embelezada) para ilustrar o ponto: imagine o estoque de capital de uma sociedade como tijolos de construção e o banco central como empreiteiro responsável por construir casas com eles. Cada casa exige 10.000 tijolos para construir, e o empreendedor está procurando um empreiteiro capaz de construir 100 casas, exigindo um total de 1 milhão de tijolos. Mas um empreiteiro keynesiano, ansioso por ganhar o contrato, percebe que suas chances de ganhar o contrato serão ampliadas se ele puder apresentar uma proposta prometendo construir 120 da mesma casa, exigindo apenas 800.000 tijolos. Isso é equivalente à manipulação da taxa de juros: reduz a oferta de capital e aumenta a demanda por ela. Na realidade, as 120 casas exigirão 1,2 milhão

---

[9]Não há escassez de alternativas à teoria do capital austríaca como explicação das recessões, mas todas essas são em grande parte apenas os argumentos reformulados dos monetaristas excêntricos do início do século XX. Nem é preciso ler as modernas refutações da última linha de teorias keynesianas e de psicologia pop. Ler a *Monetary Theory and the Trade Cycle*, de Hayek de 1933 [36], ou *America's Great Depression* de Rothbard, de 1963 [13], é suficiente.

[10]Ludwig von Mises, *Human Action*, p. 560 [2]

de tijolos, mas existem apenas 800.000 disponíveis. Os 800.000 tijolos são suficientes para iniciar a construção das 120 casas, mas não são suficientes para completá-las. Quando a construção começa, o empreendedor fica muito feliz em ver 20% mais casas por 80% do custo, graças às maravilhas da engenharia keynesiana, que o leva a gastar os 20% do custo que economizou ao comprar um iate novo. Mas o estratagema não pode durar, pois se tornará aparente que as casas não podem ser concluídas e a construção deve parar. O empreiteiro não apenas não conseguiu entregar 120 casas, mas também não entregou nenhuma casa; em vez disso, deixou o empreendedor com 120 meias-casas, pilhas de tijolos efetivamente inúteis sem teto. O estratagema do contratante reduziu o capital gasto pelo empreendedor e resultou na construção de menos casas do que seria possível com sinais precisos de preços. O empreendedor teria 100 casas se fosse com um empreiteiro honesto. Indo com um empreiteiro keynesiano que distorce os números, o desenvolvedor continua a desperdiçar seu capital enquanto o capital estiver sendo alocado em um plano sem base na realidade. Se o empreiteiro perceber o erro desde o início, o capital desperdiçado ao iniciar 120 casas pode ser muito pequeno, e um novo contratado poderá pegar os tijolos restantes e usá-los para produzir 90 casas. Se o desenvolvedor permanecer ignorante da realidade até que a capital acabe, ele terá apenas 120 casas inacabadas que não valem nada, pois ninguém pagará para viver em uma casa sem teto.

Quando o banco central manipula a taxa de juros mais baixa do que o preço que seria praticado pelo mercado, instruindo os bancos a criar mais dinheiro emprestando, eles estão reduzindo ao mesmo tempo a quantidade de poupança disponível na sociedade e aumentando a quantidade demandada pelos tomadores de empréstimo enquanto também dirigem o capital emprestado para projetos que não podem ser concluídos. Portanto, quanto mais fraca for a forma de moeda e quanto mais fácil for para os bancos centrais manipularem as taxas de juros, mais severos serão os ciclos econômicos. A história monetária atesta o quão mais severos são os ciclos econômicos e as recessões quando a oferta de dinheiro é manipulada do que quando ela não é.

Enquanto a maioria das pessoas imagina que as sociedades socialistas são coisa do passado e que os sistemas de mercado governam as economias capitalistas, a realidade é que um sistema capitalista não pode funcionar sem um livre mercado de capital, onde o preço do capital emerge através da interação de oferta e demanda e as decisões dos capitalistas são dirigidas por sinais precisos de preços. A intromissão do banco central no mercado de capitais é a raiz de todas as recessões e todas as crises que a maioria dos políticos, jornalistas, acadêmicos e ativistas de esquerda gostam de culpar o capitalismo. Somente através do planejamento central da oferta monetária é que o mecanismo de preços do mercado de capitais pode ser corrompido a ponto de causar grandes disrupções na economia.

Sempre que um governo inicia o caminho de inflar a oferta de dinheiro, não há como escapar das consequências negativas. Se o banco central interromper a inflação, as taxas de juros subirão e uma recessão seguirá enquanto muitos dos projetos iniciados são expostos como não lucrativos e precisam ser abandonados, expondo a alocação incorreta de recursos e capital que ocorreram no período. Se o banco central continuasse indefinidamente seu processo inflacionário, apenas aumentaria a escala de desalinhamentos da economia, desperdiçando ainda mais capital e tornando a recessão inevitável ainda mais dolorosa. Não há como escapar de pagar uma fatura pesada pelo suposto almoço grátis que as manivelas keynesianas nos impuseram.

> Agora pegamos um tigre pela cauda: por quanto tempo essa inflação pode continuar? Se o tigre (da inflação) for libertado, ele nos devorará; no entanto, se ele corre mais rápido e mais rápido enquanto nos seguramos desesperadamente a ele, ainda estamos acabados! Fico feliz por

não estar aqui para ver o resultado final.

— Friedrich Hayek[11]

O planejamento da oferta de dinheiro pelo banco central não é desejável nem possível. É dominado pelos mais vaidosos, tornando o mercado mais importante em uma economia sob o comando de poucas pessoas que são ignorantes o suficiente sobre as realidades das economias de mercado para acreditar que podem planejar centralmente um mercado tão amplo, abstrato e emergente quanto o mercado de capital. Imaginar que os bancos centrais possam "impedir", "combater" ou "gerenciar" recessões é tão fantasioso e equivocado quanto colocar piromaníacos e incendiários no comando dos bombeiros.

A relativa estabilidade da moeda sonante, pela qual é selecionada pelo mercado, permite a operação de um mercado livre por meio da descoberta de preços e tomada de decisão individual. A moeda fraca, cuja oferta é planejada centralmente, não pode permitir o surgimento de sinais precisos de preço, porque é, por sua própria natureza, controlada. Através de séculos de controles de preços, os planejadores centrais tentaram ilusoriamente encontrar o melhor preço para alcançar as metas que desejavam, sem sucesso[12]. A razão pela qual os controles de preços fracassam não é que os planejadores centrais não podem escolher o preço certo, mas sim que, simplesmente impondo um preço - qualquer preço -, eles impedem que o processo de mercado permita que os preços coordenem as decisões de consumo e produção entre os participantes do mercado, resultando em escassez ou superávits inevitáveis. De maneira equivalente, o planejamento central dos mercados de crédito fracassará porque destrói os mecanismos de descoberta de

---

[11]*A Tiger by the Tail*, s. 126 [37].

[12]Recomendo vivamente um relato histórico das consequências desastrosas e mesmo assim hilárias dos controles de preços ao longo da história: *Os quarenta séculos de controle de preços e salários: como não combater a inflação*, de Robert Schuettinger e Eamonn Butler [7].

preços dos mercados, que fornecem aos participantes do mercado os sinais e incentivos precisos para gerenciar seu consumo e produção.

A forma que o fracasso do planejamento central do mercado de capitais assume é o ciclo de expansão e contração, conforme explicado na teoria austríaca do ciclo econômico. Portanto, não é de admirar que essa disfunção seja tratada como uma parte normal das economias de mercado, porque, afinal de contas, na mente dos economistas modernos, um banco central que controla as taxas de juros é uma parte normal de uma economia de mercado moderna. O histórico dos bancos centrais nessa área tem sido bastante abjeto, principalmente quando comparado a períodos sem planejamento e direção central da oferta de dinheiro. Fundado em 1914, o Federal Reserve dos EUA foi responsável por uma forte contração nas reservas em 1920–21 e, depois, pela rápida explosão de 1929, cujas consequências duraram até o final de 1945. A partir de então, as depressões econômicas tornaram-se uma parte regular e dolorosa da economia, recorrendo a cada poucos anos e fornecendo justificativa para a crescente intervenção do governo para lidar com suas consequências.

Um bom exemplo dos benefícios da moeda sonante pode ser encontrado olhando o destino da economia suíça, o último bastião da moeda sonante, que manteve sua moeda atrelada ao ouro até 1973. Antes disso, o desemprego involuntário praticamente inexistia, como economistas austríacos esperariam num livre mercado de dinheiro. O rompimento do vínculo do franco com o ouro resultaria então no aumento do desemprego e de seu remanescente endêmico na economia suíça. Em 1992, a Suíça se juntou ao FMI, adotou o dogma keynesiano e vendeu mais da metade de suas participações em ouro e, como resultado, começou a experimentar os prazeres do dinheiro de mentira keynesiano, com a taxa de desemprego subindo para 5% em poucos

Figura 6.1: Taxa de desemprego na Suíça, em percentagem

anos, raramente caindo abaixo de 2% (Veja a Figura 6.1[13]).

Quando se comparam as depressões com períodos do padrão-ouro, deve-se lembrar que o padrão-ouro na Europa e nos Estados Unidos no século XIX estava longe de ser uma forma perfeita de moeda sonante, pois havia várias falhas nele, e, principalmente, que bancos e governos muitas vezes podiam expandir sua oferta de dinheiro e crédito além do ouro existente em suas reservas, causando expansões e retrações repentinas semelhantes às vistas no século XX, embora em um grau muito menor.

Com esse pano de fundo em mente, podemos ter uma ideia muito mais clara da história monetária moderna do que é comumente ensinado nos livros acadêmicos desde a inundação keynesiana. O texto fundador do pensamento monetarista é considerado o trabalho definitivo da história monetária dos EUA: *The Monetary History of the United States*, de Milton Friedman e Anna Schwartz [38]. Um tomo gigante de 888 páginas, o livro é impressionante em sua capacidade de reunir fatos, detalhes, estatísticas e ferramentas analíticas sem precisar fornecer ao infeliz leitor uma compreensão de uma questão-chave: as causas de crises e recessões financeiras.

A falha fundamental do livro de Friedman e Schwartz é típica

---

[13]Fonte: Federal Reserve Economic Data, Disponível em `https://fred.`
`stlouisfed.org`

do pensamento acadêmico moderno: é um exercício elaborado para substituir o rigor pela lógica. O livro evita sistemática e metodicamente questionar as causas das crises financeiras que afetaram a economia americana ao longo de um século e, em vez disso, inunda o leitor com dados, fatos, curiosidades e minúcias pesquisados de maneira impressionante.

A argumentação central do livro é que as recessões são o resultado de o governo não responder com rapidez suficiente a uma crise financeira, corrida bancária e colapso deflacionário, aumentando a oferta de moeda para reabastecer o setor bancário. É típico do estilo libertário do Milton Friedman culpar o governo por um problema econômico, mas seu raciocínio falho sugere ainda mais intervenção do governo como solução. O erro gritante no livro é que os autores nunca discutem o que causa essas crises financeiras, corridas bancárias e colapsos deflacionários da oferta monetária. Como vimos na discussão da teoria austríaca do ciclo econômico, a única causa de uma recessão em toda a economia é a inflação da oferta de moeda em primeiro lugar. Aliviados do ônus de entender a causa, Friedman e Schwartz podem então recomendar com segurança a própria causa como a cura: os governos precisam intervir para recapitalizar agressivamente o sistema bancário e aumentar a liquidez ao primeiro sinal de recessão econômica. Você pode começar a ver por que os economistas modernos detestam tanto a compreensão da causalidade lógica; desmentiria quase todas suas soluções.

Friedman e Schwartz iniciam seu livro no ano de 1867, de modo que, ao analisar as causas da recessão de 1873, ignoram completamente a pequena questão da impressão de *greenbacks*[14] pelo governo dos EUA para financiar a Guerra Civil, o que foi a causa principal dessa recessão. Esse é um padrão que se repetirá ao longo do livro.

---

[14](N.T.) Greenbacks foram os papeis-moeda (impresso em verde na parte de trás) emitidos pelos Estados Unidos durante a Guerra Civil Americana.

Friedman e Schwartz mal discutem as causas da recessão de 1893, aludindo a uma demanda por prata devido ao ouro não ser suficiente para cobrir as necessidades monetárias da economia e depois inundando o leitor com trivialidades sobre a recessão naquele ano. Eles não mencionam o *Sherman Silver Purchase Act* de 1890, aprovado pelo Congresso dos EUA, que exigia que o Tesouro dos EUA comprasse grandes quantidades de prata com uma nova edição de notas do Tesouro. Vendo que a prata havia sido quase inteiramente demonizada em todo o mundo naquele momento, as pessoas que possuíam notas de prata ou do Tesouro tentaram convertê-las em ouro, levando a um esgotamento das reservas de ouro do Tesouro. Efetivamente, o Tesouro havia se engajado em uma grande dose equivocada de expansionismo monetário, aumentando a oferta de moeda para tentar fingir que a prata ainda era dinheiro. Tudo o que fez foi desvalorizar as notas do Tesouro dos EUA, criando uma bolha financeira que estourou com a retirada acelerada de ouro. Qualquer livro de história do período poderia deixar isso claro para qualquer pessoa com um entendimento superficial de teoria monetária, mas Friedman e Schwartz evitam de forma impressionante qualquer menção a isso.

O tratamento do livro da recessão de 1920 ignora a grande dose de expansão monetária que tinha que acontecer para financiar a entrada dos EUA na Primeira Guerra Mundial. Apesar de não mencioná-la em suas análises, seus dados[15] dizem que houve um aumento de 115% no estoque monetário entre junho de 1914 e maio de 1920. Apenas 26% disso foi devido ao aumento nas participações em ouro, o que significa que o restante foi impulsionado pelo governo, bancos e pelo Federal Reserve. Essa foi a causa central da depressão de 1920, mas isso também não foi mencionado.

Mais curiosamente, porém, é como eles ignoram completamente a recuperação da depressão de 1920–21 que foi denominada "a última

---

[15]Ver Tabela 10 na p. 206 do livro de Friedman e Schwatz[38].

recuperação natural ao pleno emprego" pelo economista Benjamin Anderson, onde os impostos e as despesas do governo foram reduzidos e os salários foram deixados para se ajustarem livremente, levando a um rápido retorno ao pleno emprego em menos de um ano[16]. A depressão de 1920 viu uma das contrações mais rápidas da produção na história americana (queda de 9% em um período de 10 meses, de setembro de 1920 a julho de 1921), e também a recuperação mais rápida. Em outras depressões, com keynesianos e monetaristas injetando liquidez, aumentando a oferta de dinheiro e aumentando os gastos do governo, a recuperação foi mais lenta.

Enquanto todos tentam aprender a lição da Grande Depressão, os principais livros de economia nunca mencionam a depressão de 1920 e nunca tentam descobrir por que essa depressão teve uma recuperação tão rápida[17]. O presidente da época, Warren Harding, tinha um forte compromisso com o livre mercado e se recusou a atender ao chamado dos economistas intervencionistas. Os maus investimentos foram liquidados e o trabalho e o capital neles empregados foram realocados para novos investimentos muito rapidamente. O desemprego logo retornou aos níveis normais precisamente como resultado da ausência de intervenção do governo para aprofundar as distorções que causara em primeiro lugar. Este é o flagrante oposto de tudo o que Friedman e Schwartz recomendam, e, então, também não é mencionado no trabalho deles.

O capítulo mais famoso do livro (e o único que alguém parece ter lido) é o Capítulo 7, que se concentra na Grande Depressão. O capítulo começa *após* o colapso da bolsa de outubro de 1929, enquanto o Capítulo 6 termina no ano de 1921. Todo o período de 1921 a outubro de 1929, que teria de conter qualquer causa da Grande Depressão, não

---

[16]Murray Rothbard, America's Great Depression, 5th ed., p. 186 [13].

[17]Encontra-se uma excelente e detalhada análise dessa depressão no livro de James Grant, *The Forgotten Depression: 1921: The Crash That Cured Itself* (Simon & Schuster, 2014)[39].

é considerado digno de uma única página das 888 páginas do livro.

Apenas brevemente, Friedman e Schwartz mencionam que o nível de preços não havia subido muito rapidamente durante a década de 1920 e, portanto, concluem que o período não foi inflacionário e, portanto, as causas da depressão não poderiam ter sido inflacionárias. Mas a década de 1920 testemunhou um crescimento econômico muito rápido, o que levaria a uma queda nos preços. Também houve forte expansão monetária, causada pelo Federal Reserve dos EUA tentando ajudar o Banco da Inglaterra a conter o fluxo de ouro de suas fronteiras, o que, por sua vez, foi causado pela inflação do Banco da Inglaterra que não permitiu que os salários se ajustassem para baixo. O efeito líquido de um aumento da oferta monetária e do rápido crescimento econômico foi que o nível de preços não subiu muito, mas os preços dos ativos subiram fortemente - principalmente imóveis e ações; o aumento da oferta monetária não se traduziu em um aumento de preços de bens consumíveis, porque o Federal Reserve estava direcionado a estimular o mercado de ações e habitação. A oferta de moeda cresceu 68,1% no período de 1921 a 1929, enquanto o estoque de ouro apenas 15%[18]. É esse aumento do estoque em dólares, além do estoque de ouro, que é a raiz da Grande Depressão.

Uma menção honrosa deve ser feita ao pai dos monetaristas, Irving Fisher, que passou a década de 1920 engajado na "gestão científica do nível de preços". Fisher imaginou que, à medida que os Estados Unidos expandissem a oferta monetária, sua extensa coleta de dados e gerenciamento científico permitiria controlar o crescimento dos preços da oferta monetária e dos ativos, para garantir que o nível de preços permanecesse estável. Em 16 de outubro de 1929, Fisher orgulhosamente anunciou no *New York Times* que as ações haviam atingido um "platô permanentemente alto"[19]. O mercado de ações

---

[18] Murray Rothbard, America's Great Depression [13].

[19] "Fisher Sees Stocks Permanently High", New York Times, October 16, 1929, p. 8.

estava para desabar a partir de 24 de outubro de 1929 e, à medida que a Depressão se aprofundava, não seria até meados da década de 1950, anos após a morte de Fisher, que o mercado de ações voltaria ao "platô permanentemente alto" que Fisher proclamara em 1929. Não é de admirar, então, que Milton Friedman proclamaria mais tarde Irving Fisher como o maior economista que a América já produzira.

O *crash* ocorreu pela expansão monetária da década de 1920, que gerou uma enorme bolha de riqueza ilusória no mercado de ações. Assim que a expansão desacelerasse, a bolha inevitavelmente explodiria. Assim que estourou, isso significou uma espiral deflacionária, onde toda a riqueza ilusória da bolha desapareceu. À medida que a riqueza desaparece, uma corrida aos bancos é inevitável, à medida que os bancos lutam para cumprir suas obrigações. Isso expõe o problema de ter um sistema bancário de reservas fracionárias - é um desastre esperando para acontecer. Dado isso, seria apropriado que o Fed garantisse os depósitos das pessoas - embora não garantisse as perdas dos negócios e do mercado de ações. Deixar os bancos sozinhos a sofrer com isso, permitindo que a liquidação ocorra e os preços caiam, é a única solução. É verdade que essa solução envolveria uma recessão dolorosa - mas é exatamente por isso que a expansão monetária não deveria ter acontecido em primeiro lugar! Tentar evitar a recessão despejando mais liquidez nela só exacerbará as distorções que causaram a crise em primeiro lugar.

A expansão monetária criou uma riqueza ilusória que alocou recursos inadequadamente, e essa riqueza deve desaparecer para que o mercado volte a funcionar adequadamente com um mecanismo de preços adequado. Foi essa riqueza ilusória que causou o colapso em primeiro lugar. Retornar essa riqueza ilusória à sua localização original é simplesmente remontar o castelo de cartas novamente e prepará-lo para outra queda maior e mais forte.

Tendo descartado sumariamente a era que antecedeu 1929 como

tendo alguma coisa a ver com a crise do mercado de ações, Friedman e Schwartz concluíram que foi apenas a reação do Fed à crise que a levou a se transformar em uma Grande Depressão. Se o Federal Reserve tivesse aberto as torneiras monetárias para banhar o sistema bancário com liquidez, argumentam eles, as perdas do mercado de ações teriam sido amplamente irrelevantes para a economia em geral e não haveria uma depressão maior. O fato de o Fed ter sido expansionista em responder a esta crise é ignorado no dilúvio de dados. Embora o Federal Reserve tenha tentado aliviar a escassez de liquidez no setor bancário, não pôde conter o colapso, não por falta de determinação, mas sim pelo colapso em toda a economia de investimentos de capital mal alocados, e pelas fortes políticas intervencionistas discutidas no Capítulo 4.

Três questões importantes permanecem sem resposta neste trabalho gigantesco, expondo um buraco evidente em sua lógica. Primeiro, por que não há comparação entre as depressões de 1920 e 1929? A primeira não durou muito tempo, embora o Fed não tenha agido da maneira que os autores recomendam. Segundo, por que os Estados Unidos nunca sofreram uma crise financeira no século XIX durante o período em que não havia banco central, exceto nos dois casos em que o Congresso ordenou que o Tesouro agisse como um banco central: a Guerra Civil com a impressão de greenbacks, e em 1890 após a monetização da prata? Terceiro, e mais revelador, como os Estados Unidos administraram um de seus períodos mais longos de crescimento econômico sustentado sem nenhuma crise financeira entre 1873 e 1890 quando não havia banco central, e a oferta de dinheiro era restrita e o nível de preços continuou a cair? Friedman e Schwartz mencionam apenas essa época de passagem, observando que a economia cresceu impressionantemente "apesar" da queda do nível de preços, sem se preocupar em comentar como esse fato emergiu diante de sua fobia de queda no nível de preços.

Como Rothbard explicou, não há nada inerente ao funcionamento de uma economia de mercado que crie um problema persistente de desemprego. O funcionamento normal de um mercado livre testemunhará que muitas pessoas perdem ou largam seus empregos, e muitas empresas vão à falência ou fecham por uma ampla variedade de razões, mas essas perdas de emprego podem resultar em empregos e negócios recém-criados, levando a um número desprezível de pessoas involuntariamente desempregadas a qualquer momento, como nos anos em que o padrão-ouro não foi abusado no século XIX e na Suíça antes de 1992. Somente quando um banco central manipula a oferta de moeda e a taxa de juros é possível que falhas de larga escala em setores inteiros da economia ocorram ao mesmo tempo, causando ondas de demissões em massa em indústrias inteiras, deixando um grande número de trabalhadores sem trabalho ao mesmo tempo, com habilidades que não são facilmente transferíveis para outas áreas[20]. Como Hayek colocou: "A causa das ondas de desemprego não é o 'capitalismo', mas governos que negam às empresas o direito de produzir bom dinheiro"[21].

Base Sólida para o Comércio

No mundo da moeda sonante, bens e capital fluíam entre diferentes países quase da mesma maneira que fluíam entre diferentes regiões do mesmo país: de acordo com os desejos de seus legítimos proprietários, conforme acordado em trocas mutuamente benéficas. Sob o áureo de Júlio César, ou sob o padrão-ouro do Banco de Amsterdã no século XVII, ou sob o padrão-ouro do século XIX, mover fisicamente uma mercadoria de um local para outro era a barreira mais significativa para o comércio. As tarifas e as barreiras comerciais dificilmente existiam e, se existiam, constituíam pouco mais do que taxas para pagar pela

---

[20]Murray Rothbard, Economic Depressions: Their Cause and Cure (2009) [40].
[21]Friedrich Hayek, Denationalization of Money (1976) [41].

gestão e manutenção de pontos de passagem de fronteira e portos marítimos.

Na era da moeda fraca, como no declínio da Europa ao feudalismo ou na descida do mundo moderno ao nacionalismo monetário, o comércio deixa de ser uma prerrogativa dos indivíduos que transacionam e se torna uma questão de importância nacional, exigindo a supervisão dos senhores feudais ou governos reivindicando soberania sobre negociantes. Tão ridiculamente completa essa transformação da natureza do comércio foi que, no século XX, o termo *livre comércio* passou a se referir ao comércio realizado entre dois indivíduos além de suas fronteiras, de acordo com os termos acordados por seus respectivos governos, e não pelos indivíduos interessados!

O abandono do padrão-ouro em 1914, através da suspensão e limitação da troca de papel-moeda por ouro pela maioria dos governos, iniciou o período que Hayek chamou de nacionalismo monetário. O valor do dinheiro deixou de ser uma unidade fixa de ouro, que era a mercadoria com a maior taxa de escassez e, portanto, a menor elasticidade de preço da oferta, mantendo seu valor previsível e relativamente constante. Em vez disso, o valor do dinheiro oscilou junto com os caprichos da política monetária e fiscal, bem como do comércio internacional. Taxas de juros mais baixas ou maior oferta monetária reduziriam o valor da moeda, assim como os gastos do governo financiados por empréstimos do banco central ao governo. Embora esses dois fatores estivessem nominalmente sob o controle dos governos, que poderiam ao menos se iludir pensando que poderiam gerenciá-los para alcançar a estabilidade, o terceiro fator foi um resultado emergente complexo das ações de todos os cidadãos e muitos estrangeiros. Quando as exportações de um país crescem mais do que suas importações (um superávit comercial), sua moeda se valoriza nos mercados de câmbio internacionais, enquanto deprecia quando suas importações crescem mais que as exportações (déficit comercial). Os formuladores de políticas, em vez de tomarem isso como um sinal para parar de mexer no valor do dinheiro e permitir às pessoas a liberdade de usar a commodity menos volátil como dinheiro, tomaram isso como um convite para microgerenciar os menores detalhes do comércio global.

O valor do dinheiro, supostamente a unidade de conta com a qual toda a atividade econômica é mensurada e planejada, passou de ser o valor do bem menos volátil do mercado para ser determinado pela soma de três ferramentas políticas do governo - política monetária, fiscal e comercial - e, mais imprevisivelmente, pelas reações dos indivíduos a essas ferramentas políticas. Os governos que decidem ditar a medida de valor fazem tanto sentido quanto os governos que tentam ditar a medida de comprimento com base nas alturas de indivíduos e edifícios em seus territórios. Só podemos imaginar o tipo de confusão que aconteceria a todos os projetos de engenharia se o comprimento do medidor oscilasse diariamente com os pronunciamentos de um escritório central de medições.

Somente a vaidade dos loucos pode ser afetada alterando a unidade com a qual eles são medidos. Reduzir o medidor pode fazer com que alguém cuja área da casa tenha 200 metros quadrados acredite que na verdade são 400 metros quadrados, mas ainda assim seria a mesma casa. Tudo o que essa redefinição do medidor causou é arruinar a capacidade de um engenheiro de construir ou manter adequadamente uma casa. Da mesma forma, a desvalorização de uma moeda pode tornar um país mais rico nominalmente ou aumentar o valor nominal de suas exportações, mas não faz nada para tornar o país mais próspero.

A economia moderna formulou "A Trindade Impossível" para expressar a situação dos banqueiros centrais modernos, que declara: Nenhum governo pode atingir com êxito os três objetivos de ter uma taxa de câmbio fixa, fluxos de capital livres e uma política monetária independente. Se um governo tiver uma taxa de câmbio fixa e fluxos de capital livres, não poderá ter sua própria política monetária, pois alterar a taxa de juros fará com que o capital flua para dentro ou para fora até o ponto em que a taxa de câmbio se torne indefensável, e todos sabemos quanto economistas modernos apreciam ter uma política monetária para "gerenciar" a economia. Ter uma política monetária independente e uma taxa de câmbio fixa só pode ser alcançada limitando os fluxos de capital, situação prevalecente no período entre 1946 e 1971. Mas mesmo isso não foi sustentável, pois o fluxo de mercadorias se tornou a maneira pela qual as taxas de câmbio tentariam corrigir o desequilíbrio, com alguns países exportando demais e outros importando demais, levando a negociações políticas para recalibrar a taxa de câmbio. Não pode haver fundamento racional para determinar o resultado dessas negociações em organizações internacionais, pois o governo de cada país tenta perseguir o interesse de seus próprios grupos de interesse e fará o que for preciso para fazer exatamente isso. Depois de 1971, o mundo passou a ter uma política monetária independente e fluxos de capital livres, mas taxas de câmbio flutuantes entre moedas.

Esse arranjo tem a vantagem de permitir que economistas keynesianos brinquem com suas ferramentas favoritas para "administrar" economias, enquanto também mantêm felizes as instituições financeiras internacionais e os grandes proprietários de capital. É também um grande benefício para as grandes instituições financeiras que geraram um mercado de câmbio no valor de trilhões de dólares *por dia*, onde as moedas e seus contratos futuros estão sendo negociados. Mas esse arranjo provavelmente não é benéfico para quase todo mundo, principalmente para pessoas que realmente têm empresas produtivas que oferecem bens valiosos à sociedade.

Em um mundo altamente globalizado, em que as taxas de câmbio dependem de uma infinidade de variáveis domésticas e internacionais, administrar um negócio produtivo torna-se um desafio completamente desnecessário. Uma empresa de sucesso provavelmente tem insumos e produtos de seus negócios indo e vindo de vários países. Cada decisão de compra e venda depende da taxa de câmbio entre os países envolvidos. Neste mundo, uma empresa altamente competitiva pode sofrer altas perdas por nada mais que uma mudança nas taxas de câmbio, nem mesmo envolvendo necessariamente seu próprio país. Se o país do principal fornecedor da empresa testemunhar um aumento no valor de sua moeda, os custos de insumos da empresa poderão aumentar o suficiente para destruir a lucratividade da empresa. O mesmo poderia acontecer se a moeda do principal mercado para o qual exporta cair em valor. As empresas que passaram décadas trabalhando em uma vantagem competitiva poderiam vê-la exterminada em 15 minutos de volatilidade imprevisível de câmbio. Isso geralmente é atribuído ao livre comércio, e economistas e políticos também o usam como desculpa para implementar políticas comerciais protecionistas populares, mas destrutivas.

Com fluxos de capital livres e livre comércio construídos sobre uma base instável de areia movediça flutuante da taxa de câmbio, uma porcentagem muito maior dos negócios e profissionais de um país precisa se preocupar com os movimentos da moeda. Toda empresa precisa dedicar recursos e mão de obra para estudar uma questão de extrema importância sobre a qual não têm controle. Mais e mais pessoas trabalham especulando sobre as ações dos bancos centrais, governos nacionais e movimentação de moedas. Esse aparato elaborado de planejamento central e seus rituais correspondentes acabam atrapalhando a atividade econômica. Talvez um dos fatos mais surpreendentes sobre a economia mundial moderna seja o tamanho do mercado de câmbio comparado à atividade econômica produtiva. O Bank of International Settlements[22] (BIS) estima que o tamanho do mercado de câmbio seja de US$ 5,1 trilhões por dia em abril de 2016, que chegaria a cerca de US$ 1.860 trilhão por ano. O Banco Mundial estima o PIB de todos os

---

[22]Bank of International Settlements (2016), Triennial Central Bank Survey. Foreign Exchange Turnover in April 2016 [42].

países do mundo combinados seria cerca de US$ 75 trilhões para o ano de 2016. Isso significa que o mercado de câmbio é cerca de 25 vezes maior que toda a produção econômica que ocorre em todo o planeta[23]. É importante lembrar aqui que o câmbio não é um processo produtivo, razão pela qual seu volume não é contabilizado nas estatísticas do PIB; não há valor econômico sendo criado na transferência de uma moeda para outra; é apenas um custo pago para superar a grande inconveniência de ter diferentes moedas nacionais para diferentes países. O que o economista Hans-Hermann Hoppe chamou de "um sistema global de escambo parcial"[24] pelas fronteiras internacionais está prejudicando a capacidade do comércio global de beneficiar as pessoas, exigindo uma alta quantidade de custos de transação para tentar melhorar suas consequências. Não apenas o mundo está desperdiçando grandes quantidades de capital e mão-de-obra tentando superar essas barreiras, mas também empresas e indivíduos em todo o mundo frequentemente sofrem perdas significativas por erro de cálculo econômico causado pela areia movediça da volatilidade da taxa de câmbio.

Em um livre mercado de dinheiro, os indivíduos escolheriam a moeda que eles desejam usar, e o resultado seria que eles escolheriam a moeda com a maior razão entre estoque e fluxo que pudessem confiar. Essa moeda oscilaria menos com as mudanças na demanda e na oferta e se tornaria um *meio de troca* globalmente procurado, permitindo que todo cálculo econômico fosse realizado com ela, tornando-se uma unidade de medida comum no tempo e no espaço. Quanto maior a vendabilidade de um bem, mais adequado ele é para esse papel. O áureo romano, o soldo bizantino ou o dólar americano foram exemplos disso de forma limitada, embora cada um tivesse suas desvantagens.

---

[23]Para mais sobre isso, ver George Gilder, The Scandal of Money: Why Wall Street Recovers but the Economy Never Does (Washington, D.C. Regnery, 2016) [43].

[24]Hans-Hermann Hoppe, "How Is Fiat Money Possible?" The Review of Austrian Economics, vol. 7, no. 2 (1994) [18].

O dinheiro que mais se aproximou disso foi o ouro nos últimos anos do padrão-ouro internacional, embora, mesmo assim, alguns países e sociedades permanecessem em prata ou em outras formas primitivas de dinheiro.

É um fato surpreendente da vida moderna que um empreendedor, no ano de 1900, possa fazer planos e cálculos econômicos globais todos denominados em qualquer moeda internacional, sem pensar nas flutuações das taxas de câmbio. Um século depois, o mesmo tipo de empresário que tenta fazer um plano econômico além-fronteiras enfrenta uma série de taxas de câmbio altamente voláteis que podem fazê-lo pensar que entrou em uma pintura de Salvador Dali. Qualquer analista sensato que olhasse para essa bagunça concluiria que seria melhor lastrear novamente o valor do dinheiro ao ouro e livrar-se desse ato de malabarismo, resolvendo a Trindade Impossível, eliminando a necessidade de política monetária controlada pelo governo e tendo livre movimento de capitais e livre comércio. Isso criaria ao mesmo tempo estabilidade econômica e liberaria uma grande quantidade de capital e recursos para a produção de bens e serviços valiosos, em vez de especulação sobre oscilações complexas da taxa de câmbio.

Infelizmente, no entanto, as pessoas encarregadas do atual sistema monetário têm um interesse pessoal em continuá-lo e, portanto, preferiram tentar encontrar maneiras de gerenciá-lo e encontrar maneiras cada vez mais criativas de difamar e repudiar o padrão-ouro. Isso é totalmente compreensível, pois seus trabalhos dependem de um governo ter acesso a uma impressora para recompensá-los.

A combinação de taxas de câmbio flutuantes e ideologia keynesiana deu ao mundo o fenômeno inteiramente moderno das guerras cambiais: porque a análise keynesiana diz que o aumento das exportações leva a um aumento do PIB, e o PIB é o santo graal do bem-estar econômico, segue-se assim, na opinião dos keynesianos, que tudo o que aumenta as exportações é bom. Como uma moeda desvalorizada torna as exportações mais baratas, qualquer país que enfrenta uma desaceleração econômica pode aumentar seu PIB e seu emprego desvalorizando sua moeda e aumentando suas exportações.

Há muitas coisas erradas nessa visão de mundo. Reduzir o valor da moeda não contribui para aumentar a competitividade das indústrias em termos reais. Em vez disso, apenas cria um desconto único em suas produções, oferecendo-as a estrangeiros a um preço mais baixo do que os locais, empobrecendo os habitantes e subsidiando estrangeiros. Também torna todos os ativos do país mais baratos para os estrangeiros, permitindo que eles entrem e comprem terras, capital e recursos no país com desconto. Em uma ordem econômica liberal, não há nada errado com os estrangeiros comprando ativos locais, mas, em uma ordem econômica keynesiana, os estrangeiros são ativamente subsidiados para comprar o país com desconto. Além disso, a história econômica mostra que as economias mais bem-sucedidas da era do pós-guerra, como Alemanha, Japão e Suíça, aumentaram significativamente suas exportações à medida que sua moeda continuou a se valorizar. Eles não precisavam de desvalorização constante para fazer crescer suas exportações; eles desenvolveram uma vantagem competitiva que fez com que seus produtos fossem demandados globalmente, o que por sua vez fez com que suas moedas se valorizassem em comparação com seus parceiros comerciais, aumentando a riqueza de sua população. É contraproducente para os países importadores que importam deles pensarem que podem aumentar suas exportações simplesmente desvalorizando a moeda. Eles estariam destruindo a riqueza de seu povo simplesmente permitindo que estrangeiros a comprassem com desconto. Não é coincidência que os países que mais viram suas moedas desvalorizarem no pós-guerra também foram os que sofreram estagnação e declínio.

Além de todos esses problemas com a desvalorização como caminho para a prosperidade serem erradas, há uma simples razão pela qual não pode funcionar, que é: se funcionasse e todos os países tentassem, todas as moedas desvalorizariam e nenhum país teria vantagem sobre os outros. Isso nos leva ao estado atual da economia global, onde a maioria dos governos tenta desvalorizar suas moedas para aumentar suas exportações, e todos reclamam da manipulação "injusta" de suas moedas. Efetivamente, cada país empobrece seus cidadãos, a fim de aumentar suas exportações e aumentar o número do PIB, e reclamam quando outros países fazem o mesmo. A ignorância econômica só é acompanhada pela hipocrisia mentirosa dos políticos e economistas que seguem essas linhas. As cúpulas econômicas internacionais são convocadas onde os líderes mundiais tentam negociar a desvalorização aceitável de suas moedas, tornando o valor da moeda uma questão de importância geopolítica.

Nada disso seria necessário se o mundo fosse baseado em um sistema monetário global sonante que servisse como uma unidade global de conta e medida de valor, permitindo que produtores e consumidores em todo o mundo mantivessem uma avaliação precisa de seus custos e receitas, separando rentabilidade econômica da política do governo. O dinheiro forte, tirando a questão da oferta das mãos dos governos e de seus economistas-propagandistas, forçaria todos a serem produtivos para a sociedade, em vez de procurar enriquecer com a tarefa tola da manipulação monetária.

7

MOEDA SONANTE E LIBERDADE INDIVIDUAL

Os governos acreditam que... quando existe uma escolha
entre um imposto impopular e um gasto muito popular,
existe uma saída para eles - o caminho para a inflação.
Isso ilustra o problema de se afastar do padrão-ouro.

— Ludwig von Mises[1]

SOB um sistema monetário sonante, o governo teve que funcionar de uma maneira que é inimaginável para as gerações criadas no ciclo de novidades do século XX: eles tinham que ser fiscalmente responsáveis. Sem um banco central capaz de aumentar a oferta de dinheiro para pagar a dívida do governo, os orçamentos do governo tinham que obedecer às regras de responsabilidade financeira que se aplicam a todas às entidades normais saudáveis, e que

---

[1]Bettina Bien Greaves, *Ludwig von Mises on Money and Inflation: A Synthesis of Several Lectures*, p. 32.[44]

o nacionalismo monetário tentou revogar e a educação estatal tentou ofuscar.

Para nós que vivemos hoje, criados com a propaganda dos governos onipotentes do século XX, muitas vezes é difícil imaginar um mundo em que a liberdade e a responsabilidade individuais substituam a autoridade do governo. No entanto, esse era o estado do mundo durante os períodos de maior progresso e liberdade humana: o governo foi restringido ao escopo de proteção das fronteiras nacionais, propriedade privada e liberdades individuais, deixando aos indivíduos uma magnitude muito grande de liberdade para fazer suas próprias escolhas e colher seus benefícios ou suportar seus custos. Começamos examinando criticamente a questão de saber se a oferta de dinheiro precisa ser gerenciada pelo governo em primeiro lugar, antes de passar a considerar as consequências do que acontece quando isso ocorre.

O Governo Deve Gerenciar a Oferta de Dinheiro?

O golpe fundamental da modernidade é a ideia de que o governo precisa gerenciar a oferta de dinheiro. É uma suposição inicial inquestionável de todas as principais escolas econômicas de pensamento e partidos políticos. Não há um pingo de evidência do mundo real para validar essa afirmação, e todas as tentativas de gerenciar a oferta de dinheiro terminaram em desastre econômico. O gerenciamento da oferta de dinheiro é o problema que se disfarça de solução; o triunfo da esperança emocional sobre a razão clara; a raiz de todos os almoços grátis políticos vendidos a eleitores ingênuos. Funciona como uma droga altamente viciante e destrutiva, como a metanfetamina ou o açúcar: causa uma alta bonita no início, fazendo as vítimas se sentirem invencíveis, mas assim que o efeito desaparece, a queda é devastadora e tem o efeito da vítima implorando por mais. É nesse momento que é preciso fazer uma escolha difícil: sofrer os efeitos de abstinência de cessar o vício ou tomar outra dose, atrasar as contas por um dia, e suportar os danos de longo prazo.

Para economistas keynesianos e marxistas, e outros defensores da Teoria Estatal da Moeda, dinheiro é o que o Estado diz que é dinheiro e, portanto, é uma prerrogativa do Estado fazer com ele o que quiser, o que inevitavelmente significará imprimi-lo para gastar na consecução dos objetivos do Estado. O objetivo da pesquisa econômica, então, é decidir qual a melhor forma de expandir a oferta monetária e com que finalidade. Mas o fato de o ouro ter sido usado como dinheiro há milhares de anos, antes de os Estados-nação serem inventados, já é suficiente refutação dessa teoria. O fato de os bancos centrais ainda possuírem grandes quantidades de reservas de ouro, e ainda acumularem mais, atesta a natureza monetária duradoura do ouro, apesar de nenhum governo o exigir. Mas, quaisquer que sejam as queixas históricas que os defensores da Teoria Estatal da Moeda possam ter com esses fatos, sua teoria foi obliterada diante de nossos olhos na última década pelo contínuo sucesso e crescimento do bitcoin, que alcançou status monetário e ganhou valor superior à maioria das moedas estatais, puramente devido à sua vendabilidade confiável, apesar de nenhuma autoridade exigir seu uso como dinheiro[2].

Hoje existem duas principais escolas de pensamento econômico aprovadas pelo governo: keynesianos e monetaristas. Embora essas duas escolas tenham metodologias e estruturas analíticas amplamente díspares, e estejam envolvidas em lutas acadêmicas amargas, acusando-se de não se importarem com os pobres, as crianças, o meio ambiente, a desigualdade ou a palavra da moda, ambos concordam com duas verdades inquestionáveis: primeiro, o governo precisa expandir a oferta de dinheiro. Segundo, ambas as escolas merecem mais finan-

---

[2]John Matonis, "Bitcoin Obliterates 'The State Theory of Money'", Forbes (2 de Abril, 2013). Disponível em http://www.forbes.com/sites/jonmatonis/2013/04/03/bitcoin-obliterates-the-state-theory-of-money/#6b93e45f4b6d

ciamento do governo para continuar pesquisando Grandes Questões realmente importantes, que as levarão a encontrar maneiras cada vez mais criativas de chegar à primeira verdade.

É importante entender as diferentes razões das duas escolas de pensamento para entender como elas podem chegar à mesma conclusão e estar igualmente erradas. Keynes era um investidor e estatístico fracassado que nunca estudou economia, mas estava tão bem conectado com a classe dominante na Grã-Bretanha que a bobagem embaraçosa que ele escreveu em seu livro mais famoso, A Teoria Geral do Emprego, Dinheiro e Juros, foi imediatamente elevada para o status de verdades fundadoras da macroeconomia. Sua teoria começa com a suposição (completamente infundada e injustificada) de que a métrica mais importante na determinação do estado da economia é o nível de gastos agregados em toda a sociedade. Quando a sociedade gasta muito coletivamente, os gastos incentivam os produtores a criar mais produtos, empregando mais trabalhadores e alcançando o equilíbrio do emprego pleno. Se os gastos subirem demais, além da capacidade dos produtores de acompanhar, isso levará à inflação e a um aumento no nível geral de preços. Por outro lado, quando a sociedade gasta muito pouco, os produtores reduzem sua produção, demitindo trabalhadores e aumentando o desemprego, resultando em uma recessão.

As recessões, para Keynes, são causadas por reduções abruptas no nível agregado de gastos. Keynes não era muito bom em entender o conceito de causalidade e explicações lógicas, então ele nunca se incomodou em explicar *por que* os níveis de gastos podem cair repentinamente, em vez disso, apenas cunhou outra de suas famosas figuras de linguagem desajeitadas e totalmente sem sentido para salvá-lo do aborrecimento de uma explicação. Ele atribuiu a culpa ao enfraquecimento de "espíritos animais". Até hoje, ninguém sabe exatamente o que são esses espíritos animais ou por que eles podem repentinamente se enfraquecer, mas é claro que isso significa apenas que toda uma indústria de economistas financiados pelo Estado fez uma carreira tentando explicá-los ou encontrar dados do mundo real que possam se correlacionar com eles. Esta pesquisa tem sido muito boa para carreiras acadêmicas, mas não tem valor para quem realmente tenta entender os ciclos de negócios. Colocado sem rodeios, psicologia pop não substitui a teoria do capital[3].

Livre da restrição de ter que encontrar uma causa da recessão, Keynes pôde então recomendar a solução que ele está vendendo. Sempre que há uma recessão ou um aumento no nível de desemprego, a causa é uma queda no nível agregado de gastos e a solução é o governo estimular os gastos, o que por sua vez aumentará a produção e reduzirá o desemprego. Existem três maneiras de estimular os gastos agregados: aumentar a oferta de dinheiro, aumentar os gastos do governo ou reduzir os impostos. A redução de impostos é geralmente desaprovada pelos keynesianos. É visto como o método menos eficaz, porque as pessoas não gastam todos os impostos que não precisam pagar - parte desse dinheiro será poupada e Keynes detestava absolutamente a poupança. A poupança reduziria os gastos, e reduzir os gastos seria a pior coisa que se pode imaginar para uma economia que busca recuperação. Era papel do governo impor uma alta preferência temporal à sociedade gastando mais ou imprimindo mais dinheiro. Visto que é difícil aumentar impostos durante uma recessão, os gastos do governo se traduziriam efetivamente no aumento da oferta monetária. Era então o Santo Graal keynesiano: sempre que a economia não estava em pleno emprego, um aumento da oferta de dinheiro resolveria o problema. Não adianta se preocupar com a inflação, porque, como Keynes havia "mostrado" (isto é, assumido sem fundamento), a inflação só acontece quando os gastos são muito altos, e como o desemprego é alto, isso significa que os gastos estão muito baixos. Pode haver consequências a

---

[3]E, em teoria do capital, não há substitutos à Teoria Austríaca do Capital, como exposta por Böhm-Bawerk, Hayek, Rothbard, Huerta de Soto, Salerno entre outros.

longo prazo, mas não havia motivo para se preocupar com consequências a longo prazo, porque "a longo prazo, estamos todos mortos"[4], como declarou a defesa mais famosa de Keynes da irresponsabilidade libertina de alta preferência temporal.

A visão keynesiana da economia está, é claro, totalmente em desacordo com a realidade. Se o modelo de Keynes tivesse alguma verdade, então necessariamente se seguiria que não pode haver exemplo de uma sociedade experimentando alta inflação e alto desemprego ao mesmo tempo. Mas isso de fato aconteceu muitas vezes, principalmente nos Estados Unidos na década de 1970, quando, apesar das garantias dos economistas keynesianos dizendo o contrário, e apesar de todo o establishment americano, do presidente Nixon ao "economista de livre mercado" Milton Friedman, que adotou o refrão "agora somos todos keynesianos" enquanto o governo se encarregava de eliminar o desemprego com o aumento da inflação, o desemprego continuava subindo à medida que a inflação disparava, destruindo a teoria de que há um *trade-off* entre os dois. Em qualquer sociedade sã, as ideias de Keynes deveriam ter sido removidas dos livros didáticos de economia e confinadas ao domínio da comédia acadêmica, mas em uma sociedade em que o governo controla a academia em um grau muito grande, os livros continuam a pregar o mantra keynesiano que justificava cada vez mais impressão de dinheiro. Ter a capacidade de imprimir dinheiro, literal e figurativamente, aumenta o poder de qualquer governo, e qualquer

---

[4]J. M. Keynes, *A Tract on Monetary Reform* (1923), cap. 3, p. 80 [45]. Vale ressaltar que os keynesianos modernos rejeitam a interpretação desta citação como significando a preocupação de Keynes com o presente em detrimento do futuro. Em vez disso, keynesianos como Simon Taylor argumentam que isso significa a prioridade de Keynes de combater o desemprego imediatamente, em vez de se preocupar com a ameaça remota da inflação. Infelizmente, essa defesa serve apenas para expor os discípulos modernos de Keynes a serem tão de curto prazo quanto ele, e exatamente tão ignorantes da realidade fundamental que são precisamente as políticas inflacionistas que causam o desemprego em primeiro lugar. Consulte "The True Meaning of 'In the Long Run We Are All Dead'". Disponível em http://www.simontaylorsblog.com/2013/05/05/the-true-meaning-of-in-the-long-run-we-are-all-dead/

governo procura qualquer coisa que lhe dê mais poder.

A outra escola principal de pensamento econômico aprovado pelo governo em nossos dias é a escola monetarista, cujo pai intelectual é Milton Friedman. Os monetaristas são mais bem entendidos como uma mulher de malandro dos keynesianos: elas estão lá para fornecer uma versão fraca e diluída do argumento de livre mercado para criar a ilusão de um clima de debate intelectual a ser constantemente e compreensivamente refutada com segurança e prevenir os intelectualmente curiosos de pensar seriamente sobre o livre mercado. A porcentagem de economistas que na verdade são monetaristas é minúscula em comparação aos keynesianos, mas eles recebem muito espaço para expressar suas ideias como se houvesse dois lados iguais. Os monetaristas concordam amplamente com os keynesianos sobre as premissas básicas dos modelos keynesianos, mas encontram querelas matemáticas elaboradas e sofisticadas em algumas conclusões do modelo, cujas exceções sempre os levam a se atreverem a sugerir um papel ligeiramente reduzido para o governo na macroeconomia, o que imediatamente faz com que sejam descartados como uma escória capitalista malvada e sem coração que não se importa com os pobres.

Os monetaristas geralmente se opõem aos esforços keynesianos de gastar dinheiro para eliminar o desemprego, argumentando que, no longo prazo, o efeito sobre o desemprego será eliminado enquanto causa a inflação. Em vez disso, os monetaristas preferem cortes de impostos para estimular a economia, porque argumentam que o mercado livre alocará recursos melhor do que os gastos do governo. Enquanto esse debate sobre cortes de impostos e gastos se propaga, a realidade é que ambas as políticas resultam em déficits governamentais crescentes que só podem ser financiados com dívida monetizada, efetivamente um aumento na oferta de moeda. No entanto, o princípio central do pensamento monetarista é a necessidade premente dos governos de evitar colapsos na oferta de moeda e/ou quedas no nível de preços,

O PADRÃO BITCOIN

que eles vêem como a raiz de todos os problemas econômicos. Um declínio no nível de preços, ou deflação como os monetaristas e keynesianos gostam de chamá-lo, resultaria em pessoas acumulando seu dinheiro, reduzindo seus gastos, causando aumentos no desemprego, causando uma recessão. O mais preocupante para os monetaristas é que a deflação é geralmente acompanhada de colapsos nos balanços do setor bancário e, como também compartilham uma aversão à compreensão de causa e efeito, segue-se que os bancos centrais devem fazer todo o possível para garantir que a deflação nunca ocorra. Para o tratamento canônico de por que os monetaristas têm tanto medo da deflação, veja o discurso de 2002 do ex-presidente do Federal Reserve Ben Bernanke intitulado "Deflação: certificando-se de que 'isso' não ocorra aqui"[5].

A soma total da contribuição dessas duas escolas de pensamento é o consenso ensinado nos cursos de macroeconomia da graduação em todo o mundo: que o banco central precisa expandir a oferta de dinheiro em um ritmo controlado, para incentivar as pessoas a gastar mais e, portanto, manter o nível de desemprego suficientemente baixo. Se um banco central contrair a oferta de dinheiro, ou deixar de expandi-lo adequadamente, poderá ocorrer uma espiral deflacionária, que desencorajará as pessoas a gastar seu dinheiro e, assim, prejudicar o emprego e causar uma desaceleração econômica[6]. Tal é a natureza desse debate que a maioria dos economistas e livros didáticos nem sequer considera a questão de saber se a oferta monetária deve aumentar, assumindo que seu aumento é um dado e discutindo como os bancos centrais precisam administrar esse aumento e ditar suas taxas. O credo de Keynes, que é hoje universalmente popular, é o credo

---

[5]"Remarks by Governor Ben S. Bernanke Before the National Economists Club", Washington, D.C., 21 de novembro de 2002, *Deflation: Making Sure "It" Doesn't Happen Here* [46].
[6]Ver Campbell McConnell, Stanley Brue e Sean Flynn, Economics (New York: McGraw-Hill, 2009), p. 535 [47].

de consumo e gastos para satisfazer desejos imediatos. Ao expandir constantemente a oferta monetária, a política monetária dos bancos centrais torna a poupança e o investimento menos atraentes e, portanto, incentiva as pessoas a poupar e investir menos enquanto consomem mais. O impacto real disso é a ampla cultura do consumo conspícuo, onde as pessoas vivem suas vidas para comprar quantidades cada vez maiores de porcaria das quais não precisam. Quando a alternativa a gastar dinheiro é testemunhar sua poupança perder valor ao longo do tempo, é melhor aproveitá-la antes que perca seu valor. As decisões financeiras das pessoas também refletem em todos os outros aspectos de sua personalidade, gerando uma preferência de tempo em todos os aspectos da vida: desvalorizar a moeda causa menos poupança, mais empréstimos, mais pensamento de curto prazo na produção econômica e nos empreendimentos artísticos e culturais, e, talvez o mais prejudicial, o esgotamento dos nutrientes do solo, levando a níveis cada vez menores de nutrientes nos alimentos.

Em contraste a essas duas escolas de pensamento está a tradição clássica da economia, que é o culminar de centenas de anos de sabedoria acumulada por todo o mundo. Comumente conhecida hoje como a escola austríaca, em homenagem à última grande geração de economistas da Áustria em sua era de ouro antes da Primeira Guerra Mundial, essa escola se baseia no trabalho de economistas clássicos da Escócia, França, Espanha, Arábia e Grécia Antiga ao explicar sua compreensão da economia. Ao contrário da fixação keynesiana e monetarista em análises numéricas rigorosas e sofismas matemáticos, a escola austríaca concentra-se em estabelecer uma *compreensão* dos fenômenos de maneira causal e deduzir logicamente implicações de axiomas comprovadamente verdadeiros.

A teoria austríaca da moeda postula que a moeda surge em um mercado como a commodity mais negociável e o ativo mais vendável, o único ativo cujos titulares podem vender com a maior facilidade em condições favoráveis[7]. Um ativo que mantém seu valor é preferível a um ativo que perde valor e os poupadores que desejam escolher um *meio de troca* gravitam em direção a ativos que mantêm o valor ao longo do tempo como ativos monetários. Os efeitos de rede significam que, eventualmente, apenas um ou alguns ativos podem emergir como *meio de troca*. Para Mises, a ausência de controle do governo é uma condição necessária para a solidez da moeda, visto que o governo terá a tentação de degradar sua moeda sempre que começar a acumular riqueza à medida que os poupadores investem nela.

Ao colocar um limite máximo na oferta de bitcoins, conforme discutido no Capítulo 8, Nakamoto claramente não foi persuadido pelos argumentos de livros-textos básicos de macroeconomia e foi mais influenciado pela escola austríaca, que argumenta que a quantidade de dinheiro em si é irrelevante, que qualquer oferta de dinheiro é suficiente para administrar uma economia de qualquer tamanho, porque as unidades monetárias são infinitamente divisíveis e porque é apenas o poder de compra do dinheiro em termos de bens e serviços reais que importa, e não sua quantidade numérica. Como Ludwig von Mises colocou[8]:

> Os serviços prestados pelo dinheiro são condicionados pela elevação de seu poder de compra. Ninguém quer ter em seu dinheiro um número definido de moedas ou um peso definido; quer-se manter uma reserva em dinheiro com uma quantidade definida de poder de compra. Como a operação do mercado tende a determinar o estado final do poder de compra da moeda a uma elevação em que a oferta e a demanda do dinheiro coincidem, nunca pode haver excesso ou deficiência de dinheiro. Cada indivíduo e todos os indivíduos juntos sempre desfrutam plenamente

---

[7]Carl Menger, On the Origins of Money (1892) [3].
[8]Ludwig von Mises, *Human Action* (1949). p. 421 [2].

das vantagens que podem derivar da *troca indireta* e do uso do dinheiro, independentemente de a quantidade total de dinheiro ser grande ou pequena... os serviços que o dinheiro presta não podem ser melhorados nem prejudicados pela alteração da oferta de dinheiro... A quantidade de dinheiro disponível em toda a economia é sempre suficiente para garantir a todos tudo que o dinheiro faz e pode fazer.

Murray Rothbard concorda com Mises[9]:

Um mundo de oferta monetária constante seria semelhante ao de grande parte dos séculos XVIII e XIX, marcado pelo florescimento bem-sucedido da Revolução Industrial com o aumento do investimento de capital, aumentando a oferta de bens e com a queda nos preços desses bens assim como queda nos custos de produção.

De acordo com a visão austríaca, se a oferta monetária for fixa, o crescimento econômico fará com que os preços de bens e serviços reais caiam, permitindo que as pessoas comprem quantidades crescentes de bens e serviços com seu dinheiro no futuro. Esse mundo de fato desencorajaria o consumo imediato, como temem os keynesianos, mas incentivaria a poupança e o investimento para o futuro, onde mais consumo pode acontecer. Para uma escola de pensamento presa na alta preferência temporal, é compreensível que Keynes não entenda que o impacto do aumento da economia no consumo em qualquer momento presente é mais do que compensado pelos aumentos nos gastos causados pelo aumento da economia do passado. Uma sociedade que constantemente adia o consumo acabará sendo uma sociedade que consome mais a longo prazo do que uma sociedade com baixa

---

[9]Rothbard, Murray. "The Austrian Theory of Money". *The Foundations of Modern Austrian Economics* (1976): 160-184 [48].

poupança, uma vez que a sociedade com baixa preferência temporal investe mais, produzindo mais renda para seus membros. Mesmo com uma porcentagem maior de sua renda destinada à poupança, as sociedades de baixa preferência temporal acabarão tendo níveis mais altos de consumo no longo prazo, bem como maior estoque de capital.

Se a sociedade fosse uma garotinha naquele experimento do marshmallow, a economia keynesiana procura alterar o experimento para que a espera castigue a garota dando a ela meio marshmallow em vez de dois, fazendo com que todo o conceito de autocontrole e baixa preferência temporal pareça contraproducente. Satisfazer prazeres imediatos é o curso de ação mais provável economicamente, e isso refletirá na cultura e na sociedade em geral. A escola austríaca, por outro lado, pregando moeda sonante, reconhece a realidade do *trade-off* que a natureza oferece aos seres humanos e que, se a criança esperar, haverá mais recompensa para ela, tornando-a mais feliz a longo prazo, encorajando-a a adiar sua gratificação para aumentá-la.

Quando o valor da moeda cresce, é provável que as pessoas sejam muito mais exigentes com seu consumo e poupem muito mais de sua renda no futuro. A cultura do consumo conspícuo, das compras como terapia, de sempre precisar substituir porcaria de plástico barata por uma porcaria de plástico barata mais nova e chamativa não terá lugar em uma sociedade com um dinheiro que valoriza em valor ao longo do tempo. Esse mundo faria com que as pessoas desenvolvessem uma preferência de tempo mais baixa, pois suas decisões monetárias orientarão suas ações para o futuro, ensinando-os a valorizar o futuro cada vez mais. Assim, podemos ver como essa sociedade levaria as pessoas não apenas a poupar e investir mais, mas também a serem orientadas moral, artística e culturalmente para o futuro no longo prazo.

Uma moeda que valoriza em valor incentiva a poupança, na medida em que a poupança ganha poder de compra ao longo do tempo.

Por isso, incentiva o consumo diferido, resultando numa preferência temporal mais baixa. Uma moeda que se desvaloriza em valor, por outro lado, deixa os cidadãos constantemente buscando retornos para vencer a inflação, retornos que devem apresentar um risco e, portanto, levam a um aumento do investimento em projetos de risco e uma maior tolerância a riscos entre os investidores, levando ao aumento de perdas. Sociedades com dinheiro de valor estável geralmente desenvolvem uma baixa preferência temporal, aprendendo a poupar e pensar no futuro, enquanto sociedades com alta inflação e economias deprecia-das desenvolverão alta preferência temporal à medida que as pessoas perdem a noção da importância de poupar e se concentram no prazer imediato.

Além disso, uma economia com uma moeda em valorização teste-munharia investimentos apenas em projetos que oferecem um retorno real positivo sobre a taxa de valorização do dinheiro, o que significa que apenas os projetos que devem aumentar o capital social da socie-dade tenderão a ser financiados. Por outro lado, uma economia com uma moeda depreciada incentiva os indivíduos a investir em projetos que oferecem retornos positivos em termos da moeda depreciada, mas retornos reais negativos. Os projetos que vencem a inflação, mas não oferecem retornos reais positivos, reduzem efetivamente o capital social da sociedade, mas são uma alternativa racional para os inves-tidores, porque reduzem seu capital mais lentamente que a moeda depreciada. Esses investimentos são o que Ludwig von Mises chama de *malinvestments* - projetos e investimentos não lucrativos, que só parecem lucrativos durante o período de inflação e taxas de juros ar-tificialmente baixas e cuja lucratividade será exposta assim que as taxas de inflação caírem e as taxas de juros aumentarem, causando a parte da contração do ciclo de expansão e contração. Como Mises co-loca: "O boom restringe os escassos fatores de produção por meio dos maus investimentos e reduz o estoque disponível através do consumo excessivo; suas supostas bênçãos são pagas pelo empobrecimento"[10].

Esta exposição ajuda a explicar por que os economistas da escola austríaca são mais favoráveis ao uso do ouro como dinheiro, enquanto os principais economistas keynesianos apoiam a emissão do dinheiro governamental elástico que pode ser expandido a pedido do governo. Para os keynesianos, o fato de que os bancos centrais do mundo inteiro operarem com moedas fiduciárias é testemunho da superioridade de suas ideias. Para os austríacos, por outro lado, o fato de os governos terem de recorrer a medidas coercitivas de proibir o ouro como dinheiro e forçar o pagamento em moedas fiduciárias é ao mesmo tempo um testemunho da inferioridade da moeda fiduciária e de sua incapacidade de obter sucesso no mercado livre. É também a causa raiz de todos os ciclos econômicos de retração e expansão. Enquanto os economistas keynesianos não têm explicação para o porquê de as recessões acontecerem além de invocar "espíritos animais", os economistas da escola austríaca desenvolveram a única teoria coerente que explica a causa dos ciclos de negócios: a Teoria Austríaca do Ciclo Econômico[11].

Moeda Fraca e Guerra Perpétua

Como discutido no Capítulo 4 sobre a história do dinheiro, não foi por acaso que a era do dinheiro controlado pelo banco central foi inaugurada com a primeira guerra mundial da história da humanidade. Existem três razões fundamentais que impulsionam a relação entre moeda fraca e guerra. Primeiro, a moeda fraca é em si uma barreira ao comércio entre países, porque distorce o valor entre os países e faz dos fluxos comerciais uma questão política, criando animosidade e inimizade entre governos e populações. Segundo, o governo ter acesso a uma impressora o permite continuar guerreando até destruir

---

[10]Ludwig von Mises, *Human Action* (1949), p. 575 [2].

[11]Ver Murray N. Rothbard, Economic Depressions: Their Cause and Cure (Ludwig von Mises Institute, 2009) [40].

completamente o valor de sua moeda, e não apenas até ficar sem dinheiro. Com moeda sonante, o esforço de guerra do governo era limitado pelos impostos que ele poderia cobrar. Com moeda fraca, ele é restringido pela quantidade de dinheiro que ele pode criar antes que a moeda seja destruída, tornando-o capaz de apropriar-se da riqueza com muito mais facilidade. Terceiro, os indivíduos que lidam com moeda sonante desenvolvem uma preferência temporal menor, permitindo que pensem mais na cooperação e não no conflito, conforme discutido no Capítulo 5.

Quanto maior a extensão do mercado com o qual os indivíduos podem negociar, mais especializados eles podem ser em sua produção e maiores seus ganhos com o comércio. A mesma quantidade de mão de obra gasta trabalhando em uma economia primitiva de 10 pessoas levaria a um padrão de vida material muito mais baixo do que se tivesse sido gasto em um mercado maior de 1.000 ou 1.000.000 de pessoas. O indivíduo moderno que vive em uma sociedade de livre comércio é capaz de trabalhar algumas horas por dia em um trabalho altamente especializado e, com o dinheiro que ganha, pode comprar os bens que deseja de qualquer produtor do planeta inteiro com o menor custo e melhor qualidade. Para apreciar plenamente os ganhos advindos do comércio, imagine tentar viver sua vida em auto-suficiência. A sobrevivência básica se tornaria uma tarefa muito difícil para qualquer um de nós, já que nosso tempo é gasto de maneira ineficiente e infrutífera, tentando fornecer os princípios básicos da sobrevivência para nós mesmos.

O dinheiro é o meio através do qual o comércio ocorre e a única ferramenta pela qual o comércio pode se expandir além do escopo de pequenas comunidades com estreitas relações pessoais. Para que o mecanismo de preços funcione, os preços precisam ser denominados em uma forma sonante de moeda em toda a comunidade que negocia com ele. Quanto maior a área usando uma moeda comum, mais fácil e maior o escopo de comércio dentro da área. O comércio entre os povos cria uma coexistência pacífica, dando a eles um interesse pessoal na prosperidade um do outro. Quando as comunidades usam diferentes tipos de moeda fraca, o comércio se torna mais complicado, pois os preços variam de acordo com a variação do valor das moedas, tornando os termos do comércio imprevisíveis e muitas vezes tornando contraproducente o planejamento da atividade econômica além-fronteiras.

Sendo predispostos a focar no futuro, indivíduos com uma baixa preferência temporal têm menor probabilidade de entrar em conflito do que aqueles que são orientados para o presente. O conflito é por natureza destrutivo e, na maioria dos casos, as pessoas inteligentes e orientadas para o futuro entendem que não há vencedores em conflitos violentos, porque os vencedores provavelmente sofrerão mais perdas do que se tivessem acabado de se abster de participar do conflito em primeiro lugar. As sociedades civilizadas funcionam com a premissa de que as pessoas respeitam as vontades umas das outras e, se houver conflitos, tentam uma solução pacífica. Se uma solução amigável não for encontrada, é mais provável que as pessoas se separem e evitem uma à outra do que continuar a agitar e permanecer em conflito. Isso ajuda a explicar por que sociedades civilizadas prósperas geralmente não testemunham muitos crimes, violências ou conflitos.

Em nível nacional, é muito mais provável que as nações que usam moeda sonante permaneçam pacíficas ou tenham conflitos limitados entre si, porque a moeda sonante impõe restrições reais à capacidade do governo de financiar suas operações militares. Na Europa do século XIX, os reis que queriam lutar entre si tiveram que tributar suas populações para financiar seus militares. A longo prazo, essa estratégia só poderia ser lucrativa para os reis que empregassem suas forças armadas defensivamente, e não ofensivamente. A ação militar defensiva sempre tem uma vantagem mais forte do que a natureza militar ofensiva, porque o defensor está lutando em seu próprio solo, perto de seu povo e de suas linhas de suprimento. Um monarca que concentrasse os militares na ação defensiva encontraria seus cidadãos dispostos a pagar impostos para se defender de invasores estrangeiros. Mas um monarca que se envolvia em prolongadas aventuras estrangeiras para se enriquecer provavelmente enfrentaria ressentimento por parte de sua população e incorreria em custos significativos na luta contra outros exércitos em seu próprio solo.

Isso pode ajudar a explicar por que o século XX foi o mais mortífero da história registrada. O Relatório do Desenvolvimento Humano das Nações Unidas[12] de 2005 analisou a morte por conflitos nos últimos cinco séculos e considerou o século XX o mais mortífero. Mesmo quando as principais nações europeias entraram em guerra entre si na era do padrão-ouro, as guerras eram geralmente breves e travadas em campos de batalha entre exércitos profissionais. Uma grande guerra do século XIX na Europa foi a guerra franco-prussiana de 1870 a 1871, que durou 9 meses e matou cerca de 150.000 pessoas, aproximadamente a média de uma semana na Segunda Guerra Mundial, financiada pela moeda governamental fraca do século XX. Com o padrão-ouro restringindo-os a financiar a guerra pela tributação, os governos europeus tiveram que ter suas despesas preparadas antes da batalha, gastá-las na preparação de suas forças armadas da maneira mais eficaz possível e tentar uma vitória decisiva. Assim que a maré da batalha começa a virar contra um dos exércitos, torna-se uma batalha logística e economicamente perdida tentar aumentar os impostos para rearmar os militares para tentar virar a maré - melhor tentar negociar uma paz com o mínimo de perdas possível. As guerras mais mortais do século XIX foram as guerras napoleônicas, que foram realizadas antes que o padrão-ouro fosse formalmente adotado em todo o continente,

---

[12]Human Development Report 2005 (New York: United Nations Development Programme, 2005).

Conflitos Custam Cada Vez Mais Vidas Humanas		
Período	Mortes Relacionadas com Conflitos (em milhões)	População Mundial a Meio do Século (em milhões)	Mortes Relacionadas com Conflitos como Parte da População Mundial (%)
Séc. XVI	1,6	493,3	0,32
Séc. XVII	6,1	579,1	1,05
Séc. XVIII	7,0	757,4	0,92
Séc. XIX	19,4	1172,9	1,65
Séc. XX	109,7	2519,5	4,35

Tabela 7.1: Mortes derivadas de conflitos nos últimos cinco séculos

depois das experiências tolas da Revolução Francesa com inflação (Veja a Tabela 7.1[13]).

Tal como está, um grande número de empresas em todas as economias avançadas se especializa na guerra como negócio e, portanto, depende de guerra perpétua para continuar operando. Elas vivem exclusivamente de gasto do governo e têm toda a sua existência dependente de guerras perpétuas que exigem gastos cada vez maiores com armamentos. Nos Estados Unidos, cujos gastos com defesa são quase iguais aos do resto do planeta somado, essas indústrias têm interesse em manter o governo dos EUA envolvido em alguma forma ou outra de aventura militar. Isso, mais do que qualquer operação estratégica, cultural, ideológica ou de segurança, explica por que os Estados Unidos se envolveram em tantos conflitos em partes do mundo que não podem ter sequer influência na vida do americano médio. Somente com moeda fraca essas empresas podem crescer em magnitude tão grande que podem influenciar a imprensa, a academia e os think-tanks a bater continuamente os tambores de mais guerra.

[13]Fonte: United Nations Development Programme's Human Development Report (2005).

Governo Limitado Versus Governo Onipotente

Em sua extensa história de cinco séculos da civilização ocidental, *Do Amanhecer até a Decadência* [33], Jacques Barzun identifica o fim da Primeira Guerra Mundial como o ponto de virada crucial para iniciar a decadência, a degeneração e a queda do Ocidente. Foi depois dessa guerra que o Ocidente sofreu com o que Barzun chama de "A Grande Mudança", a substituição do liberalismo pela liberalidade, o impostor reivindicando seu manto, mas na realidade é seu exato oposto[14]:

> O liberalismo triunfou no princípio de que o melhor go-
> verno é o que menos governa; agora, para todas as nações
> ocidentais, a sabedoria política reformulou esse ideal de
> liberdade em liberalidade. A mudança colocou o vocabu-
> lário em desordem.

Enquanto o liberalismo mantinha o papel do governo de permitir que os indivíduos vivessem em liberdade, desfrutassem dos benefícios e sofressem as consequências de suas ações, a liberalidade era a noção radical de que era papel do governo permitir que os indivíduos se entregassem a todos os seus desejos, enquanto os protegem das consequências. Socialmente, economicamente e politicamente, o papel do governo foi reformulado como o gênio da concessão de desejos, e a população apenas teve que votar no que queria que fosse cumprido.

O historiador francês Élie Halévy definiu a Era das Tiranias como tendo começado em 1914 com a Primeira Guerra Mundial, quando as principais potências do mundo mudaram para a nacionalização econômica e intelectual. Nacionalizaram os meios de produção e mudaram para os modos sindicalistas e corporativistas de organização da sociedade, enquanto suprimiam as ideias que eram vistas como

---

[14]Jacques Barzun, From Dawn to Decadence [33].

sendo contrárias ao interesse nacional, bem como a promoção do nacionalismo no que ele denominou "a organização do entusiasmo"[15].

Essa concepção liberal clássica de governo só é possível em um mundo com moeda sonante, que age como uma restrição natural contra o autoritarismo e o excesso de poder do governo. Enquanto o governo teve que tributar seu povo para financiar suas operações, ele teve que restringir suas operações ao que seus sujeitos consideravam tolerável. Os governos tinham que manter um orçamento equilibrado, mantendo sempre o consumo dentro dos limites dos ganhos tributários. Numa sociedade de moeda sonante, o governo depende do consentimento de sua população para financiar suas operações. Toda nova proposta de ação governamental terá que ser paga antecipadamente em impostos ou pela venda de títulos do governo de longo prazo, fornecendo à população uma medida precisa dos custos reais dessa estratégia, que eles poderiam comparar facilmente com os benefícios. Um governo que busca financiamento para projetos legítimos de defesa e infraestrutura nacional teria pouca dificuldade em impor impostos e vender títulos à população que via os benefícios diante de seus olhos. Mas um governo que aumenta os impostos para financiar o estilo de vida luxuoso de um monarca gera ressentimento em massa entre sua população, pondo em risco a legitimidade de seu governo e tornando-o cada vez mais precário. Quanto mais onerosas as tributações e imposições do governo, maior a probabilidade de a população se recusar a pagar impostos, aumentar significativamente os custos de cobrança de impostos ou se opor ao governo e substituí-lo, seja pelo voto ou pela bala.

A moeda sonante, então, reforçou uma certa honestidade e transparência nos governos, restringindo seu governo ao que era desejável e tolerável para a população. Permitiu uma contabilidade honesta em toda a sociedade dos custos e benefícios das ações, bem como

---

[15]Élie Halévy e May Wallas. "The Age of Tyrannies", Economica, New Series, vol. 8, no. 29 (February 1941): 77–93 [49].

a responsabilidade econômica necessária para qualquer organização, indivíduo ou ser vivo ter sucesso na vida: o consumo deve vir após a produção.

A moeda fraca, por outro lado, permite que os governos comprem lealdade e popularidade gastando na consecução de objetivos populares sem ter que apresentar a conta ao seu povo. O governo simplesmente aumenta a oferta de dinheiro para financiar qualquer esquema mal pensado que inventa e o verdadeiro custo de tais esquemas só é sentido pela população nos próximos anos, quando a inflação da oferta monetária fizer com que os preços subam, momento em que a culpa pela destruição do valor da moeda pode ser facilmente colocada em inúmeros fatores, geralmente envolvendo alguns planos nefastos elaborados por estrangeiros, banqueiros, minorias étnicas locais ou governos anteriores ou futuros. A moeda fraca é uma ferramenta particularmente perigosa nas mãos dos governos democráticos modernos que enfrentam pressão constante de reeleição. É improvável que os eleitores modernos favoreçam os candidatos que são francos quanto aos custos e benefícios de seus esquemas; é muito mais provável que eles sigam os patifes que prometem almoço grátis e culpam seus predecessores ou alguma conspiração nefasta. A democracia torna-se, assim, um delírio coletivo de pessoas tentando anular as regras da economia votando em um almoço grátis para si mesmas e sendo manipuladas em birras violentas contra bodes expiatórios sempre que a conta do almoço grátis chega via inflação e recessões econômicas.

A moeda fraca está no centro do delírio moderno compartilhado pela maioria dos eleitores e daqueles azarados o suficiente para estudar macroeconomia moderna nas universidades: que as ações do governo não têm custos de oportunidade e que o governo pode agir com uma varinha mágica onipotente para criar a realidade que deseja. Seja redução da pobreza, fiscalização da moralidade, assistência médica, educação, infraestrutura, reforma das instituições políticas e econômicas de outros países ou substituição das regras de oferta e demanda de qualquer bem emocionalmente importante, a maioria dos cidadãos modernos vive na ilusória ilha dos sonhos em que nada disso tem custos reais e tudo o que é necessário para que essas metas sejam alcançadas é "vontade política", "liderança forte" e ausência de corrupção. A moeda fraca erradicou a noção de *trade-offs* e custos de oportunidade da mente das pessoas que pensam em assuntos públicos. Chocará os cidadãos comuns ter o mais óbvio mostrado para eles: todas essas coisas legais que vocês desejam não podem ser geradas do nada e sem custo algum pelo seu político favorito ou seu oponente. Todos elas precisam ser feitas por pessoas reais - pessoas que precisam acordar de manhã e passar dias e anos trabalhando para lhes dar o que desejam, negando a si mesmos a chance de trabalhar em outras coisas que eles preferem produzir. Embora nenhum político tenha sido eleito por reconhecer essa realidade, a urna não pode derrubar a escassez fundamental do tempo humano. Sempre que o governo decide fornecer algo, isso não aumenta a produção econômica; significa apenas um planejamento mais central da produção econômica com consequências previsíveis[16].

A moeda fraca foi uma bênção para tiranos, regimes repressivos e governos ilegítimos, permitindo que evitassem a realidade dos custos e benefícios quando aumentam a oferta de dinheiro para financiar seus empreendimentos primeiro, e deixando para mais tarde a população ter que lidar com as consequências enquanto vê sua riqueza e poder de compra evaporarem. A história está repleta de exemplos de como os governos que têm a prerrogativa de criar dinheiro do nada quase sempre abusaram desse privilégio, colocando-o contra seu próprio povo.

Não é por acaso que, ao rememorar os tiranos mais horríveis da

---

[16]Murray Rothbard, "The End of Socialism and the Calculation Debate Revisited", The Review of Austrian Economics, vol. 5, no. 2 (1991) [50].

história, descobrimos que todos sem exceção operavam um sistema de dinheiro emitido pelo governo que era constantemente inflado para financiar as operações do governo. Há uma boa razão para Vladimir Lenin, Joseph Stalin, Mao Ze Dong, Adolf Hitler, Maximilien Robespierre, Pol Pot, Benito Mussolini, Kim Jong Il e muitos outros criminosos notórios todos governarem em períodos de dinheiro emitido pelo governo, que poderiam ser impressos à vontade para financiar suas megalomanias genocidas e totalitárias. Pelo mesmo motivo as sociedades que deram origem a esses assassinos em massa não produziram ninguém próximo ao seu nível de criminalidade quando viviam sob sistemas monetários sadios, que exigiam que os governos tributassem antes de gastar. Nenhum desses monstros tinha sequer abolido a moeda sonante para financiar seu assassinato em massa. A destruição da moeda sonante já havia acontecido antes, aclamada com maravilhosas histórias bonitas envolvendo crianças, educação, libertação dos trabalhadores e orgulho nacional. Mas depois que o dinheiro foi destruído, ficou muito fácil para esses criminosos assumirem o poder e assumirem o comando de todos os recursos de sua sociedade, aumentando a oferta de moeda fraca.

A moeda fraca torna o poder do governo potencialmente ilimitado, com grandes consequências para cada indivíduo, forçando a política ao centro das suas vidas e redirecionando grande parte da energia e dos recursos da sociedade para o jogo de soma zero de quem deve governar e como. A moeda sonante, por outro lado, faz da forma de governo uma questão com consequências limitadas. Uma democracia, república ou monarquia são restringidas por moeda sonante, permitindo à maioria dos indivíduos um grande grau de liberdade em sua vida pessoal.

Seja nas economias soviética ou capitalista, a noção do governo "administrando" ou "gerenciando" a economia para atingir objetivos econômicos é vista como boa e necessária. Vale a pena voltar aqui aos pontos de vista de John Maynard Keynes para entender as motivações do sistema econômico que ele propõe, com o qual a humanidade teve que lidar nas últimas décadas. Em um de seus artigos menos conhecidos, *The End of Laissez-Faire*, Keynes oferece sua concepção de qual deveria ser o papel do governo em uma sociedade. Keynes expressa sua oposição ao liberalismo e individualismo, o que seria de esperar, mas também apresenta os fundamentos de sua oposição ao socialismo, afirmando:

> O socialismo estatal do século XIX surgiu de Bentham, livre concorrência etc., e é, em alguns aspectos mais claro, em alguns aspectos uma versão mais confusa, da mesma filosofia subjacente ao individualismo do século XIX. Ambos igualmente enfatizaram toda a liberdade, uma para evitar negativamente as limitações sobre a liberdade existente, a outra para destruir positivamente os monopólios naturais ou adquiridos. São reações diferentes à mesma atmosfera intelectual.

O problema de Keynes com o socialismo, então, é que seu objetivo final era aumentar a liberdade individual. Para Keynes, o objetivo final não deve lidar com questões triviais como liberdade individual, mas sim com o controle governamental de áreas da economia ao seu gosto. Ele descreve três arenas principais nas quais considera vital o papel do governo: primeiro, "o controle deliberado da moeda e do crédito por uma instituição central", a crença que lançou as bases para os bancos centrais modernos. Segundo, e relacionado ao primeiro, Keynes acreditava que era papel do governo decidir "a escala na qual é desejável que a comunidade como um todo poupe, a escala na qual essa poupança deve ir para o exterior na forma de investimentos estrangeiros, e se a atual organização do mercado de investimentos distribui a poupança nos canais nacionalmente mais produtivos. Eu não acho que essas questões devam ser deixadas inteiramente para os caprichos do julgamento privado e dos lucros privados, como são atualmente". E, finalmente, Keynes acreditava que era papel do governo elaborar "uma política nacional abrangente sobre qual o tamanho da população, maior ou menor do que atualmente ou igual, é o mais vantajoso. E, tendo estabelecido essa política, precisamos tomar medidas para colocá-la em operação. O tempo pode chegar um pouco mais tarde, quando a comunidade como um todo deve prestar atenção à qualidade inata e também ao mero número de seus futuros membros"[17].

Em outras palavras, a concepção keynesiana do Estado, de onde vieram as doutrinas modernas dos bancos centrais, amplamente defendidas por todos os banqueiros centrais, e que moldam a grande maioria dos livros econômicos escritos em todo o mundo, vem do lugar de um homem que queria o direcionamento governamental de duas áreas importantes da vida: primeiro, o controle das decisões sobre dinheiro, crédito, poupança e investimento, o que significava a centralização totalitária da alocação de capital e destruição do empreendimento privado livre, tornando os indivíduos totalmente dependentes do governo para sua sobrevivência básica e, segundo, o controle da quantidade e qualidade da população, o que significava eugenia. E, diferentemente dos socialistas, Keynes não buscou esse nível de controle sobre os indivíduos para aumentar sua liberdade no longo prazo, mas para desenvolver uma grande visão de sociedade como ele achava melhor. Embora os socialistas possam ter tido a decência de pelo menos fingir querer escravizar o homem para seu próprio bem e libertá-lo no futuro, Keynes desejava a escravidão governamental por si só, como o objetivo final. Isso pode ajudar a explicar por que Murray Rothbard disse: "Há apenas uma coisa boa sobre Marx, pelo menos ele não era keynesiano"[18].

---

[17]J. M. Keynes, "The End of Laissez-Faire", in Essays in Persuasion, pp. 272–295 [51].

[18]Murray Rothbard, "A Conversation with Murray Rothbard", Austrian Economics Newsletter, vol. 11, no. 2 (Summer 1990) [52].

Embora tal concepção possa soar boa para idealistas da torre de marfim que imaginam que isso levará apenas a resultados positivos, na realidade isso leva à destruição dos mecanismos de mercado necessários para a produção econômica. Nesse sistema, o dinheiro deixa de funcionar como um sistema de informação para produção, mas como um programa de lealdade ao governo.

A Apropriação

O Capítulo 3 explicou como qualquer mercadoria que adquira um papel monetário incentivaria as pessoas a produzir mais dessa mercadoria. Um dinheiro que pode ser facilmente produzido levará a que mais recursos econômicos e tempo humano sejam dedicados à sua produção. Como o dinheiro é adquirido não por suas próprias propriedades, mas para ser trocado por outros bens e serviços, seu poder de compra é importante, não sua quantidade absoluta. Portanto, não há benefício social de nenhuma atividade que aumente a oferta de dinheiro. É por isso que, em um mercado livre, o que quer que assuma uma função monetária terá uma taxa de escassez reconhecidamente alta: a nova oferta monetária é pequena em comparação com a oferta geral existente. Isso garante que a menor quantidade possível de trabalho e recursos de capital da sociedade seja deduzida para produzir mais meio monetário e, em vez disso, seja dedicada à produção de bens e serviços úteis cuja quantidade absoluta, diferente da do dinheiro, é importante. O ouro tornou-se o principal padrão monetário global porque sua nova produção sempre foi um percentual fielmente pequeno de sua oferta existente, tornando a mineração de ouro um negócio altamente incerto e não rentável, forçando assim cada vez mais capital e trabalho do mundo a serem direcionados para a produção de bens não monetários.

Para John Maynard Keynes e Milton Friedman, uma das principais atrações de se afastar do padrão-ouro era a redução nos custos de mineração de ouro que resultariam da mudança para o papel-moeda emitido pelo governo, cujo custo de produção é muito menor do que o do ouro. Eles não apenas não entenderam que o ouro tem muito poucos recursos indo para sua produção em comparação com outros bens cuja oferta pode ser inflada com muito mais facilidade, como também subestimaram severamente os custos reais para a sociedade de uma forma de dinheiro cuja oferta pode ser expandida à vontade de um governo suscetível a interesses privados e democráticos. O custo real não está no custo direto da operação das impressoras, mas de toda a atividade econômica perdida quando os recursos produtivos vão atrás do novo dinheiro emitido pelo governo ao invés de ser empregado na produção econômica.

A criação de crédito inflacionário pode ser entendida como um exemplo do que o economista John Kenneth Galbraith[19] chamou de "a apropriação"[20] em seu livro sobre a Grande Depressão. À medida que a expansão do crédito na década de 1920 disparou, as empresas estavam inundadas de dinheiro e era muito fácil para as pessoas se apropriarem desse dinheiro de várias maneiras. Enquanto o crédito continuar fluindo, as vítimas ficam alheias e uma ilusão de aumento de riqueza é criada em toda a sociedade, tanto a vítima quanto o ladrão pensando que têm o dinheiro. A criação de crédito pelos bancos centrais causa booms insustentáveis, permitindo o financiamento de projetos não rentáveis e permitindo que eles continuem consumindo recursos em atividades improdutivas.

Em um sistema monetário sólido, qualquer empresa que sobreviva o faz oferecendo valor à sociedade, recebendo uma receita mais alta por

---

[19]John Kenneth Galbraith, The Great Crash 1929 (Boston, Ma: Houghton Mifflin Harcourt, 1997), p. 133.

[20](N.T.) O termo em inglês é "the bezzle", de onde origina o termo "embezzelment" ou apropriação indébita, crime tipificado e previsto no Código Penal Brasileiro que consiste no apoderamento de coisa alheia móvel, sem o consentimento do proprietário. O termo ficou conhecido na literatura econômica como o nível ou proporção da atividade do setor financeiro que consiste na apropriação oculta, variando de acordo com o ciclo econômico.

seus produtos do que os custos incorridos por seus insumos. O negócio é produtivo porque transforma insumos de um determinado preço de mercado em produtos com um preço de mercado mais alto. Qualquer empresa que produza produtos avaliados em valores inferiores aos seus insumos sai do negócio, seus recursos são liberados para serem utilizados por outras empresas mais produtivas, no que o economista Joseph Schumpeter chamou de "destruição criativa". Não pode haver lucro em um mercado livre sem o risco real de perda, e todos são forçados a arriscar a pele: o fracasso é sempre uma possibilidade real e pode ser caro. A moeda fraca emitida pelo governo, no entanto, pode paralisar esse processo, mantendo as empresas improdutivas mortas-vivas, o equivalente econômico de zumbis ou vampiros usando os recursos das empresas vivas e produtivas para produzir coisas com menos valor do que os recursos necessários para produzi-las. Ele cria uma nova casta social que existe de acordo com regras diferentes das de todos os outros, sem arriscar a pele. Sem enfrentar nenhum teste de mercado por seu trabalho, eles estão isolados das consequências de suas ações. Essa nova casta existe em todos os setores econômicos com ajuda do dinheiro governamental.

Não é possível estimar com precisão o percentual da atividade econômica na economia mundial moderna que vai para o dinheiro impresso pelo governo em vez da produção de bens e serviços úteis à sociedade, mas é possível ter uma ideia observando quais empresas e setores sobrevivem devido ao sucesso no teste do mercado livre e quais só estão vivos graças à generosidade do governo - seja fiscal ou monetária.

O incentivo fiscal é o método mais fácil de detecção da criação de zumbis. Todas as empresas que recebem apoio direto do governo e a grande maioria das empresas que estão vivas graças à venda de seus produtos ao setor público são efetivamente zumbis. Se essas empresas tivessem sido produtivas para a sociedade, indivíduos livres teriam voluntariamente separado parte de seu dinheiro para pagar por seus produtos. O fato de não poderem sobreviver com pagamentos voluntários mostra que essas empresas são um fardo e não um ativo produtivo para a sociedade.

Mas o método mais pernicioso de criar zumbis não é através de pagamentos diretos do governo, mas através do acesso a crédito com baixas taxas de juros. Como o dinheiro fiduciário corrói lentamente a capacidade da sociedade de poupar, os investimentos de capital não vêm mais da poupança dos poupadores, mas da dívida criada pelo governo, que desvaloriza as poupanças existentes. Em uma sociedade com moeda sonante, quanto mais uma pessoa poupa, mais ela consegue acumular capital e mais pode investir, o que significa que os proprietários de capital tendem a ser aqueles com menor preferência temporal. Mas quando o capital provém da criação de crédito do governo, os alocadores de capital não são mais os que se orientam para o futuro, mas membros de várias agências burocráticas.

Em um mercado livre com moeda sonante, os proprietários de capital optam por alocar seu capital aos investimentos que consideram mais produtivos e podem utilizar bancos de investimento para gerenciar esse processo de alocação. O processo recompensa as empresas que atendem aos clientes com sucesso e os investidores que os identificam, enquanto punem os erros. Em um sistema monetário fiduciário, no entanto, o banco central é de fato responsável por todo o processo de alocação de crédito. Controla e supervisiona os bancos que alocam capital, define os critérios de elegibilidade para empréstimos e tenta quantificar os riscos de uma maneira matemática que ignora como os riscos do mundo real funcionam. O teste do livre mercado é suspenso pois o direcionamento do crédito pelo banco central pode anular a realidade econômica de lucros e perdas.

No mundo do dinheiro fiduciário, ter acesso às torneiras de dinheiro do banco central é mais importante do que atender aos clientes.

As empresas que conseguem obter crédito com taxas de juros baixas terão uma vantagem persistente sobre os concorrentes que não conseguem. Os critérios para o sucesso no mercado tornam-se cada vez mais relacionados à capacidade de garantir financiamento a taxas de juros mais baixas do que à prestação de serviços à sociedade.

Esse fenômeno simples explica grande parte da realidade econômica moderna, como o grande número de indústrias que ganham dinheiro, mas que não produzem valor para ninguém. As agências governamentais são o principal exemplo, e a notoriedade global que conquistaram pela incompetência de seus funcionários só pode ser entendida como uma função do financiamento via apropriação completamente desapegada da realidade econômica. Em vez do duro teste do sucesso do mercado ao servir os cidadãos, as agências governamentais se testam entre si e, invariavelmente, concluem que a resposta para todas as suas falhas está em mais financiamento. Independentemente do nível de incompetência, negligência ou falha, agências e funcionários governamentais raramente enfrentam consequências reais. Mesmo depois que a justificativa para a existência de uma agência governamental for removida, ela continuará operando tentando atrair para si mais deveres e responsabilidades. O Líbano, por exemplo, continua a ter uma autoridade ferroviária décadas depois que seus trens foram desativados e os trilhos enferrujaram sem uso[21].

Em um mundo globalizado, essa apropriação não se restringe às organizações governamentais nacionais, mas cresceu para incluir organizações governamentais internacionais, uma drenagem mundialmente reconhecida de tempo e esforço sem benefício concebível para ninguém, exceto para os empregados neles. Por estarem localizadas longe dos contribuintes que as financiam, essas organizações enfrentam ainda menos escrutínio do que as organizações governamentais

---

[21] Para mais neste tópico, ver James M. Buchanan e Gordon Tullock, The Calculus of Consent: Logical Foundations of Constitutional Democracy (1962) [53].

nacionais e, como tal, funcionam com ainda menos responsabilidade e uma fiscalização mais relaxada para orçamentos, prazos e trabalho.

A academia é outro bom exemplo, onde os alunos pagam taxas cada vez mais exorbitantes para ingressar nas universidades apenas para serem ensinados por professores que gastam muito pouco tempo e esforço no ensino e orientação de estudantes, concentrando-se na publicação de pesquisas ilegíveis para obter subsídios do governo e subir na escada acadêmica corporativa. Em um mercado livre, os acadêmicos teriam que contribuir com valor ensinando ou escrevendo coisas que as pessoas realmente leem e delas se beneficiam. Mas o trabalho acadêmico padrão raramente é lido por qualquer pessoa, exceto pelo pequeno círculo de acadêmicos em cada disciplina que aprova as bolsas uns dos outros e aplica os padrões de pensamento em grupo e conclusões de motivação política, mascarados de rigor acadêmico.

O livro de economia mais popular e influente no período pós-guerra foi escrito pelo Prêmio Nobel Paul Samuelson. Vimos no Capítulo 4 como Samuelson previu que o fim da Segunda Guerra Mundial causaria a maior recessão da história mundial, mas tivemos um dos maiores booms da história dos EUA. Mas fica melhor: Samuelson escreveu o livro de economia mais popular da era pós-guerra, *Economics: An Introductory Analysis*, que vendeu milhões de cópias em seis décadas[22]. Levy e Peart[23] estudaram as diferentes versões do livro de Samuelson onde se diz repetidamente que o modelo econômico soviético é mais propício ao crescimento econômico, prevendo na quarta edição em 1961 que a economia da União Soviética ultrapassaria a dos Estados Unidos entre 1984 e 1997. Essas previsões

---

[22]Mark Skousen, "The Perseverance of Paul Samuelson's Economics", Journal of Economic Perspectives, vol. 11, no. 2 (1997): 137–152 [54].

[23]David Levy e Sandra Peart,"Soviet Growth and American Textbooks: An Endogenous Past",Journal of Economic Behavior & Organization, vol. 78, issues 1–2 (April 2011): 110–125 [55].

dizendo que soviéticos ultrapassariam os Estados Unidos continuaram sendo feitas com confiança cada vez maior em sete edições do livro, até a décima primeira edição em 1980, com estimativas variadas para quando a ultrapassagem ocorreria. Na décima terceira edição, publicada em 1989, que foi para as mesas de estudantes universitários enquanto a União Soviética começava a se desfazer, Samuelson e seu então co-autor William Nordhaus escreveram: "A economia soviética é prova de que, ao contrário do que muitos céticos acreditavam anteriormente, uma economia de comando socialista pode funcionar e até prosperar"[24]. Isso não ficou restrito a um único livro, pois Levy e Peart mostram que essas ideias eram comuns em muitas edições do que provavelmente era o segundo livro de economia mais popular, o livro de economia de McConnell *Princípios, Problemas e Políticas* [47] , além de vários outros livros de economia. Qualquer estudante que aprendeu economia no período pós-guerra em uma universidade seguindo um currículo americano (a maioria dos estudantes do mundo) aprendeu que o modelo soviético é uma maneira mais eficiente de organizar a atividade econômica. Mesmo após o colapso e o fracasso total da União Soviética, os mesmos livros didáticos continuaram sendo ensinados nas mesmas universidades, com as edições mais recentes removendo as proclamações grandiosas sobre o sucesso soviético, sem questionar o restante de sua visão de mundo econômica e ferramentas metodológicas. Como é que esses livros didáticos com falhas óbvias continuam a ser ensinados, e como é que a visão de mundo keynesiana, tão irreparavelmente destruída pela realidade nas últimas sete décadas - desde o crescimento rápido após a Segunda Guerra Mundial até a estagflação dos anos setenta, ao colapso da União Soviética - ainda é ensinada nas universidades? O mestre dos economistas keynesianos de hoje, Paul Krugman, chegou a escrever sobre como uma invasão

---

[24]Mark Skousen, "The Perseverance of Paul Samuelson's Economics", Journal of Economic Perspectives, vol. 11, no. 2 (1997): 137–152 [54].

alienígena seria ótima para a economia, pois obrigaria o governo a gastar e mobilizar recursos[25].

Em um sistema econômico de mercado livre, nenhuma universidade que se preze desejaria ensinar a seus alunos coisas tão patentemente erradas e absurdas, já que ela se esforçaria para armar seus alunos com o conhecimento mais útil possível. Porém, em um sistema acadêmico completamente corrompido pelo dinheiro governamental, o currículo não é determinado por sua concordância com a realidade, mas sim por sua concordância com a agenda política dos governos que os financiam. E os governos, universalmente, amam a economia keynesiana hoje pela mesma razão que a amavam na década de 1930: oferece-lhes o sofisma e a justificativa para adquirir cada vez mais poder e dinheiro.

Essa discussão pode continuar a incluir muitos outros campos e disciplinas na academia moderna, onde o mesmo padrão se repete: o financiamento proveniente de agências governamentais é monopolizado por grupos de acadêmicos com ideias semelhantes que compartilham preconceitos fundamentais. Você não consegue um emprego ou financiamento nesse sistema produzindo um conhecimento importante, produtivo e útil para o mundo real, mas promovendo a agenda dos financiadores. O fato de o financiamento vir de apenas uma fonte elimina a possibilidade de um mercado livre de ideias. Os debates acadêmicos giram em torno de minúcias cada vez mais misteriosas, e todas as partes nessas disputas fraternas sempre podem concordar que ambas as partes precisam de mais financiamento para continuar essas importantes divergências. Os debates da academia são quase totalmente irrelevantes para o mundo real, e os artigos de seus periódicos quase nunca são lidos por ninguém, exceto pelas pessoas que os escrevem para fins de promoção de emprego, mas o financiamento

---

[25]Paul Krugman, "Secular Stagnation, Coalmines, Bubbles e Larry Summers", New York Times, November 16, 2003.

do governo continua indefinidamente porque não há mecanismo pelo qual o financiamento governamental pode ser reduzido quando não beneficia ninguém.

Numa sociedade com moeda sonante, bancos são muito importantes e prestam um trabalho produtivo, onde os banqueiros desempenham duas funções centrais para a prosperidade econômica: a guarda de ativos como depósitos e a correspondência entre maturidade e tolerância a riscos entre investidores e oportunidades de investimento. Os banqueiros ganham dinheiro se apropriando dos lucros se obtiverem sucesso no trabalho, mas não obtêm lucro se fracassarem. Somente os banqueiros e bancos bem-sucedidos permanecem em seu trabalho, pois os que falham são eliminados. Em uma sociedade de moeda sonante, não há preocupações de liquidez com relação à falência de um banco, pois todos os bancos mantêm todos os seus depósitos em mãos e têm investimentos com vencimento correspondente. Em outras palavras, não há distinção entre falta de liquidez e insolvência e não há risco sistêmico que possa tornar qualquer banco "grande demais para falir". Um banco que declara falência é o problema de seus acionistas e credores, e de mais ninguém.

A moeda fraca permite a possibilidade de um descasamento de vencimentos, do qual um banco com reservas fracionárias é apenas um subconjunto, e isso deixa os bancos sempre sujeitos a uma crise de liquidez ou a uma corrida bancária. O descasamento de vencimentos, ou o banco de reservas fracionárias como um caso especial, sempre está sujeito a uma crise de liquidez se credores e depositários exigirem seus depósitos ao mesmo tempo. A única maneira de tornar a incompatibilidade de maturidade segura é com a presença de um credor de último recurso, pronto para emprestar aos bancos em caso de uma corrida bancária[26]. Em uma sociedade com moeda sonante, um

---

[26] Para um modelo formal dessa afirmação, ver D. W. Diamond e P. H. Dybvig, "Bank Runs, Deposit Insurance, and Liquidity", Journal of Political Economy, vol. 91, no. 3 (1983): 401–419 [56].

banco central teria que tributar todos os que não estavam envolvidos no banco para lhe injetar liquidez. Em uma sociedade com moeda fraca, o banco central é simplesmente capaz de criar uma nova oferta de dinheiro e usá-la para injetar liquidez no banco. A moeda fraca, portanto, cria uma distinção entre liquidez e solvência: um banco pode ser solvente em termos do valor presente líquido de seus ativos, mas enfrenta um problema de liquidez que o impede de cumprir suas obrigações financeiras dentro de um determinado período de tempo. Mas a falta de liquidez em si pode desencadear uma corrida bancária, se depositantes e credores buscarem retirar seus depósitos do banco. Pior ainda, a falta de liquidez em um banco pode levar à falta de liqui-dez em outros bancos que lidam com esse banco, criando problemas de riscos sistêmicos. Se o banco central se comprometer de maneira crível a fornecer liquidez nesses casos, no entanto, não haverá medo de uma crise de liquidez, o que, por sua vez, evita o cenário de uma corrida bancária, deixando o sistema bancário seguro.

O sistema bancário de reservas fracionárias, ou, mais generica-mente, o descasamento de vencimentos, provavelmente continuará a causar crises financeiras sem ter um banco central que utilize uma oferta monetária elástica para resgatar esses bancos. Mas a presença de um banco central capaz de resgatar os bancos cria um grande problema de *risco moral*[27] para esses bancos. Agora eles podem correr riscos excessivos, sabendo que o banco central estará inclinado a socorrê-los para evitar uma crise sistêmica. A partir disso, vemos como o setor bancário evoluiu até se tornar um negócio que gera retornos sem riscos para os banqueiros e, simultaneamente, cria riscos sem retornos para todos os outros.

O setor bancário é um setor que aparentemente só cresce atual-mente, e os bancos não podem falir. Devido aos riscos sistêmicos

---

[27] (N.T.) O termo em inglês é *moral hazard* e é utilizado para descrever a possibili-dade de um ator econômico mudar de comportamento para tirar vantagem de algum contexto específico, gerando posteriores riscos e consequências negativas.

envolvidos na administração de um banco, qualquer falência de um banco pode ser vista como um problema de liquidez e, muito provavelmente, obterá o apoio do banco central. Nenhuma outra indústria ostensivamente privada desfruta de um privilégio tão exorbitante, combinando as mais altas taxas de lucratividade do setor privado com a proteção do setor público. Essa combinação tornou o trabalho dos banqueiros tão criativo e produtivo quanto o de funcionários públicos, mas mais gratificante do que a maioria dos outros empregos. Como resultado, o setor financeiro continua crescendo enquanto a economia dos EUA se torna cada vez mais "financeirizada". Desde a revogação da Lei Glass-Steagall em 1999, a separação entre banco comercial e de investimento foi removida e, portanto, os bancos comerciais que tinham garantia de depósito do FDIC[28] agora também podem fazer financiamento de investimentos, com a garantia do FDIC protegendo-os de perdas de investimento. Um investidor que possui garantia de perda possui uma opção gratuita, efetivamente uma licença para imprimir dinheiro. Fazer investimentos lucrativos permite acumular todos os ganhos, enquanto as perdas podem ser socializadas. Qualquer pessoa com essa garantia pode ganhar grandes quantias de dinheiro simplesmente emprestando e investindo seu dinheiro. Ele consegue manter os lucros, mas terá suas perdas cobertas. Não é de se admirar que isso tenha levado a uma parcela cada vez maior dos recursos de capital e mão-de-obra gravitando em direção às finanças, pois é a coisa mais próxima que nós temos de um almoço grátis.

O economista Thomas Philippon[29] produziu estudos detalhados do tamanho do setor financeiro como porcentagem do PIB nos últimos 150 anos. A proporção foi inferior a 3% nos anos que antecederam

---

[28] (N.T.) FDIC (Federal Deposit Insurance Corporation) é uma agência do governo americano responsável por fornecer seguro aos depósitos bancários. O equivalente brasileiro é o Fundo Garantidor de Crédito (FGC), que possui uma função semelhante.

[29] Thomas Philippon e Ariell Reshef. "An International Look at the Growth of Modern Finance", Journal of Economic Perspectives, vol. 27, no. 2 (2013): 73–96 [57].

a Primeira Guerra Mundial, mas subiu depois, colapsando durante a Grande Depressão, mas crescendo de uma maneira imparável, aparentemente, desde o final da Segunda Guerra Mundial. Curiosamente, pode-se ver isso refletido na alta porcentagem de estudantes universitários que estão interessados em seguir carreiras em finanças, em vez de em engenharia, medicina ou outras indústrias mais produtivas.

À medida que as telecomunicações avançam, espera-se que cada vez mais o trabalho do setor financeiro possa ser automatizado e realizado mecanicamente, levando o setor a diminuir de tamanho ao longo do tempo. Mas, na realidade, continua a crescer rapidamente, não por causa de nenhuma demanda fundamental, mas porque está protegido contra perdas do governo, podendo continuar prosperando.

A apropriação é mais evidente no setor financeiro, mas não para nele. Possivelmente, constitui uma vantagem competitiva para empresas de tamanho maior sobre aquelas de tamanho menor. Em uma sociedade em que os investimentos de capital são financiados com poupança, o capital é de propriedade daqueles com menor preferência temporal, que o alocam com base em suas próprias estimativas das probabilidades de sucesso do mercado, recebendo recompensas por estarem corretos e perdas por estarem errados. Mas, com moeda fraca, a poupança é destruída e o capital é criado a partir do crédito bancário inflacionário, e sua alocação é decidida pelo banco central e seus bancos membros. Em vez de a alocação ser decidida pelos membros mais prudentes da sociedade com menor preferência temporal e a melhor previsão de mercado, ela é decidida pelos burocratas do governo cujo incentivo é emprestar o máximo possível, e não ter lucro, pois eles são significativamente protegidos dos prejuízos.

O planejamento centralizado da alocação de crédito não é diferente de nenhum tipo de planejamento central. Isso resulta em burocratas ticando caixinhas em branco e preenchendo papeladas para garantir que eles atendam aos requisitos de seus chefes, enquanto o propósito do trabalho é perdido. O insight do banqueiro e a diligência em examinar o valor real dos investimentos são substituídos por ticar os requisitos de empréstimos do banco central. Uma grande vantagem na garantia de crédito centralizado é a escala, pois parece quantitativamente menos arriscado emprestar a grandes credores. Quanto maior a empresa, mais previsível é a fórmula para o seu sucesso, maior a garantia em caso de falência e os burocratas bancários se sentem mais seguros ao fazer empréstimos de acordo com os critérios de empréstimo do banco central. Embora muitos setores possam se beneficiar de economias de escala, a emissão centralizada de crédito acentua as vantagens do tamanho muito além do que seria o caso num mercado livre. Qualquer setor que pode pegar emprestado mais dinheiro do que sabe o que fazer com ele é um bom candidato, visto que esse cenário não pode se materializar em um mundo de capital financiado por poupança.

Quanto maior a empresa, mais fácil é conseguir um financiamento com juros baixos, dando-lhe uma grande vantagem sobre os pequenos produtores independentes. Em uma sociedade em que o investimento é financiado pela poupança, uma pequena lanchonete local concorre com clientes e financiamento com uma gigante de fast-food em pé de igualdade: clientes e investidores têm livre escolha para alocar seu dinheiro entre as duas indústrias. Os benefícios das economias de escala competem com os benefícios da atenção pessoal e do relacionamento entre o cozinheiro e o cliente do restaurante, e o teste do mercado decide. Mas em um mundo em que os bancos centrais alocam crédito, a empresa maior tem a vantagem de conseguir financiamento a uma taxa baixa que seus concorrentes menores não podem obter[30]. Isso ajuda a explicar por que os produtores de alimentos em larga escala proliferam tão amplamente em todo o mundo, pois suas taxas de juros mais baixas lhes permitem margens mais altas. O triunfo do alimento ultra processado insosso produzido em massa não pode ser entendido fora dos grandes benefícios que a larga escala oferece aos produtores.

Num mundo em que quase todas as empresas são financiadas através da expansão de crédito de banco central, não pode haver uma maneira simples de discernir quais indústrias estão crescendo devido à injeção de esteroides, mas existem alguns sintomas reveladores. Qualquer setor em que as pessoas se queixam de seu chefe imbecil provavelmente faz parte disso, porque os chefes só podem se dar ao luxo de serem idiotas na falsa realidade econômica do crédito abundante. Em uma empresa produtiva que oferece um serviço valioso à sociedade, o sucesso depende de clientes satisfeitos. Os trabalhadores são recompensados por quão bem eles executam essa tarefa essencial, e os chefes que maltratam seus trabalhadores perderão os trabalhadores para os concorrentes ou destruirão seus negócios rapidamente. Em uma empresa improdutiva que não serve à sociedade e depende de generosidade burocrática para sua sobrevivência, não há um padrão significativo pelo qual recompensar ou punir trabalhadores. Essa en-

---

[30] A centralização da emissão de crédito pode ser vista como uma intervenção do governo na operação da Lei de Coase, descrita por Coase em seu ensaio: "The Nature of the Firm", Economica, vol. 4, n. 16 (1937) [58]: 386-405. De acordo com Coase, a razão pela qual as empresas existem é que a contratação individual de tarefas pode ser mais cara porque envolve custos de transação, como pesquisa e informação, barganha, contratação e execução. Assim, uma empresa crescerá enquanto puder se beneficiar da realização de atividades internamente para superar custos mais altos de contratação externa. Em um mundo de depreciação da moeda e crédito alocado centralmente, obter financiamento se torna uma das principais vantagens de custo do aumento de tamanho. As grandes empresas têm mais bens de capital e garantias, o que lhes permite menores condições de financiamento. O incentivo para todas as empresas é, portanto, crescer além do que os consumidores preferem. Em um mercado livre de capital, onde as empresas tiverem que confiar muito mais em suas receitas e garantir crédito nos mercados livres, a produção favorecerá a escala de produção mais adequada às preferências dos consumidores.

ganação pode parecer sedutora do lado de fora, graças aos generosos salários regulares e à falta de trabalho real envolvido, mas se há uma lição que a economia nos ensina, é que não existe almoço grátis. O dinheiro entregue a pessoas improdutivas atrairá muitas pessoas que desejam fazer esses trabalhos, aumentando o custo de realizar esses trabalhos em tempo e dignidade. A contratação, a demissão, a promoção e a punição acontecem a critério de cada camada de burocratas. Nenhum trabalho é valioso para a empresa, todos são dispensáveis e a única maneira de manter um emprego é provar ser valioso para a camada acima dele. Um emprego nessas empresas é um jogo em tempo integral da política do escritório. Esses trabalhos são atraentes apenas para pessoas materialistas superficiais que gostam de ter poder sobre os outros, e anos de maus-tratos são suportados pelo salário e pela esperança de poder infligir esses maus-tratos a outros. Não é de se admirar que as pessoas que trabalham nesses empregos estão regularmente deprimidas e precisam de medicamentos e psicoterapias constantes para manter a funcionalidade básica. Nenhuma quantia em dinheiro vale a destruição espiritual que esse ambiente cria nas pessoas. Embora essas organizações não enfrentem nenhuma responsabilidade real, o lado ruim de não ter produtividade é que é bem possível que uma autoridade recém-eleita assuma o cargo e consiga quebrá-las em questão de semanas. Esse é um destino muito mais trágico para os trabalhadores dessas organizações, pois eles geralmente não têm habilidades úteis que possam ser transferidas para outras vias de trabalho.

A única cura que pode funcionar para essas patologias é a moeda sonante, que erradicará a noção de pessoas que trabalham para ficar ticando caixinhas em branco e em serem agradáveis aos chefes sádicos, e fará da disciplina de mercado o único árbitro para a renda de alguém. Se você se encontra trabalhando em uma dessas indústrias, onde o estresse de seu trabalho se concentra apenas em agradar seu chefe, em vez de produzir algo de valor, e não está satisfeito com essa realidade, você pode ficar aliviado ou assustado ao perceber que o mundo não precisa ser assim, e seu trabalho pode não sobreviver para sempre, pois a impressão de dinheiro de seu governo pode não continuar trabalhando para sempre. Continue lendo, porque as virtudes do dinheiro sólido podem inspirar um novo mundo de oportunidades para você.

8

DINHEIRO DIGITAL

A revolução global das telecomunicações, começando com a produção do primeiro computador totalmente programável nos anos 50, invadiu um número crescente de aspectos materiais da vida, fornecendo soluções de engenharia para problemas antigos. Enquanto os bancos e startups utilizavam cada vez mais computadores e redes para pagamentos e manutenção de registros, as inovações bem-sucedidas não forneciam uma nova forma de dinheiro, e as inovações que tentavam fornecer uma nova forma de dinheiro falharam. O bitcoin representa a primeira solução verdadeiramente digital para o problema do dinheiro, e nele encontramos uma solução potencial para os problemas de vendabilidade, solidez e soberania. O bitcoin operou praticamente sem falhas nos últimos 9 anos e, se continuar operando assim nos próximos 90 anos, será uma solução atraente para o problema do dinheiro, oferecendo aos indivíduos soberania sobre o dinheiro que é resistente à inflação inesperada ao mesmo tempo que também é altamente vendável no espaço, escalas e tempo. Caso o bitcoin continue a operar como já tem feito, todas as tecnologias anteriores que os humanos empregaram como dinheiro - conchas, sal, gado, metais preciosos e papel do governo - podem parecer anacronismos curiosos em nosso mundo moderno - ábacos ao lado de nossos computadores modernos.

Vimos como a introdução da metalurgia produziu soluções para o problema do dinheiro que eram superiores às miçangas, conchas e outros artefatos, e como o surgimento de cunhagem regular permitiu que moedas de ouro e prata emergissem como formas superiores de dinheiro a pedaços irregulares de metal. Vimos ainda como um sistema bancário lastreado em ouro permitiu que o ouro dominasse como o padrão monetário global e levou a uma desmonetização da prata. Da necessidade de centralizar o ouro surgiu o dinheiro governamental lastreado em ouro, que era mais vendável em escala, mas com ele veio a expansão governamental da oferta de moeda e do controle coercitivo que acabou destruindo a solidez e a soberania do dinheiro. A cada passo, os avanços e realidades tecnológicas moldavam os padrões monetários empregados pelas pessoas, e as consequências para as economias e a sociedade eram enormes. Sociedades e indivíduos que escolheram um padrão monetário sólido, como os romanos sob César, os bizantinos sob Constantino ou os europeus sob o padrão-ouro foram beneficiados imensamente. Aqueles que tinham moeda fraca ou tecnologicamente inferior, como os habitantes de Yap com a chegada de O'Keefe, os africanos ocidentais usando miçangas de vidro ou os chineses com padrão de prata no século XIX, pagaram um preço muito alto.

Bitcoin representa uma nova solução tecnológica para os problemas de dinheiro, nascido na era digital, utilizando várias inovações tecnológicas que foram desenvolvidas nas últimas décadas e sendo mais um passo nas muitas tentativas de produzir *dinheiro digital* para entregar algo que era quase inimaginável antes de ser inventado. Para entender o porquê, vamos nos concentrar nas propriedades monetárias do bitcoin, bem como no desempenho econômico da rede desde o seu início. Da mesma maneira que um livro sobre o padrão-ouro não discutirá as propriedades químicas do ouro, este capítulo não se aprofundará nos detalhes técnicos da operação da rede bitcoin, concentrando-se nas propriedades monetárias da moeda bitcoin.

Bitcoin como Dinheiro Digital

Para entender o significado de uma tecnologia para o *dinheiro digital*, é instrutivo olhar para o mundo antes da criação do bitcoin, quando era possível dividir os métodos de pagamento em duas categorias distintas e sem sobreposição:

1. Pagamentos em dinheiro em espécie, realizados pessoalmente entre duas partes. Esses pagamentos têm a conveniência de serem imediatos, finais e não requerem confiança de nenhuma das partes na transação. Não há atraso na execução do pagamento e nenhum terceiro pode efetivamente intervir para interromper esses pagamentos. Sua principal desvantagem é a necessidade de as duas partes estarem fisicamente presentes no mesmo local e ao mesmo tempo, um problema que se torna cada vez mais acentuado à medida que as telecomunicações aumentam a probabilidade de os indivíduos quererem fazer transações com pessoas que não estão na proximidade imediata.

2. Pagamentos intermediados, que exigem terceiros confiáveis, e incluem cheques, cartões de crédito, cartões de débito, transferências bancárias, serviços de transferência de dinheiro e inovações mais recentes, como o PayPal. Por definição, o pagamento intermediado envolve um terceiro responsável pela transferência de dinheiro entre as duas partes envolvidas na transação. As

principais vantagens dos pagamentos intermediados são permitir pagamentos sem que as duas partes tenham que estar no mesmo local ao mesmo tempo e permitir que o pagador faça o pagamento sem ter que carregar seu dinheiro com ela. Sua principal desvantagem é a confiança necessária na execução das transações, o risco de terceiros serem comprometidos, os custos e o tempo necessários para o pagamento ser concluído e liberado para permitir que o destinatário o gaste.

Ambas as formas de pagamento têm suas vantagens e desvantagens, e a maioria das pessoas recorre a uma combinação das duas em suas transações econômicas. Antes da invenção do bitcoin, os pagamentos intermediados incluíam (embora não se limitassem a) todas as formas de pagamento digital. A natureza dos objetos digitais, desde o início dos computadores, é que eles não são escassos. Eles podem ser reproduzidos sem fim e, como tal, era impossível fazer uma moeda com eles, porque enviá-los apenas os duplicaria. Qualquer forma de pagamento eletrônico tinha que ser realizada por um intermediário, devido ao risco de gasto duplicado: não havia como garantir que o pagador fosse honesto com seus fundos e não os usaria mais de uma vez, a menos que houvesse um terceiro confiável que supervisionasse a conta e que fosse capaz de verificar a integridade dos pagamentos realizados. As transações em dinheiro estavam confinadas à esfera física do contato direto, enquanto todas as formas de pagamento digitais tinham que ser supervisionadas por terceiros.

Após anos de inovadoras tentativas e erros de muitos programadores, e contando com uma ampla gama de tecnologias, o bitcoin foi a primeira solução de engenharia que permitiu pagamentos digitais sem precisar contar com um terceiro intermediário de confiança. Por ser o primeiro objeto digital cuja escassez é possível de ser verificada, o bitcoin é o primeiro exemplo de *dinheiro digital*.

Existem várias desvantagens na transação através de terceiros confiáveis que tornam o *dinheiro digital* uma proposta valiosa para muitos. Terceiros são, por sua própria natureza, uma fraqueza adicional de segurança[1] – envolver uma parte extra em sua transação introduz inerentemente riscos, porque abre novas possibilidades de roubo ou falha técnica. Além disso, o pagamento por intermediários deixa as partes vulneráveis à vigilância e às proibições das autoridades políticas. Em outras palavras, quando se utilizavam pagamentos digitais, era necessário confiar em um terceiro e isso sempre trazia o risco de autoridades políticas interromperem o pagamento usando pretextos variados como segurança, terrorismo ou lavagem de dinheiro. Para piorar a situação, os pagamentos intermediados sempre envolvem um risco de fraude, o que aumenta os custos de transação e atrasa a liquidação final dos pagamentos.

Em outras palavras, os pagamentos intermediados retiram uma parcela significativa das propriedades do dinheiro como *meio de troca* controlado por seu proprietário, com alta liquidez para ele vender quando quiser. Historicamente, uma das características mais persistentes do dinheiro é a fungibilidade (qualquer unidade de dinheiro é equivalente a qualquer outra unidade) e liquidez (capacidade do proprietário de vender rapidamente a preço de mercado). As pessoas escolhem dinheiro que é fungível e líquido porque querem soberania sobre seu dinheiro. O dinheiro soberano contém dentro de si toda a permissão necessária para gastá-lo; o desejo de outros de mantê-lo excede a capacidade de outros de impor controles sobre ele.

Embora os pagamentos intermediados comprometam algumas das características desejáveis do dinheiro, essas deficiências não estão presentes nas transações físicas em dinheiro. Porém, à medida que mais comércio e emprego ocorrem a longas distâncias, graças às telecomunicações modernas, as transações físicas em dinheiro tornam-se

---

[1] Ver Nick Szabo, 2001, Trusted Third Parties Are Security Holes. Disponível em nakamotoinstitute.org [59]

proibitivamente impraticáveis. A mudança em direção aos pagamentos digitais estava reduzindo a quantidade de soberania que as pessoas têm sobre seu próprio dinheiro e as deixava sujeitas aos caprichos de terceiros, nos quais não tinham outra opção a não ser confiar. Além disso, a saída do ouro, que é dinheiro que ninguém pode imprimir, em direção a moedas fiduciárias, cuja oferta é controlada pelos bancos centrais, reduziu ainda mais a soberania das pessoas sobre sua riqueza e as deixou impotentes diante da lenta erosão do valor de seu dinheiro enquanto os bancos centrais inflaram a oferta de dinheiro para financiar o funcionamento do governo. Tornou-se cada vez mais impraticável acumular capital e riqueza sem a permissão do governo que emite esse dinheiro.

A motivação de Satoshi Nakamoto para o bitcoin foi criar uma "forma puramente ponto-a-ponto de dinheiro eletrônico" que não exigiria confiança de terceiros nas transações e cuja oferta não pode ser alterada por nenhuma outra parte. Em outras palavras, o bitcoin traria os recursos desejáveis do dinheiro físico (falta de intermediários, finalização das transações) para o mundo digital e combiná-los com uma política monetária rígida que não pode ser manipulada para produzir inflação inesperada para beneficiar uma parte externa às custas dos detentores do dinheiro. Nakamoto conseguiu isso com a utilização de algumas tecnologias importantes, embora não amplamente compreendidas: uma rede distribuída ponto a ponto sem um ponto único de falha; hashing, assinaturas digitais e prova-de-trabalho[2].

Nakamoto removeu a necessidade de confiança de terceiros, construindo o bitcoin em uma base de *provas* e *verificações* muito sólidas e completas. É certo dizer que o recurso operacional central do bitcoin é a verificação e somente por isso o bitcoin pode remover completa-

---

[2]Uma breve descrição dessas três primeiras tecnologias é fornecida no Apêndice deste capítulo, enquanto as provas de trabalho são discutidas em mais detalhes neste capítulo e no Capítulo 10.

mente a necessidade de confiança[3]. Toda transação deve ser registrada por todos os membros da rede para que todos compartilhem o mesmo registro de saldos e transações. Sempre que um membro da rede transfere uma soma para outro membro, todos os membros da rede podem verificar se o remetente possui um saldo suficiente e os nós competem para serem os primeiros a atualizar o registro com um novo bloco de transações a cada dez minutos. Para que um nó insira um bloco de transações no registro, ele precisa gastar poder de processamento na solução de problemas matemáticos complicados, difíceis de resolver, mas cuja solução correta é fácil de verificar. Este é o sistema de prova-de-trabalho (PoW, do inglês Proof of Work), e somente com uma solução correta um bloco pode ser confirmado e verificado por todos os membros da rede. Embora esses problemas matemáticos não estejam relacionados às transações do bitcoin, eles são indispensáveis à operação do sistema, pois forçam os nós de verificação a gastar poder de processamento que seria desperdiçado se incluíssem transações fraudulentas. Depois que um nó resolve a prova-de-trabalho corretamente e anuncia as transações, outros nós na rede votam em sua validade e, uma vez que a maioria decide aprovar o bloco, os nós começam a confirmar transações em um novo bloco a ser anexado ao bloco anterior e a resolver a sua nova prova-de-trabalho. Fundamentalmente, o nó que confirma um bloco válido de transações na rede recebe uma *recompensa por bloco* que consiste em bitcoins recém criado adicionados à oferta, juntamente com todas as taxas de transação pagas pelas pessoas que estão realizando a transação.

Esse processo é chamado *mineração*, análogo à mineração de metais preciosos, e é por isso que os nós que resolvem a prova-de-trabalho são conhecidos como mineradores. Essa recompensa por bloco compensa os mineradores pelos recursos que eles comprometeram com a

---

[3]Konrad Graf, "On the Origins of bitcoin: Stages of Monetary Evolution" (2013). Disponível em www.konradsgraf.com [60]

prova-de-trabalho. Em um banco central moderno, o novo dinheiro criado destina-se ao financiamento de empréstimos e gastos do governo. No bitcoin, o novo dinheiro destina-se apenas àqueles que gastam recursos na atualização do registro. Nakamoto programou o bitcoin para produzir um novo bloco aproximadamente a cada dez minutos, e para cada bloco conter uma recompensa de 50 moedas nos primeiros quatro anos de operação do bitcoin, a ser reduzido pela metade depois em 25 moedas e depois a cada quatro anos dividindo pela metade.

A quantidade de bitcoins criados é pré-programada e não pode ser alterada, independentemente de quanto esforço e energia são gastos na prova-de-trabalho. Isso é alcançado através de um processo chamado ajuste de dificuldade, que talvez seja o aspecto mais engenhoso do design do bitcoin. À medida que mais pessoas optam por ter e manter bitcoin, isso aumenta o valor de mercado do bitcoin e torna a mineração de novas moedas mais lucrativa, o que leva mais mineradores a gastar mais recursos na solução de problemas de prova-de-trabalho. Mais mineradores significa mais poder de processamento, o que resulta em soluções mais rápidas para a prova-de-trabalho, aumentando assim a taxa de emissão de novos bitcoins. Mas à medida que o poder de processamento aumenta, o bitcoin aumentará a dificuldade dos problemas matemáticos necessários para desbloquear as recompensas de mineração para garantir que os blocos continuem levando cerca de dez minutos para serem produzidos.

O ajuste de dificuldade é a tecnologia mais confiável para gerar moeda forte e prevenir a diminuição da razão entre estoque e fluxo, e torna o bitcoin fundamentalmente diferente de qualquer outra moeda. Enquanto o aumento no valor de qualquer moeda leva a mais recursos dedicados à sua produção e, portanto, a um aumento em sua oferta, à medida que o valor do bitcoin aumenta, mais esforço para produzir bitcoins não leva à produção de mais bitcoins. Em vez disso, apenas leva a um aumento no poder de processamento necessário para confirmar transações válidas na rede bitcoin, que serve apenas para tornar a rede mais segura e difícil de comprometer. Bitcoin é a moeda mais forte já inventada: o crescimento de seu valor não pode aumentar sua oferta; só pode tornar a rede mais segura e imune a ataques.

Para qualquer outra moeda, à medida que seu valor aumenta, quem pode produzi-la começará a produzir mais. Sejam pedras Rai, conchas, prata, ouro, cobre ou dinheiro governamental, todos terão um incentivo para tentar produzir mais. Quanto mais difícil era produzir novas quantidades de moeda em resposta a aumentos de preços, maior a probabilidade de ser adotada amplamente e usada, e mais uma sociedade prosperava porque significaria que os esforços das pessoas em produzir riqueza serão direcionados a servir um ao outro, e não a produzir mais moeda, uma atividade sem valor agregado para a sociedade, porque qualquer oferta de moeda é suficiente para administrar qualquer economia. O ouro se tornou a moeda principal de todas as sociedades civilizadas, precisamente porque era a mais difícil de produzir, mas o ajuste de dificuldade do bitcoin o torna ainda mais difícil de produzir. Um aumento maciço no preço do ouro, a longo prazo, levará à produção de maiores quantidades, mas não importa o quão alto o preço dos bitcoins aumente, a oferta permanece a mesma e a segurança da rede só aumenta.

A segurança do bitcoin reside na assimetria entre o custo de resolver a prova-de-trabalho necessária para confirmar uma transação no registro e o custo de verificar sua validade. Custa quantidades cada vez maiores de eletricidade e poder de processamento para registrar transações, mas o custo de verificar a validade das transações é próximo de zero e permanecerá nesse nível, não importa quanto o bitcoin cresça. Tentar lançar transações fraudulentas no registro do bitcoin é desperdiçar deliberadamente recursos na resolução da prova-de-trabalho, apenas para observar os nós a rejeitarem quase sem nenhum custo, retendo assim a recompensa em bloco do minerador.

Com o passar do tempo, torna-se cada vez mais difícil alterar o registro, pois a energia necessária é maior que a energia já gasta, que apenas cresce com o tempo. Esse processo iterativo altamente complexo cresceu para exigir grandes quantidades de poder de processamento e eletricidade, mas produz um registro de propriedade e transações que está além de qualquer disputa, sem ter que confiar na confiabilidade de terceiros. O bitcoin é construído com 100% de verificação e 0% de confiança[4].

O registro compartilhado do bitcoin pode ser remetido às pedras Rai da Ilha Yap discutidas no Capítulo 2, na medida em que o dinheiro realmente não se move para que as transações ocorram. Em Yap, os ilhéus se reuniam para anunciar a transferência da propriedade de uma pedra de uma pessoa para outra e a cidade inteira saberia quem possuía qual pedra. No bitcoin, os membros da rede transmitem sua transação para todos os membros da rede que verificam se o remetente possui o saldo necessário para a transação e creditam ao destinatário. Considerando sua existência digital, elas são simplesmente entradas no registro, sendo que uma transação verificada altera a propriedade das moedas no registro, do remetente para o destinatário. A propriedade das moedas é atribuída através de endereços públicos, e não pelo nome do titular, e o acesso às moedas pertencentes a um endereço é garantido através da propriedade de uma chave privada, uma sequência

---

[4]Não pretendo arrastar este livro e o leitor para questões metafísicas, mas ocorreu-me uma vez que registro de transações do bitcoin poderia ser o único conjunto de fatos objetivos no mundo. Você pode argumentar (como muitos filósofos fazem) que todo fato é subjetivo e sua veracidade é baseada na pessoa que o declara ou ouve, mas o registro de transações do bitcoin é criado através da conversão de eletricidade e poder de processamento em verdade sem ter que confiar na palavra de ninguém.

de caracteres análogos a uma senha[5].

Enquanto o peso físico das pedras Rai torna sua divisibilidade altamente impraticável, o bitcoin não enfrenta esse problema. A oferta de bitcoin é composta por um máximo de 21.000.000 de moedas, cada uma das quais é divisível em 100.000.000 satoshis, tornando-o altamente vendável em várias escalas. As pedras de Yap eram práticas apenas para algumas transações em uma pequena ilha com uma população pequena que se conhecia muito bem. O bitcoin tem uma capacidade de venda muito superior através do espaço, porque o registro digital é acessível a qualquer pessoa em todo o mundo com uma conexão à Internet.

O que mantém os nós do bitcoin honestos, individualmente, é que, se fossem desonestos, seriam descobertos imediatamente, tornando a desonestidade exatamente tão eficaz quanto não fazer nada, além de envolver um custo mais alto. Coletivamente, o que impede a maioria de conspirar para ser desonesto é que, se eles conseguissem comprometer a integridade do registro de transações, toda a proposição de valor do bitcoin seria destruída e o valor dos *tokens* de bitcoin entraria em colapso. O conluio custa muito, mas ele próprio levaria a sua pilhagem se tornando inútil. Em outras palavras, o bitcoin depende de incentivos econômicos, tornando a fraude muito mais cara que suas recompensas.

Não se confia em nenhuma única entidade para manter o registro e nenhum indivíduo pode alterá-lo sem o consentimento da maioria dos membros da rede. O que determina a validade da transação não é a palavra de uma única autoridade, mas o software executando os nós

---

[5] A única maneira de possuir bitcoins é controlar as chaves privadas. Se alguém conseguir obter acesso às suas chaves privadas, ela terá seus bitcoins. O roubo de chaves privadas é como o roubo de dólares físicos ou ouro; é final e irreversível. Não há autoridade que você possa chamar para rescindir o roubo. Esta é uma parte inevitável do bitcoin ser dinheiro e um ponto importante que os potenciais investidores em bitcoin precisam entender muito bem antes de colocar qualquer quantia em dinheiro no bitcoin. Proteger as chaves privadas não é uma tarefa simples, e não poder protegê-las é muito arriscado.

individuais na rede.

Ralph Merkle, inventor da estrutura de dados da árvore Merkle, que é utilizada pelo bitcoin para registrar transações, tinha uma maneira notável de descrever o bitcoin:

Bitcoin é o primeiro exemplo de uma nova forma de vida. Ele vive e respira na internet. Ele vive porque pode pagar às pessoas para mantê-lo vivo. Ele vive porque executa um serviço útil que as pessoas pagam para executar. Ele vive porque qualquer pessoa, em qualquer lugar, pode executar uma cópia do seu código. Ele vive porque todas as cópias em execução estão constantemente conversando entre si. Ele vive porque, se uma cópia é corrompida, ela é descartada rapidamente e sem problemas. Ele vive porque é radicalmente transparente: qualquer um pode ver seu código e ver exatamente o que faz.

Não pode ser alterado. Não pode se discutir com ele. Não pode ser adulterado. Não pode ser corrompido. Não pode ser parado. Nem pode ser interrompido.

Se a energia nuclear destruísse metade do nosso planeta, continuaria a viver, sem ser corrompido. Continuaria a oferecer seus serviços. Continuaria pagando às pessoas para mantê-lo vivo.

A única maneira de desligá-lo é matar todos os servidores que o hospedam. O que é difícil, porque muitos servidores o hospedam, em muitos países, e muitas pessoas querem usá-lo.

Realisticamente, a única maneira de matá-lo é tornar o serviço que ele oferece tão inútil e obsoleto que ninguém queira usá-lo. Tão obsoleto que ninguém queira pagar por isso. Ninguém queira hospedá-lo. Então não terá dinheiro para pagar a ninguém. Então morrerá de fome.

Mas enquanto houver pessoas que desejam usá-lo, é muito difícil matar, corromper, parar ou interromper.[6].

O bitcoin é uma tecnologia que sobrevive pela mesma razão que a roda, a faca, o telefone ou qualquer outra tecnologia sobrevive: oferece aos seus usuários benefícios de usá-lo. Usuários, mineradores e operadores de nós são recompensados economicamente por interagir com o bitcoin, e é isso que o mantém funcionando. Vale acrescentar que todas as partes que fazem o bitcoin funcionar são individualmente dispensáveis para sua operação. Ninguém é essencial para o bitcoin e, se alguém quiser alterar o bitcoin, o bitcoin é perfeitamente capaz de continuar operando como está sem qualquer contribuição que alguém tenha para ele. Isso nos ajudará a entender a natureza imutável do bitcoin no Capítulo 10, e por que tentativas de fazer alterações sérias no código bitcoin levarão quase inevitavelmente à criação de um simulacro do bitcoin, mas um que não conseguirá recriar o equilíbrio econômico de incentivos que mantém o bitcoin operacional e imutável.

Bitcoin também pode ser entendido como uma empresa autônoma que surgiu espontaneamente e que fornece uma nova forma de dinheiro e uma nova rede de pagamentos. Não há estrutura administrativa ou corporativa para essa empresa, pois todas as decisões são automatizadas e pré-programadas. Os programadores voluntários em um projeto de código aberto podem apresentar alterações e melhorias no código, mas cabe aos usuários optar por adotá-las ou não. A proposta de valor dessa empresa é que sua oferta monetária é completamente inelástica em resposta ao aumento da demanda e do preço; em vez disso, o aumento da demanda apenas leva a uma rede mais segura devido ao ajuste da dificuldade de mineração. As mineradoras investem eletricidade e poder de processamento na infraestrutura de mineração que protege a rede porque são recompensadas por isso. Os usuários de bit-

---

[6]Ralph Merkle, "DAOs, Democracy and Governance", *Cryonics*, vol. 37, n.º 4 (Julho-Agosto de 2016), pp. 28 a 40 [61]; Alcor, www.alcor.org

coin pagam taxas de transação e compram as moedas dos mineradores porque desejam utilizar o *dinheiro digital* e se beneficiar da valorização ao longo do tempo e, no processo, financiam o investimento dos mineradores na operação da rede. O investimento em hardware de mineração de prova-de-trabalho torna a rede mais segura e pode ser entendido como o capital da empresa. Quanto mais a demanda pela rede cresce, mais valiosas são as recompensas e as taxas de transação dos mineradores, o que exige mais poder de processamento para gerar novas moedas, aumentar o capital da empresa, tornar a rede mais segura e as moedas mais difíceis de produzir. É um arranjo econômico que foi produtivo e lucrativo para todos os envolvidos, o que, por sua vez, leva a rede a continuar crescendo em um ritmo surpreendente.

Com esse design tecnológico, Nakamoto conseguiu inventar a *escassez digital*. Bitcoin é o primeiro exemplo de um bem digital que é escasso e não pode ser reproduzido infinitamente. Embora seja trivial enviar um objeto digital de um local para outro em uma rede digital, como é feito com e-mails, mensagens de texto ou downloads de arquivos, é mais preciso descrevê-los como *cópia* em vez de *envio*, porque os objetos digitais permanecem com o remetente e podem ser reproduzidos infinitamente. Bitcoin é o primeiro exemplo de um bem digital cuja transferência impede que ele seja de propriedade do remetente.

Além da escassez digital, o bitcoin também é o primeiro exemplo de *escassez absoluta*, a única commodity líquida (digital ou física) com uma quantidade fixa definida que não pode ser concebivelmente aumentada. Até a invenção do bitcoin, a escassez era sempre relativa, nunca absoluta. É um equívoco comum imaginar que qualquer bem físico é finito ou absolutamente escasso, porque o limite da quantidade que podemos produzir de qualquer bem nunca é sua prevalência no planeta, mas o esforço e o tempo dedicados a produzi-lo. Com sua escassez absoluta, o bitcoin é altamente vendável ao longo do tempo.

Este é um ponto crítico que será explicado mais adiante no Capítulo 9 sobre o papel do bitcoin como uma reserva de valor.

Oferta, Valor e Transações

Sempre foi teoricamente possível produzir um ativo com uma taxa de crescimento da oferta previsivelmente constante ou baixa para permitir que ele mantivesse seu papel monetário, mas a realidade, como sempre, se mostrou muito mais complicada do que a teoria. Os governos nunca permitiriam que as partes privadas emitissem suas próprias moedas privadas e conseguissem transgredir a maneira principal pela qual o governo se financia e cresce. Portanto, o governo sempre desejará monopolizar a produção monetária e enfrentar uma tentação muito forte de aumentar a oferta monetária. Mas com a invenção do bitcoin, o mundo finalmente chegou a uma forma sintética de dinheiro que possui uma rigidez que governe sua baixa taxa de crescimento da oferta. O bitcoin retira completamente os macroeconomistas, políticos, presidentes, líderes revolucionários, ditadores militares e especialistas de TV da política monetária. O crescimento da oferta monetária é determinado por uma função programada adotada por todos os membros da rede. Poderia ter havido um tempo no início desta moeda em que esse cronograma de inflação poderia ter sido concebivelmente alterado, mas esse tempo já passou. Para todos os propósitos e intenções práticas, o cronograma de inflação do bitcoin, como seu registro de transações, é imutável[7]. Enquanto nos primeiros anos de existência do bitcoin o crescimento da oferta foi muito alto e a garantia de que o cronograma de fornecimento não seria alterado não era totalmente crível, com o passar do tempo, a taxa de crescimento da oferta diminuiu e a credibilidade da rede em manter esse cronograma de oferta

---

[7]Ver Capítulo 10 para uma discussão sobre a imutabilidade do bitcoin e sua resistência a mudanças.

Figura 8.1: Quantidade total e taxa de crescimento da emissão do bitcoin assumindo que os blocos são criados exatamente a cada dez minutos

aumentou e continua a aumentar a cada dia em que nenhuma alteração séria é feita na rede.

Blocos de bitcoin são adicionados ao registro compartilhado aproximadamente a cada dez minutos. No nascimento da rede, a recompensa do bloco minerado foi programada para 50 bitcoins por bloco. A cada quatro anos, aproximadamente, ou após a emissão de 210.000 blocos, a recompensa do bloco cai pela metade. O primeiro *halving* ocorreu em 28 de novembro de 2012, após o qual a emissão de novos bitcoins caiu para 25 por bloco. Em 9 de julho de 2016, caiu novamente para 12,5 moedas por bloco e cairá para 6,25 em 2020. De acordo com esse cronograma, a oferta continuará a aumentar a uma taxa decrescente, aproximando-se assintoticamente a 21 milhões de moedas em algum momento do ano 2140, momento no qual não haverá mais bitcoins emitidos (Veja a Figura 8.1).

Como novas moedas são produzidas apenas com a emissão de um novo bloco, e cada novo bloco requer a solução dos problemas de prova-de-trabalho, há um custo real para a produção de novos bitcoins. À medida que o preço dos bitcoins aumenta no mercado, mais nós entram para competir pela solução da prova-de-trabalho para obter a recompensa em bloco, o que aumenta a dificuldade dos problemas de prova-de-trabalho, tornando mais caro obter a recompensa. O custo de produzir um bitcoin geralmente aumentará juntamente com o preço de mercado.

Depois de definir esse cronograma de crescimento da oferta, Satoshi dividiu cada bitcoin em 100.000.000 unidades, que mais tarde foram nomeadas satoshis em sua honra pseudônima. Dividir cada bitcoin em 8 dígitos significa que a oferta continuará a crescer em uma taxa decrescente até por volta do ano 2140, quando todos os dígitos forem preenchidos e chegarmos a 21.000.000 de moedas. A taxa decrescente de crescimento, no entanto, significa que os primeiros 20 milhões de moedas serão mineradas por volta do ano 2025, deixando 1 milhão de moedas para ser extraído por mais um século.

O número de novas moedas emitidas não é exatamente o previsto pelo algoritmo, porque novos blocos não são extraídos com precisão a cada dez minutos, porque o ajuste da dificuldade não é um processo preciso, mas uma calibração que se ajusta a cada duas semanas e pode ficar aquém ou ultrapassar seu objetivo, dependendo de quantos novos mineradores ingressarem no negócio de mineração. Em 2009, quando pouquíssimas pessoas usavam bitcoin, a emissão estava muito abaixo do previsto, enquanto em 2010 estava acima do número teórico previsto a partir da oferta. Os números exatos variarão, mas essa variação do crescimento teórico diminuirá à medida que a oferta crescer. O que não varia é o limite máximo de moedas e o fato de a taxa de crescimento da oferta continuar a diminuir à medida que um número cada vez menor de moedas é adicionado a um estoque cada vez maior de moedas.

Até o final de 2017, 16,775 milhões de moedas já foram mineradas, constituindo 79,9% de todas as moedas que já existirão. O crescimento anual da oferta em 2017 foi de 4,35%, caindo de 6,8% em 2016. A Tabela 8.1 mostra o crescimento real da oferta do BTC e sua taxa de crescimento[8].

Uma análise mais detalhada do cronograma de oferta de bitcoin

[8]Fonte: blockchain.info

Ano	2009	2010	2011	2012	2013	2014	2015	2016	2017
Quantidade total do BTC (em milhões)	1,623	5,018	8,000	10,199	12,199	13,671	15,029	16,075	16,775
Taxa de crescimento anual (%)		209,13	59,42	32,66	14,94	12,06	9,93	6,80	4,35

Tabela 8.1: Quantidade total e taxa de crescimento do bitcoin

Ano	2018	2019	2020	2021	2022	2023	2024	2025	2026
Quantidade total do BTC (em milhões)	17,42	18,06	18,53	18,86	19,18	19,5	19,76	19,92	20,09
Taxa de crescimento anual (%)	3,82	3,68	2,61	1,77	1,74	1,71	1,26	0,83	0,82

Tabela 8.2: Quantidade total e taxa de crescimento do bitcoin (projeção)

nos próximos anos nos forneceria essas estimativas para a taxa de fornecimento e crescimento. Os números reais certamente variarão disso, mas não muito (Veja a Tabela 8.2[9]).

A Figura 8.2 extrapola a taxa de crescimento de ouro da oferta monetária ampla das principais reservas monetárias nos últimos 25 anos nos próximos 25 anos e aumenta a oferta de bitcoins pelas taxas de crescimento programadas. Segundo esses cálculos, a oferta de bitcoin aumentará 27% nos próximos 25 anos, enquanto a oferta de ouro aumentará 52%, o iene japonês em 64%, o franco suíço em 169%, o dólar americano em 272%, o euro em 286% e a libra britânica em 429%.

Esta exposição pode nos ajudar a avaliar a vendabilidade do bitcoin e como cumpre as funções do dinheiro. Com sua taxa de crescimento da oferta ficando abaixo do ouro até o ano 2025, o bitcoin tem restrições de oferta que podem fazer com que ele tenha uma demanda

[9]Fonte: cálculo do autor

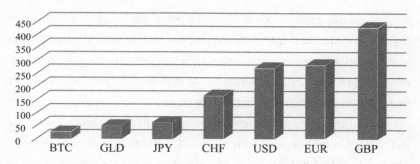

Figura 8.2: Crescimento percentual na quantidade de bitcoin e de divisas nacionais projetados para os próximos 25 anos

considerável como uma reserva de valor; em outras palavras, pode ter vendabilidade ao longo do tempo. Sua natureza digital que facilita o envio seguro para todo o mundo o torna vendável no espaço de uma maneira nunca vista com outras formas de dinheiro, enquanto sua divisibilidade em 100.000.000 de satoshis o torna vendável em escala. Além disso, a eliminação de controle por intermediários do bitcoin e a quase impossibilidade de qualquer autoridade o depreciar ou confiscar o liberta das principais desvantagens do dinheiro governamental. Como a era digital introduziu melhorias e eficiências na maioria dos aspectos de nossa vida, o bitcoin apresenta um tremendo avanço tecnológico na solução monetária para o problema de troca *indireta*, talvez tão significativo quanto a mudança de gado e sal para ouro e prata.

Enquanto as moedas tradicionais estão continuamente aumentando em oferta e diminuindo em poder de compra, o bitcoin até agora testemunhou um grande aumento no poder de compra real, apesar de um aumento moderado, mas decrescente e limitado, em sua oferta. Como os mineradores que verificam as transações são recompensados com bitcoins, eles têm um forte interesse em manter a integridade da rede, o que, por sua vez, faz com que o valor da moeda aumente.

A rede bitcoin começou a operar em janeiro de 2009 e foi por um tempo um projeto obscuro usado por algumas pessoas em uma lista de e-mails de criptografia. Talvez o marco mais importante na vida do bitcoin tenha sido o primeiro dia em que os *tokens* nessa rede deixaram de ser economicamente inúteis para terem um valor de mercado, validando que o bitcoin passou no teste de mercado: a rede operou com sucesso o suficiente para que alguém estivesse disposto a usar dinheiro real para possuir alguns de seus *tokens*. Isso aconteceu em outubro de 2009, quando uma plataforma on-line chamada New Liberty Standard vendeu bitcoins a um preço de US$ 0,000994. Em maio de 2010, a primeira compra no mundo real com bitcoin ocorreu, quando alguém pagou 10.000 bitcoins por duas pizzas no valor de US$ 25, colocando o preço de um bitcoin em US$ 0,0025. Com o tempo, mais e mais pessoas ouviram falar do bitcoin e se interessaram em comprá-lo, e o preço continuou a subir ainda mais[10].

A demanda do mercado por um *token* de bitcoin deriva do fato de que eles são necessários para operar o primeiro (e à primeira vista o único) sistema de dinheiro digital funcional e confiável[11]. O fato de que essa rede foi bem-sucedida operacionalmente nos seus primeiros dias deu ao seu *token* digital um valor colecionável entre pequenas comunidades de criptógrafos e libertários, que tentaram minerá-lo com seus próprios PCs e até começaram a comprá-lo um do outro[12]. Que os *tokens* eram estritamente limitados e não puderam ser replicados ajudou a criar esse status colecionável inicial. Depois de ser adquirido por indivíduos para usar na rede bitcoin e ganhar valor econômico, o bitcoin começou a ser monetizado por mais pessoas, que passaram a

---

[10]Detalhes de ambas transações podem ser encontradas no livro *Digital Gold* de Nathaniel Popper [1] .

[11]Ver Capítulo 10 para uma discussão de por que as imitações do bitcoin não podem ser descritas como *dinheiro digital*.

[12]Para uma boa discussão sobre este ponto, ver Kyle Torpey, "Here's what Goldbugs Miss About bitcoin's 'Intrinsic Value'", *Forbes Digital Money*. Disponível em https://www.forbes.com/sites/ktorpey/2017/10/27/heres-what-gold-bugs-miss-about-bitcoins-intrinsic-value/2/#11b6a3b97ce0

usá-lo como reserva de valor. Essa sequência de atividades está em conformidade com a Teoria da Regressão de Ludwig von Mises sobre as origens do dinheiro, que afirma que um bem monetário começa como um bem de mercado e é depois usado como *meio de troca*. O status colecionável do bitcoin entre pequenas comunidades não é diferente do valor ornamental de conchas, pedras Rai e metais preciosos, a partir do qual passaram a adquirir um papel monetário que aumentou significativamente o seu valor.

Sendo novo e apenas começando a se espalhar, o preço do bitcoin flutuou descontroladamente à medida que a demanda flutuava, mas a impossibilidade de aumentar a oferta arbitrariamente por qualquer autoridade em resposta a picos de preços explica o aumento meteórico no poder de compra da moeda. Quando há um aumento na demanda por bitcoins, os mineradores de bitcoin não podem aumentar a produção além do cronograma definido como os mineradores de cobre, e nenhum banco central pode intervir para inundar o mercado com quantidades crescentes de bitcoins como Greenspan sugeriu que os bancos centrais façam com seu ouro. A única maneira de o mercado atender à crescente demanda é que o preço suba o suficiente para incentivar os detentores a vender algumas de suas moedas para os recém-chegados. Isso ajuda a explicar por que, em oito anos de existência, o preço de um bitcoin passou de US$ 0,000994 em 5 de outubro de 2009, em sua primeira transação registrada, para US$ 4.200 em 5 de outubro de 2017, um aumento de 422.520.000% em oito anos e uma taxa de crescimento anual composta de 573% ao ano. (Vejo Figura 8.3[13])

Para que o preço do bitcoin suba, as pessoas devem mantê-lo como uma reserva de valor e não apenas gastá-lo. Sem várias pessoas dispostas a manter a moeda por um período de tempo significativo, a venda contínua da moeda manterá seu preço baixo e impedirá que ela

---

[13]Fonte: Coindesk bitcoin Price Index. Disponível em www.coindesk.com/price

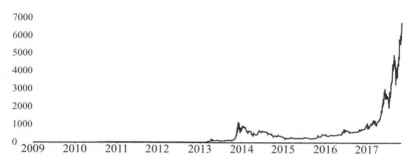

Figura 8.3: Preço do bitcoin em dólares norte-americanos

se aprecie.

Em novembro de 2017, o valor de mercado total de todos os bitcoins em circulação estava na faixa de US$ 110 bilhões, dando um valor maior do que a oferta monetária ampla das moedas nacionais da maioria dos países. Se o bitcoin fosse um país, o valor de sua moeda seria a 56ª maior moeda nacional do mundo, aproximadamente na faixa do tamanho da oferta monetária do Kuwait ou Bangladesh, maior que a de Marrocos e Peru, mas menor que a Colômbia e o Paquistão. Se fosse comparado com a oferta de dinheiro em sentido estrito, o valor da oferta do bitcoin seria classificado em torno do 33º no mundo, com um valor semelhante à oferta de dinheiro em sentido estrito do Brasil, Turquia e África do Sul[14]. Talvez seja uma das conquistas mais notáveis da Internet que uma economia on-line que surgiu espontânea e voluntariamente em torno de uma rede projetada por um programador anônimo cresceu em nove anos para agregar mais valor do que o da oferta monetária da maioria dos Estados-nação e moedas nacionais[15].

---

[14]CIA World Factbook. Disponível em https://www.cia.gov/library/publications/the-world-factbook/

[15]Essas comparações devem ser feitas com cautela, pois não são comparações inteiramente precisas de igual para igual. A oferta de dinheiro do governo é criada não apenas pelo banco central, mas também pelos próprios bancos, embora esse processo não exista para o bitcoin. As medidas de oferta de moeda também diferem de um país para outro em termos de quais ativos financeiros eles incluiriam como parte da oferta monetária.

Essa política monetária conservadora e o consequente aumento do valor de mercado dos bitcoins são vitais para a operação bem-sucedida do bitcoin, pois é a razão pela qual os mineradores têm um incentivo para gastar eletricidade e poder de processamento na verificação honesta das transações. Se o bitcoin tivesse sido criado com uma política monetária fraca, como aquela que é recomendada por um economista keynesiano ou monetarista, sua oferta monetária aumentaria proporcionalmente ao número de usuários ou transações, mas nesse caso teria permanecido um experimento marginal entre entusiastas da criptografia on-line. Nenhuma quantidade séria de poder de processamento seria destinada à mineração, pois não faria sentido investir pesadamente na verificação de transações e na solução de provas de trabalho para obter *tokens* que serão desvalorizados à medida que mais pessoas usarem o sistema. As políticas monetárias expansionistas das economias e dos economistas modernos nunca ganharam livremente o teste de adoção do mercado, mas foram impostas por leis governamentais, como discutido anteriormente. Como um sistema voluntário sem mecanismo para forçar as pessoas a usá-lo, o bitcoin deixaria de atrair uma demanda significativa e, como resultado, seu status como um *dinheiro digital* de sucesso não seria garantido. Embora as transações possam ser realizadas sem a necessidade de confiança de terceiros, a rede estará vulnerável ao ataque de qualquer ator malicioso que mobilize grandes quantidades de poder de processamento. Em outras palavras, sem uma política monetária conservadora e um ajuste de dificuldade, o bitcoin teria sucesso apenas teoricamente como *dinheiro digital*, mas permaneceria inseguro demais para ser amplamente utilizado na prática. Nesse caso, o primeiro concorrente do bitcoin que introduzisse uma política monetária forte tornaria a atualização do registro e a produção de novas unidades progressivamente mais caras. O alto custo da atualização do registro incentivaria os mineradores a serem honestos com a atualização do registro, tornando a rede mais

Ano	Transações	Transações Diárias Médias
2009	36 687	90
2010	185 212	507
2011	1 900 652	5 207
2012	8 447 785	23 081
2013	19 638 728	53 805
2014	25 257 833	69 200
2015	45 661 404	125 100
2016	82 740 437	226 067
2017	103 950 926	284 797

Tabela 8.3: Transações anuais e média de transações diárias

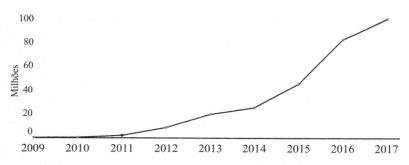

Figura 8.4: Transações anuais na rede bitcoin

segura do que os concorrentes com dinheiro fraco.

O crescimento do preço é um reflexo do crescente uso e utilidade que a rede oferece a seus usuários. O número de transações na rede também cresceu rapidamente: enquanto 32.687 transações foram realizadas em 2009 (a uma taxa de 90 transações por dia), o número cresceu para mais de 103 milhões de transações em 2017 (a uma taxa diária de 284.797 transações). O número acumulado de transações está se aproximando de 300 milhões de transações em janeiro de 2018. A Tabela 8.3[16] e a Figura 8.4[17] mostram o crescimento anual.

---

[16]Fonte: `blockchain.info`
[17]Fonte: `blockchain.info`

Ano	Valor Total de Dólares Norte-Americanos Transacionados
2009	0
2010	985 887
2011	417 634 730
2012	607 221 228
2013	14 767 371 941
2014	23 159 832 297
2015	26 669 252 582
2016	58 188 957 445
2017	375 590 943 877
Total	499 402 199 987

Tabela 8.4: Valor total anual em dólares norte-americanos de todas as transações da rede bitcoin

Embora o crescimento nas transações seja impressionante, ele não corresponde ao crescimento no valor do estoque total da moeda bitcoin, como pode ser evidenciado pelo fato de que o número de transações é muito menor do que o que seria transacionado em uma economia cuja moeda tenha o valor da oferta de bitcoin; 300.000 transações diárias é o número de transações que ocorrem em uma cidade pequena, não em uma economia de tamanho médio, que é aproximadamente o valor da oferta de bitcoin. Além disso, com o tamanho atual dos blocos de bitcoin sendo limitado a 1 megabyte, 500.000 transações por dia estão próximas do limite superior que pode ser realizado pela rede bitcoin e registrado por todos os pares da rede. Mesmo quando esse limite é atingido e sua presença é bem divulgada, o crescimento do valor da moeda e do valor das transações diárias não diminui. Isso sugere que quem adota o bitcoin o valoriza mais como uma reserva de valor do que um *meio de troca*, como será discutido no Capítulo 9.

O valor de mercado das transações também aumentou ao longo da vida útil da rede. A natureza peculiar das transações de bitcoin dificulta a estimativa precisa do valor exato das transações em bitcoins ou dólares americanos, mas uma estimativa de limite inferior vê um volume médio diário de cerca de 260.000 bitcoins em 2017, com um crescimento altamente volátil ao longo da vida útil do bitcoin. Embora o valor das transações de bitcoin não tenha aumentado consideravelmente ao longo do tempo, o valor de mercado dessas transações em dólares norte-americanos aumentou. O volume de transações foi de US$ 375,6 bilhões em US$ em 2017. No total, em seu nono aniversário, o bitcoin havia processado meio trilhão de dólares em transações de dólares, com o valor em dólares calculado no momento da transação (Veja a Tabela 8.4[18]).

Outra medida do crescimento da rede bitcoin é o valor das taxas de transação necessárias para processar as transações. Embora as transações com bitcoin possam teoricamente ser processadas gratuitamente, cabe aos mineradores processá-las, e quanto maior a taxa, mais rapidamente elas poderão ser atraídas para serem processadas. Nos primeiros dias em que o número de transações era pequeno, as mineradoras processavam transações que não incluíam uma taxa porque o subsídio do bloco das novas moedas valia o esforço. À medida que a demanda por transações de bitcoin crescia, os mineradores poderiam se dar ao luxo de ser mais seletivos e priorizar as transações com taxas mais altas. As taxas estavam abaixo de US$ 0,1 por transação até o final de 2015 e começaram a subir acima de US$ 1 por transação no início de 2016. Com o rápido aumento no preço do bitcoin em 2017, a taxa média diária de transações atingiu US$ 7 no final de novembro (Veja a Figura 8.5[19]).

Enquanto o preço do bitcoin geralmente aumentou com o tempo, esse aumento tem sido altamente volátil. A Figura 8.6 mostra o desvio padrão de 30 dias dos retornos diários nos últimos cinco anos de nego-

---

[18]Fonte: blockchain.info
[19]Fonte: blockchain.info

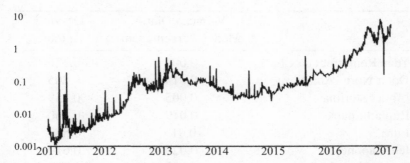

Figura 8.5: Valor médio em dólares norte-americanos das comissões de transação na rede bitcoin, em escala logarítmica

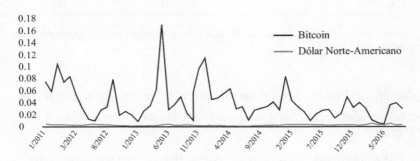

Figura 8.6: Volatilidade mensal de 30 dias para o bitcoin e para o índice do dólar norte-americano

ciação de bitcoin[20]. Embora a volatilidade pareça estar em declínio, ela permanece muito alta em comparação às das moedas nacionais e do ouro, e a tendência ainda é fraca demais para determinar conclusivamente se continuará a declinar. A volatilidade de 30 dias do Índice de Dólar Americano está incluída na Figura 8.6 para fornecer perspectiva.

Examinando os dados de preços do ouro e das principais moedas nacionais e criptográficas mostra uma diferença marcante na volatilidade do preço de mercado dessas moedas. Os retornos diários foram coletados nos cinco anos anteriores para ouro, principais moedas fi-

---

[20]Fonte: Cálculo do autor baseado nos dados do dólar americano do St. Louis Federal Reserve Economic Data, e dados do bitcoin da coindesk.com

	Variação Diária Média, Percentagem	Desvio Padrão
Yuan Renmimbi da China	0,002	0,136
Dólar Norte-Americano	0,015	0,305
Libra Esterlina	0,005	0,559
Rupia Indiana	0,019	0,560
Euro	-0,013	0,579
Iene Japonês	0,020	0,610
Franco Suíço	0,003	0,699
Ouro	-0,018	1,099
bitcoin	0,370	5,072

Tabela 8.5: Volatilidade mensal de 30 dias para o bitcoin e para o índice do dólar norte-americano

duciárias e bitcoin. Os retornos do bitcoin tiveram um desvio padrão mais de sete vezes maior do que as moedas nacionais (Veja a Tabela 8.5[21]).

A volatilidade do bitcoin deriva do fato de que sua oferta é totalmente inflexível e não responde a mudanças de demanda, porque está programado para crescer a uma taxa predeterminada. Para qualquer commodity regular, a variação na demanda afetará as decisões de produção dos produtores da commodity: um aumento na demanda faz com que aumentem sua produção, moderando o aumento do preço e permitindo aumentar sua lucratividade, enquanto uma diminuição na demanda faria com que os produtores diminuíssem sua oferta e permitissem minimizar as perdas. Uma situação semelhante existe com as moedas nacionais, onde os bancos centrais devem manter relativa estabilidade no poder de compra de suas moedas, definindo os parâmetros de sua política monetária para combater as flutuações do

---

[21]Os preços de todas as moedas foram medidos em dólares americanos enquanto o Índice USD é usado para o dólar americano. Dados da moeda nacional de St. Louis Federal Reserve Economic Data. Dados de ouro do World Gold Council. Dados bitcoin de coindesk.com

mercado. Com um cronograma de fornecimento totalmente irresponsivo à demanda e nenhum banco central para gerenciar o suprimento, provavelmente haverá volatilidade, principalmente nos estágios iniciais em que a demanda varia muito erraticamente de um dia para o outro e os mercados financeiros que lidam com bitcoin ainda sejam pequenos.

Mas à medida que o tamanho do mercado cresce, juntamente com a sofisticação e a profundidade das instituições financeiras que lidam com o bitcoin, essa volatilidade provavelmente diminuirá. Com um mercado maior e mais líquido, é provável que as variações diárias da demanda se tornem relativamente menores, permitindo aos formadores de mercado lucrar com as variações de preços de proteção e suavizando o preço. Isso só será alcançado se e quando um grande número de participantes do mercado detiver bitcoins com a intenção de mantê-los por longo prazo, aumentando significativamente o valor de mercado da oferta de bitcoins e possibilitando um grande mercado líquido com apenas uma fração da oferta. Caso a rede atinja um tamanho estável em algum momento, o fluxo de entrada e saída de fundos será relativamente igual e o preço do bitcoin poderá se estabilizar. Nesse caso, o bitcoin ganharia mais estabilidade, além de ter liquidez suficiente para não se mover significativamente nas transações diárias do mercado. Mas enquanto o bitcoin continua crescendo em adoção, sua apreciação atrai mais usuários, levando a uma apreciação adicional, tornando essa queda na volatilidade incomum. Enquanto o bitcoin estiver crescendo, seu preço de *token* se comportará como o da ação de uma *start-up* que alcança um crescimento muito rápido. Caso o crescimento do bitcoin pare e se estabilize, ele deixaria de atrair fluxos de investimento de alto risco e se tornaria apenas um ativo monetário normal que se valoriza levemente a cada ano.

Apêndice Ao Capítulo 8

A seguir, é apresentada uma breve descrição de três tecnologias utilizadas pelo bitcoin:

Hashing é um processo que pode pegar qualquer fluxo de dados como entrada e transformá-lo em um conjunto de dados de tamanho fixo (conhecido como hash) usando uma fórmula matemática não reversível. Em outras palavras, é trivial usar essa função para gerar um hash de tamanho uniforme para qualquer conjunto de dados, mas não é possível determinar a sequência original de dados do hash. O hash é essencial para a operação do bitcoin, pois é usado em assinaturas digitais, prova-de-trabalho, árvores de Merkle, identificadores de transações, endereços de bitcoin e várias outras aplicações. O hash em essência permite identificar um dado em público sem revelar nada sobre ele, que pode ser usado para ver com segurança e confiança se várias partes possuem os mesmos dados.

Criptografia de chave pública é um método de autenticação que depende de um conjunto de números matematicamente relacionados: uma chave privada, uma chave pública e uma ou mais assinaturas. A chave privada, que deve ser mantida em segredo, pode gerar uma chave pública, que pode ser distribuída livremente porque não é possível determinar a chave privada examinando a chave pública. Este método é usado para autenticação: depois que alguém publica sua chave pública, ele pode fazer o hash de alguns dados e depois assinar esse hash com sua chave privada para criar uma assinatura. Qualquer pessoa com os mesmos dados pode criar o mesmo hash e ver que foi usado para criar a assinatura; então, ela pode comparar a assinatura com a chave pública que recebeu anteriormente e verificar se as duas são matematicamente relacionadas, provando que a pessoa com a chave privada assinou os dados cobertos pelo hash. O bitcoin utiliza criptografia de chave pública para permitir a troca segura de valores em uma rede aberta não segura. Um detentor de bitcoin só pode acessar seus bitcoins se tiver as chaves privadas anexadas a eles, enquanto o endereço público associado a eles pode ser amplamente distribuído. Todos os membros da rede podem verificar a validade da transação, verificando se as transações que enviam o dinheiro vieram do proprietário da chave privada correta. No bitcoin, a única forma de propriedade que existe é através da propriedade das chaves privadas.

Rede ponto-a-ponto é uma estrutura de rede na qual todos os membros têm privilégios e obrigações iguais entre si. Não há coordenadores centrais que possam alterar as regras da rede. Operadores de nó que discordam de como a rede funciona não podem impor suas opiniões a outros membros da rede ou substituir seus privilégios. O exemplo mais conhecido de uma rede ponto-a-ponto é o BitTorrent, um protocolo para compartilhar arquivos online. Enquanto nas redes centralizadas os membros baixam arquivos de um servidor central que os hospeda, no BitTorrent os usuários baixam arquivos um do outro diretamente, divididos em pequenos pedaços. Depois que um usuário faz o download de uma parte do arquivo, ele pode se tornar uma semente para esse arquivo, permitindo que outros façam o download a partir deles. Com esse design, um arquivo grande pode se espalhar de forma relativamente rápida, sem a necessidade de servidores grandes e infraestrutura extensa para distribuí-lo, além de proteger contra a possibilidade de um ponto único de falha que comprometa o processo. Todo arquivo compartilhado na rede é protegido por um hash criptográfico que pode ser facilmente verificado para garantir que os nós que o compartilham não o tenham corrompido. Depois que as forças da lei conseguiram derrubar sites centralizados de compartilhamento de dados como Napster, a natureza descentralizada do BitTorrent significava que a aplicação da lei nunca poderia desligá-lo. Com uma crescente rede de usuários em todo o mundo, o BitTorrent em algum momento representou cerca de um terço de todo o tráfego da Internet em todo o mundo. O bitcoin utiliza uma rede semelhante ao BitTorrent, mas enquanto no BitTorrent os membros da rede compartilham os bits de dados que constituem um filme, música ou livro, no bitcoin os membros da rede compartilham o livro-razão de todas as transações bitcoin.

9

PARA QUE SERVE O BITCOIN?

Reserva de Valor

A crença de que os recursos são escassos e limitados é um mal-entendido sobre a natureza da escassez, o conceito chave da economia. A quantidade absoluta de toda matéria-prima presente na Terra é muito grande para nós como seres humanos medirmos ou compreendermos e de forma alguma constitui um limite real para o que nós, como seres humanos, podemos produzir a partir dela. Mal arranhamos a superfície da Terra em busca dos minerais de que precisamos e quanto mais procuramos, quanto mais cavamos, mais recursos encontramos. O que constitui o limite prático e realista da quantidade de qualquer recurso é sempre a quantidade de tempo humano direcionada para produzi-lo, pois esse é o único recurso escasso real (até a criação do bitcoin).

Em seu livro magistral, *The Ultimate Resource* [62], o falecido economista Julian Simon explica como o único recurso limitado e, de fato, a única coisa para a qual o termo *recurso* realmente se aplica, é o tempo humano. Cada humano tem um tempo limitado na Terra, e essa é a única escassez com a qual lidamos enquanto indivíduos. Como sociedade, nossa única escassez é a quantidade total de tempo disponível para os membros de uma sociedade produzirem bens e serviços diferentes. Mais de qualquer bem sempre pode ser produzido se o tempo humano for direcionado a ele. O custo real de um bem, então, é sempre o custo de oportunidade em termos de bens adiados para produzi-lo.

Em toda a história da humanidade, nunca ficamos sem material ou recurso bruto, e o preço de praticamente todos os recursos é hoje mais baixo do que em pontos passados da história, porque nosso avanço tecnológico nos permite produzi-los a um preço mais baixo com menor custo em termos de tempo. Além de não termos ficado sem matéria-prima, as reservas conhecidas que existem para cada recurso aumentaram com o tempo à medida que nosso consumo aumentou. Se os recursos forem entendidos como finitos, os estoques existentes diminuiriam com o tempo à medida que consumimos mais. Porém, mesmo quando consumimos mais, os preços continuam caindo e as melhorias na tecnologia para encontrar e escavar recursos nos permitem encontrar cada vez mais. O petróleo, o vaso comunicante vital das economias modernas, é o melhor exemplo, pois possui estatísticas bastante confiáveis. Como mostra a Figura 9.1, mesmo que o consumo e a produção continuem aumentando ano a ano, as reservas comprovadas aumentam a uma taxa ainda mais rápida[1]. De acordo com dados da análise estatística da BP, a produção anual de petróleo foi 46% maior em 2015 do que em 1980, enquanto o consumo foi 55% maior. As reservas de petróleo, por outro lado, aumentaram 148%, cerca de o triplo do aumento na produção e no consumo.

Estatísticas semelhantes podem ser produzidas para recursos com graus variados de prevalência na crosta terrestre. A raridade de um

---

[1]Fonte: BP Statistical Review.

Para que Serve o bitcoin?

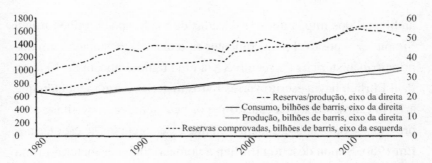

Figura 9.1: Consumo, produção, reservas comprovadas e razão entre reservas globais de petróleo e produção mundial, 1980-2015.

recurso determina o custo relativo de extraí-lo da terra. Metais mais comuns, como ferro e cobre, são fáceis de encontrar e, como resultado, são relativamente baratos. Metais mais raros, como prata e ouro, são mais caros. O limite de quanto podemos produzir de cada um desses metais, no entanto, continua sendo o custo de oportunidade de sua produção em relação um ao outro, e não sua quantidade absoluta. Não há evidência melhor disso do que o fato de que o metal mais raro da crosta terrestre, o ouro, foi extraído por milhares de anos e continua sendo extraído em quantidades crescentes à medida que a tecnologia avança com o tempo, como foi mostrado no Capítulo 3. Se a produção anual do metal mais raro na crosta terrestre aumenta todos os anos, então não faz sentido falar de qualquer elemento natural como sendo limitado em sua quantidade em qualquer sentido prático. A escassez é apenas relativa em recursos materiais, com as diferenças no custo de extração sendo o determinante do nível de escassez. A única escassez, como Julian Simon demonstrou brilhantemente, é do tempo em que os seres humanos precisam para produzir esses metais, e é por isso que salários continuam a subir em todo o mundo, tornando produtos e materiais continuamente mais baratos em termos de trabalho humano.

Esse é um dos conceitos econômicos mais difíceis para as pessoas entenderem, e que alimenta a interminável histeria que o movimento ambiental nos impôs durante décadas de medo apocalíptico. Julian Simon fez o possível para combater essa histeria, desafiando um dos principais histéricos do século XX a uma famosa aposta de 10 anos. Paul Ehrlich havia escrito vários livros histéricos argumentando que a Terra estava à beira da catástrofe por ficar sem recursos vitais, com previsões exatas sobre as datas em que esses recursos se esgotariam. Em 1980, Simon desafiou Ehrlich a nomear qualquer matéria-prima e período por mais de um ano e apostou US$ 10.000 que o preço de cada um desses metais, ajustado pela inflação, seria menor no final do período do que antes. Ehrlich escolheu cobre, cromo, níquel, estanho e tungstênio, que eram todos os materiais que ele havia previsto que acabariam. No entanto, em 1990, o preço de cada um desses metais havia caído e o nível de produção anual havia aumentado, embora a década intermediária tenha visto a população humana aumentar em 800 milhões de pessoas, o maior aumento em uma única década antes ou depois.

Na realidade, quanto mais humanos existem, mais produção de todas essas matérias-primas pode ocorrer. Mais importante, talvez, como argumenta o economista Michael Kremer[2], o fator fundamental do progresso humano não são as matérias-primas, mas as soluções tecnológicas para os problemas. A tecnologia é, por natureza, um *bem não-excludente* (o que significa que uma vez que alguém inventa algo, todos os outros podem copiá-lo e se beneficiar dele) e um *bem não-rival* (o que significa que uma pessoa que se beneficia de uma invenção não reduz a utilidade acumulada para outras pessoas que o usam). Por exemplo, a roda. Depois que uma pessoa a inventou, todo mundo podia copiá-la e fazer sua própria roda, e seu uso não reduziria de maneira alguma a capacidade de outras pessoas se beneficiarem dela. Ideias engenhosas são raras, e apenas uma pequena minoria de pessoas pode

---

[2]Michael Kremer, "Population Growth and Technological Change: One Million B.C. to 1990", *Quarterly of Journal of Economics*, vol. 108, no. 3 (1993): 681–716 [63].

pensar nelas. Assim, populações maiores produzirão mais tecnologias e ideias do que populações menores e, como o benefício é para todos, é melhor viver em um mundo com uma população maior. Quanto mais humanos existem na Terra, mais tecnologias e ideias produtivas são pensadas, e mais humanos podem se beneficiar dessas ideias e copiá-las umas das outras, levando a maior produtividade do tempo humano e melhorando padrões de vida.

Kremer ilustra isso mostrando que, como a população da Terra aumentou, a taxa de crescimento populacional aumentou e não diminuiu. Se os humanos fossem um fardo que consomem recursos, então quanto maior a população, menor a quantidade de recursos disponíveis para cada indivíduo e menor a taxa de crescimento econômico e, portanto, menor o crescimento populacional, como prevê o modelo malthusiano. Mas como seres humanos são eles próprios o recurso, e as ideias produtivas são o motor da produção econômica, um número maior de seres humanos resulta em ideias e tecnologias mais produtivas, mais produção per capita e maior capacidade de sustentar populações maiores. Além disso, Kremer mostra como massas isoladas de terra com maior densidade populacional testemunharam crescimento e progresso econômico mais rápidos do que aqueles com baixa densidade populacional.

É impróprio chamar recursos de matérias-primas, porque os humanos não são consumidores passivos de maná do céu. As matérias-primas são sempre o produto do trabalho humano e da engenhosidade e, portanto, os seres humanos são o recurso final, porque o tempo, o esforço e a engenhosidade humanos sempre podem ser usados para produzir mais produtos.

O eterno dilema que os humanos enfrentam com seu tempo diz respeito a como armazenar o valor que produzem com seu tempo no futuro. Enquanto o tempo humano é finito, todo o resto é praticamente infinito, e mais pode ser produzido se mais tempo humano for direcionado a ele. Qualquer que seja o objeto que os humanos escolherem como reserva de valor, seu valor aumentará e, porque mais do objeto sempre pode ser criado, outros produziriam mais do objeto para adquirir o valor armazenado nele. Os yapenses fizeram O'Keefe trazer explosivos e barcos avançados para fazer mais pedras Rai e adquirir o valor armazenado nas pedras existentes. Os africanos viram europeus trazendo barcos cheios de miçangas para adquirir o valor armazenado em suas miçangas. Qualquer metal que não fosse o ouro usado como meio monetário foi superproduzido até o preço cair. As economias modernas têm os bancos centrais keynesianos sempre fingindo combater a inflação e, gradualmente ou rapidamente, corroendo o valor de seu dinheiro, conforme discutido no Capítulo 4. Quando os americanos começaram recentemente a usar suas casas como um tipo de poupança, a oferta de moradias aumentou tanto que os preços cairam. À medida que a inflação monetária avança, o grande número de bolhas pode ser entendido como apostas especulativas para encontrar maneiras de encontrar uma reserva útil de valor. Somente o ouro chegou perto de resolver esse problema, graças à sua química, que impossibilitou a inflação de sua oferta, e isso resultou em uma das épocas mais gloriosas da história da humanidade. Mas a mudança em direção ao controle governamental do ouro logo limitou seu papel monetário, substituindo-o por dinheiro emitido pelo governo, cuja performance foi abismal.

Isso lança alguma luz sobre uma faceta surpreendente do feito técnico que é o bitcoin. Pela primeira vez, a humanidade tem ao seu dispor uma commodity cuja oferta é *estritamente limitada*. Não importa quantas pessoas usem a rede, quanto seu valor aumente e quão avançado o equipamento usado para produzi-lo, só podem existir 21 milhões de bitcoins. Não há possibilidade técnica de aumentar a oferta para atender ao aumento da demanda. Se mais pessoas demandarem o mantimento de bitcoin, a única maneira de atender à demanda é através

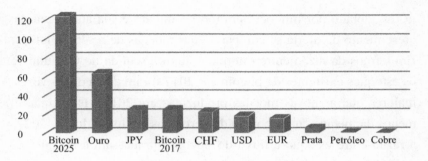

Figura 9.2: Quantidades globais totais disponíveis divididas pela produção anual

da valorização da oferta existente. Como cada bitcoin é divisível em 100 milhões de satoshis, há muito espaço para o crescimento do bitcoin através do uso de unidades cada vez menores à medida que seu valor aprecia. Isso cria um novo tipo de ativo adequado para desempenhar o papel de reserva de valor.

Até a invenção do bitcoin, todas as formas de dinheiro eram ilimitadas em quantidade e, portanto, imperfeitas em sua capacidade de armazenar valor ao longo do tempo. A oferta monetária imutável do bitcoin o torna o melhor meio para armazenar o valor produzido pelo tempo humano limitado, tornando-o assim a melhor reserva de valor que a humanidade já inventou. Em outras palavras, o bitcoin é a maneira mais barata de comprar o futuro, porque o bitcoin é o único meio garantido de não ser depreciado, não importa quanto seu valor suba (Veja a Figura 9.2[3]).

Em 2018, com o bitcoin com apenas nove anos de idade, ele

---

[3]Fontes: Dados do U.S. Geological Survey para o ouro. Dados do Silver Institute para a prata. Blockchain.info e cálculos do autor para bitcoin. BP Statistical Review of World Energy para petróleo. Dados de moedas nacionais do Federal Reserve Economic Data, disponível em https://fred.stlouisfed.org. Estimativas do autor para cobre.

já foi adotado por milhões[4] em todo o mundo e sua atual taxa de crescimento da oferta se compara à das moedas de reserva globais. Em termos da razão entre estoque e fluxo discutida no Capítulo 1, os estoques existentes de bitcoin em 2017 foram cerca de 25 vezes maiores que as novas moedas produzidas em 2017. Isso ainda é menos da metade da proporção de ouro, mas em torno do ano 2022, a razão entre estoque e fluxo do bitcoin ultrapassará a do ouro e, em 2025, será aproximadamente o dobro da do ouro e continuará a aumentar rapidamente no futuro, enquanto a do ouro permanecerá aproximadamente a mesma, dada a dinâmica da mineração de ouro discutido no Capítulo 3. Por volta do ano 2140, não haverá nova oferta de bitcoin, e a taxa de escassez se torna infinita, sendo a primeira vez em que uma commodity ou um bem atinge esse patamar.

Uma implicação importante da oferta reduzida de bitcoins e da taxa continuamente decrescente na qual a oferta cresce é tornar a oferta de bitcoins existentes muito maior em comparação com à nova oferta. Nesse sentido, a mineração de bitcoin é semelhante à mineração de ouro, garantindo assim que, como meio monetário, relativamente menos tempo e esforço sejam necessários para garantir nova oferta de bitcoin do que outro dinheiro cuja oferta pode ser aumentada facilmente; e mais tempo e esforço são dedicados à produção econômica útil que pode ser trocados por bitcoins. À medida que o subsídio do bloco diminui, os recursos dedicados à mineração de bitcoins serão recompensados principalmente pelo processamento das transações e, portanto, pela segurança da rede, e não pela criação de novas moedas.

Durante a maior parte da história humana, algum objeto físico foi usado como reserva de valor. A função de reserva de valor não pre-

---

[4]Não há um jeito simples de estimar o número de usuários de bitcoin, pois cada usuário individual pode ter um número arbitrário de endereços de carteiras a eles associados. Muitas tentativas em estimar ficaram entre 10 e 100 milhões de pessoas que mantinham bitcoin em 2017, e eu penso que isto é o mais exato que nós conseguimos atingir.

cisava de uma manifestação física, mas, possuindo uma, ela permitiu que a oferta da reserva de valor fosse mais difícil de aumentar. O bitcoin, por não ter presença física e por ser puramente digital, é capaz de alcançar uma escassez estrita. Nenhum material físico divisível e transportável jamais havia conseguido isso antes. O bitcoin permite que os seres humanos transportem valor digitalmente sem nenhuma dependência do mundo físico, o que permite que grandes transferências de somas pelo mundo sejam concluídas em minutos. A escassez digital estrita dos *tokens* de bitcoin combina os melhores elementos do meio monetário físico, sem nenhuma das desvantagens físicas de movê-los e transportá-los. O bitcoin pode ser a melhor tecnologia para poupança já inventada.

Soberania Individual

Como a primeira forma de *dinheiro digital*, a primeira e mais importante proposta de valor do bitcoin é dar a qualquer pessoa no mundo acesso a uma base soberana de dinheiro. Qualquer pessoa que possua bitcoin alcança um grau de liberdade econômica que não era possível antes de sua invenção. Os detentores de bitcoin podem enviar grandes quantidades de valor pelo planeta sem precisar pedir permissão a ninguém. O valor do bitcoin não depende de nada físico em qualquer lugar do mundo e, portanto, nunca pode ser completamente impedido, destruído ou confiscado por qualquer uma das forças físicas do mundo político ou criminal.

O significado desta invenção para as realidades políticas do século XXI é que, pela primeira vez desde o surgimento do Estado moderno, os indivíduos têm uma solução técnica clara para escapar da influência financeira dos governos em que vivem. De forma impressionante, a melhor descrição do significado dessa tecnologia pode ser encontrada em um livro escrito em 1997, 12 anos antes da criação do bitcoin, que previa uma moeda digital muito semelhante ao bitcoin, e o impacto que isso teria na transformação da sociedade humana.

Em *The Sovereign Individual* [64], James Davidson e William Rees-Mogg argumentam que o Estado-nação moderno, com suas leis restritivas, altos impostos e impulsos totalitários, alcançou um grau enorme de repressão custosa da liberdade de seus cidadãos comparável à da Igreja na Idade Média europeia, e igualmente suscetível à ruptura. Com seu pesado fardo de tributação, controle pessoal e rituais, os custos de se manter a Igreja tornaram-se insuportáveis para os europeus, e surgiram novas formas de organização política e econômica mais produtivas para substituí-la e consigná-la à insignificância. O surgimento de máquinas, a imprensa, o capitalismo e o moderno Estado-nação deram origem à era da sociedade industrial e às concepções modernas de cidadania.

Quinhentos anos depois, são a sociedade industrial e o Estado-nação moderno que se tornaram repressivos, escleróticos e onerosos, enquanto as novas tecnologias retiram parte de seu poder e razão de ser. "Microprocessadores subverterão e destruirão o Estado-nação" é a tese provocativa do livro. Novas formas de organização emergirão da tecnologia da informação, destruindo a capacidade do Estado de forçar os cidadãos a pagar mais por seus serviços contra sua vontade. A revolução digital destruirá o poder do Estado moderno sobre seus cidadãos, reduzirá o significado do Estado-nação como uma unidade organizadora e dará aos indivíduos poder e soberania sem precedentes sobre suas próprias vidas.

Já podemos ver esse processo acontecendo graças à revolução das telecomunicações. Enquanto a impressora permitiu aos pobres do mundo acessar o conhecimento que lhes era proibido e monopolizado pelas igrejas, ainda havia a limitação de produzir livros físicos, que sempre podiam ser confiscados, banidos ou queimados. Este tipo de ameaça não existe no mundo cibernético, onde praticamente todo o conhecimento humano existe, prontamente disponível para os indivíduos acessarem, sem possibilidade de controle ou censura efetiva do governo.

Da mesma forma, as informações estão permitindo que o comércio e o emprego subvertam as restrições e regulamentações governamentais, como melhor exemplificado por empresas como Uber e Airbnb, que não solicitaram autorização do governo para introduzir seus produtos com sucesso e subverter as formas tradicionais de regulamentação e fiscalização. Os indivíduos modernos podem negociar com outras pessoas que encontram on-line por meio de sistemas de identidade e proteção baseados no consentimento e no respeito mútuo, sem a necessidade de recorrer a regulações governamentais coercitivos.

O surgimento de formas baratas de telecomunicações on-line também subverteu a importância da localização geográfica para o trabalho. Agora, os produtores de muitos bens podem optar por morar em qualquer lugar que preferirem, enquanto os produtos de seu trabalho, que estão se tornando cada vez mais informativos e não materiais, podem ser transferidos globalmente instantaneamente. Os regulamentos e impostos governamentais estão se tornando menos poderosos, pois os indivíduos podem morar ou trabalhar onde lhes convier e entregar seu trabalho via telecomunicações.

À medida que cada vez mais o valor da produção econômica assume a forma de bens não-tangíveis, o valor relativo da terra e os meios físicos de produção diminuem, reduzindo o retorno da apropriação violenta desses meios físicos de produção. O capital produtivo se torna mais incorporado nos próprios indivíduos, tornando a ameaça de apropriação violenta cada vez mais vazia, à medida que a produtividade dos indivíduos se torna inextricavelmente vinculada ao seu consentimento. Quando a produtividade e a sobrevivência dos camponeses estavam ligadas à terra que eles não possuíam, a ameaça de violência era eficaz para torná-los produtivos para beneficiar o proprietário. Da mesma forma, a forte dependência da sociedade industrial do capital produtivo físico e sua produção tangível tornaram a expropriação pelo Estado relativamente simples, como o século XX sangrento ilustrou. Mas, à medida que as capacidades mentais do indivíduo se tornam a principal força produtiva da sociedade, a ameaça de violência se torna muito menos eficaz. Os seres humanos podem facilmente mudar para jurisdições onde não estão ameaçados ou podem ser produtivos em computadores sem que os governos possam saber o que estão produzindo.

Havia uma peça final no quebra-cabeça da digitalização que estava faltando, que é a transferência de dinheiro e valor. Mesmo que a tecnologia da informação pudesse subverter controles e restrições geográficos e governamentais, os pagamentos continuaram sendo fortemente controlados pelos governos e pelos monopólios bancários impostos pelo Estado. Como todos os monopólios impostos pelo governo, os bancos resistiram durante anos a inovações e mudanças que beneficiam os consumidores e restringem a capacidade dos bancos de extrair taxas e rendas. Esse foi um monopólio que se tornou cada vez mais oneroso à medida que a economia global se espalhou e se tornou mais global. Davidson e Rees-Mogg preveem com notável presciência a forma que a nova rota de fuga monetária digital assumirá: formas de dinheiro criptograficamente seguras, independentemente de todas as restrições físicas que não podem ser interrompidas ou confiscadas pelas autoridades governamentais. Embora isso parecesse uma previsão estranha quando o livro foi escrito, agora é uma realidade vívida já utilizada por milhões em todo o mundo, embora o seu significado não seja amplamente entendido.

Bitcoin, e criptografia em geral, são tecnologias defensivas que fazem com que o custo de defender propriedades e informações seja muito menor do que o custo de atacá-las. Torna o roubo extremamente caro e incerto e, portanto, favorece quem quer viver em paz sem agredir os outros. O bitcoin ajuda bastante na correção do desequilíbrio de poder que surgiu no século passado, quando o governo foi capaz de se apropriar de dinheiro em seus bancos centrais e, assim, tornar os indivíduos totalmente dependentes dele para sua sobrevivência e bem-estar. A versão histórica da moeda sonante, o ouro, não tinha essas vantagens. A fisicalidade do ouro o tornou vulnerável ao controle do governo. O fato de o ouro não poder ser movimentado com facilidade significava que os pagamentos que o usavam precisavam ser centralizados em bancos e bancos centrais, facilitando o confisco. Com o bitcoin, por outro lado, a verificação de transações é trivial e praticamente gratuita, pois qualquer pessoa pode acessar o registro de transações de qualquer dispositivo conectado à Internet gratuitamente[5]. Embora o aumento de escala de usuários do bitcoin provavelmente exigirá o uso de uma terceira parte, isso será diferente da liquidação do ouro em vários aspectos muito importantes. Primeiro, as negociações através de terceiros serão, em última análise, liquidadas em um registro acessível ao público, permitindo maior transparência e auditoria. O bitcoin oferece ao indivíduo moderno a chance de optar por sair do Estado totalitário, gestor, keynesiano e socialista. É uma correção tecnológica simples para a pestilência moderna dos governos que sobrevivem explorando os indivíduos produtivos que vivem em seu solo. Se o bitcoin continuar crescendo para capturar uma maior parcela da riqueza global, pode forçar os governos a se tornarem cada vez mais uma forma de organização voluntária, que só pode adquirir seus "impostos" voluntariamente, oferecendo aos seus sujeitos serviços que estariam dispostos a pagar.

A visão política do bitcoin pode ser entendida examinando de perto as ideias do movimento cypherpunk a partir do qual ele surgiu. Nas palavras de Timothy May:

A combinação de criptografia forte e inquebrável de chave

---

[5]Conseguir aparelhos e conexão de internet é barato e tem ficado continuamente mais barato.

pública e comunidades de redes virtuais no ciberespaço produzirá mudanças interessantes e profundas na natureza dos sistemas econômicos e sociais. A anarquia criptográfica é a realização ciberespacial do anarcocapitalismo, transcendendo as fronteiras nacionais e libertando indivíduos para fazer os arranjos econômicos que desejam fazer consensualmente... A anarquia criptográfica está libertando os indivíduos da coerção de seus vizinhos físicos – que não podem saber quem são eles na Rede – e dos governos. Para os libertários, a criptografia forte fornece os meios pelos quais o governo será evitado.[6]

A visão do anarcocapitalismo que May descreve é a filosofia política desenvolvida pelo economista americano da escola austríaca Murray Rothbard. Em *The Ethics of Liberty* [66], Rothbard explica o anarcocapitalismo libertário como a única implicação logicamente coerente da ideia de livre arbítrio e autopropriedade:

Por outro lado, considere o status universal da ética da liberdade e do direito natural da pessoa e da propriedade que se obtém sob essa ética. Todas as pessoas, em qualquer momento ou lugar, podem ser cobertas pelas regras básicas: propriedade de si mesmo, propriedade dos recursos não utilizados anteriormente que foram ocupados e transformados; e propriedade de todos os títulos derivados dessa propriedade básica - por *meio de trocas* voluntárias ou doações voluntárias. Essas regras - que poderíamos chamar de "regras da propriedade natural" - podem ser claramente aplicadas, e essa propriedade é defendida, independentemente da hora ou do local e das realizações

---

[6]Timothy C. May. *Crypto Anarchy and Virtual Communities* (1994) [65]. Disponível em https://nakamotoinstitute.org

econômicas da sociedade. É impossível para qualquer outro sistema social se qualificar como lei natural universal; pois se existe alguma regra coercitiva de uma pessoa ou grupo sobre outra (e todas as regras participam dessa hegemonia), é impossível aplicar a mesma regra para todos; apenas um mundo puramente libertário, sem regras, pode cumprir as qualificações dos direitos e leis naturais, ou, mais importante, pode cumprir as condições de uma ética universal para toda a humanidade.[7]

O princípio de não-agressão é o fundamento do anarcocapitalismo de Rothbard e, com base nele, qualquer agressão, seja realizada pelo governo ou por um indivíduo, não pode ter justificativa moral. O bitcoin, sendo completamente voluntário e pacífico, oferece-nos a infraestrutura monetária para um mundo construído exclusivamente com a cooperação voluntária. Ao contrário da imagem popular de anarquistas como bandidos vestidos com capuz, a marca de anarquismo do bitcoin é completamente pacífica, fornecendo aos indivíduos as ferramentas necessárias para que eles fiquem livres do controle do governo e da inflação. Ele não se impõe a ninguém e, se crescer e for bem-sucedido, será por seus próprios méritos como uma tecnologia neutra pacífica de dinheiro e liquidação, e não por ser forçada a outros.

No futuro próximo, como ainda está em um nível muito baixo de adoção geral, o bitcoin oferece uma opção econômica para as pessoas que precisam contornar as restrições do governo no setor bancário, além de conseguir guardar sua riqueza em uma reserva líquida de valor que não está sujeita à inflação do governo. Se for adotado amplamente, o custo das transações bitcoin *on-chain* provavelmente aumentaria significativamente, conforme será discutido adiante na seção sobre o aumento de sua escala, tornando menos viável para indivíduos realizar

---

[7]Murray Rothbard, The Ethics of Liberty. (New York, NY: New York University Press, 1998), p. 43 [66].

transações *on-chain* sem censura para escapar das regras e regulamentos do governo. Nessa situação, no entanto, a ampla adoção do bitcoin terá um efeito positivo muito maior na liberdade individual, reduzindo a capacidade do governo de financiar sua operação através da inflação. Foi o dinheiro do governo no século XX que permitiu o nascimento do Estado gerencial fortemente intervencionista, com tendências totalitárias e autoritárias. Em uma sociedade movida a moeda forte, é improvável que as imposições governamentais que não sejam economicamente produtivas sobrevivam por muito tempo, pois há pouco incentivo para continuar financiando-as.

Liquidação Internacional e Online

Tradicionalmente, o ouro era o meio de liquidação de pagamentos e reserva de valor em todo o mundo. A incapacidade de qualquer das partes de expandir sua oferta em quantidades significativas o fez assim. Seu valor foi conquistado no livre mercado, e não a custo de alguém. À medida que o escopo da comunicação e das viagens aumentavam no século XIX, exigindo transações financeiras por distâncias maiores, o ouro saía das mãos das pessoas e entrava nos cofres dos bancos e, finalmente, nos bancos centrais. Sob um padrão-ouro, as pessoas mantinham recibos de papel em ouro ou emitiam cheques para liberá-lo sem que o ouro físico precisasse ser movido fisicamente, melhorando enormemente a velocidade e a eficiência do comércio global.

Conforme os governos confiscavam ouro e emitiam sua própria moeda, não era mais possível que acordos globais entre indivíduos e bancos fossem feitos com ouro; em vez disso, passaram a ser conduzidos com moedas nacionais flutuando em valor, criando problemas significativos para o comércio internacional, conforme discutido no Capítulo 6. A invenção do bitcoin criou, do zero, um novo mecanismo alternativo independente para liquidação internacional que não depende de nenhum intermediário e pode operar totalmente separado da infraestrutura financeira existente.

A capacidade de qualquer indivíduo de rodar um nó de bitcoin e enviar seu próprio dinheiro sem a permissão de ninguém e sem precisar expor sua identidade é uma diferença notável entre ouro e bitcoin. Bitcoin não precisa ser armazenado em um computador; a chave privada que dá acesso aos bitcoins de alguém é uma sequência de caracteres ou de palavras que a pessoa guarda na memória. É muito mais fácil mover-se com uma chave privada de bitcoin do que com uma quantidade física de ouro, e muito mais fácil enviá-la por todo o mundo sem ter que arriscar que seja roubada ou confiscada. Enquanto os governos confiscam as economias de ouro das pessoas e as forçam a negociar com dinheiro supostamente lastreado por esse ouro, as pessoas são capazes de manter a maior parte de suas economias de bitcoin em armazenamento longe das mãos do governo e usar apenas quantias menores para realizar transações através de intermediários. A própria natureza da tecnologia bitcoin coloca os governos em séria desvantagem em comparação com todas as outras formas de dinheiro e, portanto, dificulta muito o confisco.

Além disso, a capacidade dos detentores de bitcoin de rastrear todos os ativos de bitcoin em sua blockchain torna extremamente impraticável para qualquer autoridade desempenhar o papel de último credor para bancos que lidam com bitcoin. Mesmo no auge do padrão-ouro internacional, o dinheiro era resgatável em ouro, mas os bancos centrais raramente tinham o suficiente para cobrir toda a oferta de moeda que introduziram e, portanto, sempre tinham uma margem para aumentar a oferta de papel para fazer backup da moeda. Isso é muito mais difícil com o bitcoin, que traz segurança digital criptográfica à contabilidade e pode ajudar a expor bancos envolvidos em reservas bancárias fracionárias.

O uso futuro do bitcoin para pequenos pagamentos provavelmente não será realizado no registro distribuído, conforme explicado na discussão sobre escala no Capítulo 10, mas através de segundas camadas. O bitcoin pode ser visto como a nova moeda de reserva emergente para transações on-line, onde o equivalente on-line dos bancos emitirá *tokens* lastreados em bitcoin para os usuários, enquanto mantém sua reserva de bitcoins em armazenamento a frio[8], com cada indivíduo capaz de auditar em tempo real as participações do intermediário e com sistemas de verificação e reputação on-line capazes de verificar se não está ocorrendo inflação. Isso permitiria que um número infinito de transações fosse realizado on-line sem ter que pagar taxas altas para transações na camada principal.

Como o bitcoin continua a evoluir na direção de ter um valor maior de mercado com taxas de transação mais altas, ele começa a parecer cada vez mais uma moeda de reserva do que uma moeda para transações e pagamentos diários. Mesmo no momento em que escrevo, com o bitcoin em um nível relativamente pequeno de adoção pública, a maioria das transações do bitcoin não é registrada na camada principal, mas ocorre em casas de câmbios virtuais e vários tipos de plataformas online baseadas em bitcoin, como sites de jogos de azar e cassinos. Essas empresas creditarão ou debitarão bitcoins para seus clientes em seus próprios registros internos e só farão transações na rede bitcoin quando os clientes depositarem ou sacarem fundos.

Em virtude de ser *dinheiro digital*, a vantagem comparativa do bitcoin pode não estar na substituição dos pagamentos em dinheiro, mas em permitir que os pagamentos em dinheiro sejam realizados a longas distâncias. Os pagamentos pessoais, em pequenas quantias, podem ser feitos por meio de uma ampla variedade de opções: dinheiro físico, trocas, favores, cartões de crédito, cheques bancários e assim

---

[8][N.T.] Armazenamento a frio aqui é uma tradução para "cold storage". Em geral, o armazenamento a frio em tecnologia da informação significa manter dados ou outros itens em repouso ou em uma parte menos acessível de um sistema. Quando o assunto é bitcoin, armazenamento a frio refere-se à prática de manter os bitcoins off-line, a fim de impedir o acesso não autorizado.

por diante. A atual tecnologia de ponta em meios de pagamento já introduziu uma ampla gama de opções para liquidar pagamentos em pequena escala com muito pouco custo. É provável que a vantagem do bitcoin não esteja em competir com esses pagamentos por pequenas quantias e por curtas distâncias; a vantagem do bitcoin é que, ao levar a finalização da liquidação em dinheiro ao mundo digital, ele criou o método mais rápido para a liquidação final de grandes pagamentos em longas distâncias e fronteiras nacionais. É quando comparado a esses pagamentos que as vantagens do bitcoin parecem mais significativas. Existem apenas algumas moedas aceitas para pagamento em todo o mundo, a saber, o dólar dos EUA, o euro, o ouro e os Special Drawing Rights do FMI. A grande maioria dos pagamentos internacionais é denominada em uma dessas moedas, com apenas uma pequena porcentagem compartilhada por algumas outras moedas importantes. O envio internacional de alguns milhares de dólares dessas moedas geralmente custa dezenas de dólares, leva vários dias e está sujeito a exames forenses invasivos por instituições financeiras. O alto custo dessas transações reside principalmente na volatilidade das moedas de negociação e nos problemas de liquidação entre instituições em diferentes países, o que exige o emprego de várias camadas de intermediação.

Em menos de dez anos de existência, o bitcoin já alcançou um grau significativo de liquidez global, permitindo pagamentos internacionais em preços atualmente muito inferiores às transferências internacionais existentes. Isso não significa argumentar que o bitcoin substituirá o mercado internacional de transferência de dinheiro, mas apenas aponta seu potencial para liquidez internacional. Tal como está, o volume desses fluxos internacionais é muito maior do que o que a blockchain do bitcoin pode suportar e, se mais pagamentos forem para o bitcoin, as taxas subirão para limitar a demanda por eles. No entanto, isso também não significaria o fim do bitcoin, porque o envio desses pagamentos individuais não esgota os limites das capacidades do bitcoin.

Bitcoin é dinheiro livre de risco de contraparte e sua rede pode oferecer liquidação final de pagamentos de grande volume em poucos minutos. Assim, pode-se entender melhor o bitcoin enquanto competindo com a camada de liquidação entre bancos centrais e grandes instituições financeiras, e compara-se favoravelmente a eles devido a seu registro verificável, segurança criptográfica e impermeabilidade a falhas de segurança de terceiros. O uso das principais moedas nacionais (dólar americano, euro) para liquidação acarreta o risco de flutuação da taxa de câmbio dessas moedas e envolve a confiança em várias camadas da intermediação existente. Os acordos entre bancos centrais e grandes instituições financeiras levam dias, e às vezes semanas, para serem liberados, período durante o qual cada parte está exposta a riscos significativos do câmbio e de contraparte. O ouro é o único meio monetário tradicional que não é um passivo de alguém e está livre de risco de contraparte, mas mover ouro é uma tarefa operacional extremamente cara, repleta de riscos.

O bitcoin, sem risco de contraparte e sem dependência de terceiros, é adequado para desempenhar o mesmo papel que o ouro desempenhou no padrão-ouro. É uma moeda neutra para um sistema internacional que não concede a nenhum país o "privilégio exorbitante" de emitir a moeda de reserva global e não depende de seu desempenho econômico. Sendo separado da economia de qualquer país em particular, seu valor não será afetado pelo volume de comércio nele denominado, evitando todos os problemas cambiais que assolaram o século XX. Além disso, a finalização da liquidação do bitcoin não depende de nenhuma contraparte e não exige que nenhum banco seja o árbitro de fato, tornando-o ideal para uma rede de pares globais, em vez de uma ordem centralizada hegemônica global. A rede bitcoin é baseada em uma forma de dinheiro cuja oferta não pode ser inflada por nenhum banco membro, tornando-a uma proposta de reserva de valor mais atraente do que as moedas nacionais, cuja criação foi justamente para que sua oferta pudesse ser aumentada para financiar governos.

A capacidade de transações do bitcoin é muito maior do que o atual número de bancos centrais precisaria mesmo se liquidassem suas contas diariamente. A capacidade atual do bitcoin de cerca de 350.000 transações por dia pode permitir que uma rede global de 850 bancos faça uma transação diária com todos os outros bancos da rede. (O número de conexões exclusivas em uma rede é igual a n (n - 1) / 2, onde n é o número de nós).

Uma rede global de 850 bancos centrais pode realizar acordos finais diários entre si através da rede bitcoin. Se cada banco central atender cerca de 10 milhões de clientes, isso cobriria a população do mundo inteiro. Isso seria necessário no pior caso absoluto, no qual a capacidade do bitcoin não aumente de forma alguma. Como será discutido no próximo capítulo, existem várias maneiras pelas quais a capacidade pode ser aumentada, mesmo sem alterar a arquitetura do bitcoin de maneira incompatível com versões anteriores, potencialmente permitindo a liquidação diária entre vários milhares de bancos.

Em um mundo em que nenhum governo pode criar mais bitcoins, esses bancos centrais do bitcoin competiriam livremente entre si ao oferecer instrumentos monetários e soluções de pagamento físicos e digitais lastreadas em bitcoin. Sem um credor de último recurso, o banco de reservas fracionárias se torna um arranjo extremamente perigoso e minha expectativa seria que os únicos bancos que sobreviverão no longo prazo seriam os bancos que oferecessem instrumentos financeiros 100% lastreados em bitcoin. Este, no entanto, é um ponto de discórdia entre economistas e só o tempo dirá quem está certo. Esses bancos liquidariam pagamentos entre seus próprios clientes fora da blockchain do bitcoin e, em seguida, realizariam um fechamento diário final entre si pelo blockchain.

Embora essa visão do bitcoin possa parecer uma traição à visão original do bitcoin de dinheiro totalmente ponto-a-ponto, não é uma visão nova. Hal Finney, o destinatário da primeira transação bitcoin de Nakamoto, escreveu isso no fórum bitcoin em 2010:

> Na verdade, há uma boa razão para a existência de bancos lastreados em bitcoin, emitindo sua própria moeda digital em dinheiro, resgatável em bitcoins. O próprio bitcoin não possui escala para que todas as transações financeiras do mundo sejam transmitidas a todos e incluí-das na blockchain. É preciso haver um nível secundário de sistemas de pagamento, que seja mais leve e mais eficiente. Da mesma forma, o tempo necessário para finalizar as transações bitcoin será impraticável para compras de valor médio e alto.
>
> Os bancos lastreados em bitcoin resolverão esses problemas. Eles podem funcionar como os bancos funcionavam antes da nacionalização da moeda. Bancos diferentes podem ter políticas diferentes, algumas mais agressivas, outras mais conservadoras. Alguns seriam reservas fracionadas, enquanto outros podem ser 100% lastreados em bitcoin. As taxas de juros podem variar. O dinheiro de alguns bancos pode ser negociado com desconto de outros.
>
> George Selgin elaborou a teoria do *competitive free banking* em detalhes e argumenta que esse sistema seria estável, resistente à inflação e auto-regulável.
>
> Acredito que este será o destino final do bitcoin, para ser o "dinheiro de alta potência" que serve como moeda de reserva para os bancos que emitem seu próprio *dinheiro digital*. A maioria das transações de bitcoin ocorrerá entre bancos, para liquidar transferências em rede. As transa-

ções de bitcoin por particulares serão tão raras quanto...
bem, como as compras baseadas em bitcoin são hoje.[9]

O número de transações em um sistema econômico de bitcoin
pode continuar a ser tão grande quanto é hoje, mas a liquidação dessas
transações não ocorrerá no livro-razão do bitcoin, cuja imutabilidade
e falta de necessidade de confiança em uma terceira parte são valiosas
demais para pagamentos para consumo individuais. Quaisquer que
sejam as limitações das atuais soluções de pagamento, elas se beneficiarão imensamente da introdução da livre concorrência no mercado
bancário e de pagamentos, uma das indústrias mais escleróticas da
economia mundial moderna, porque é controlada por governos que
podem criar o dinheiro que transacionam.

Se o bitcoin continuar crescendo em valor e for utilizado por um
crescente número de instituições financeiras, ele se tornará uma moeda de reserva para uma nova forma de banco central. Estes bancos
centrais podem se basear principalmente no mundo digital ou físico,
mas está começando a valer a pena considerar se os bancos centrais
nacionais deveriam suplementar suas reservas com bitcoin. No atual
sistema monetário global, os bancos centrais nacionais mantêm reservas principalmente em dólares americanos, euros, libras esterlinas,
Standard Drawing Rights do FMI e ouro. Essas moedas de reserva são
usadas para liquidar contas entre bancos centrais e defender o valor de
mercado de suas moedas locais. Se a apreciação do bitcoin continuar
da mesma maneira que experimentou nos últimos anos, é provável que
atraia a atenção dos bancos centrais que olham para o futuro.

Se o bitcoin continuar a se valorizar significativamente, proporcio-
nará ao banco central mais flexibilidade com sua política monetária e
liquidação de contas internacionais. Mas talvez o motivo real para que
os bancos centrais possuam bitcoin seja um seguro contra o cenário

---

[9]Bitcoin Talk forums, 30 de Dezembro de 2010. Disponível em `https://bitcointalk.org/index.php?topic=2500.msg34211#msg34211`

de seu sucesso. Dado que o fornecimento de bitcoins é estritamente limitado, pode ser prudente que um banco central gaste uma pequena quantia adquirindo uma pequena porção da oferta de bitcoin de hoje, caso aprecie significativamente no futuro. Se o bitcoin continuar se valorizando enquanto um banco central não possui nada dele, o valor de mercado de suas moedas de reserva e ouro estará em declínio em termos de bitcoin, colocando o banco central em desvantagem quanto mais demorar para adquirir reservas.

O bitcoin ainda é visto como um experimento peculiar da Internet, mas, à medida que continua a sobreviver e se valorizar com o tempo, começa a atrair atenção real de indivíduos de alto patrimônio líquido, investidores institucionais e, eventualmente, de bancos centrais. Quando os bancos centrais começarem a considerar usá-lo será o momento em que começará uma corrida bancária reversa ao bitcoin. O primeiro banco central a comprar bitcoin alertará o restante dos bancos centrais sobre a possibilidade e fará com que muitos deles se apressem em sua direção. A primeira compra do banco central provavelmente aumentará significativamente o valor do bitcoin, tornando-o progressivamente mais caro para os bancos centrais posteriores comprá-lo. O curso de ação mais sábio nesse caso é que um banco central compre uma pequena quantia de bitcoin. Se o banco central tiver capacidade institucional para comprar a moeda sem anunciar, isso seria um curso de ação ainda mais sábio, permitindo ao banco central acumulá-lo a preços baixos.

O bitcoin também pode servir como um ativo de reserva útil para bancos centrais que enfrentam restrições internacionais em suas operações bancárias ou descontentes com o sistema monetário global centrado no dólar. A possibilidade de adotar reservas de bitcoin pode, por si só, ser uma valiosa moeda de troca para estes bancos centrais com autoridades monetárias dos EUA, que provavelmente não querem ver nenhum banco central adotar o bitcoin como um método de liquidação, porque isso atrairia outros a participar.

Embora os bancos centrais tenham desprezado a importância do bitcoin, isso pode ser um luxo que eles não poderão pagar por muito tempo. Por mais difícil que seja banqueiros centrais acreditarem nisso, o bitcoin é um concorrente direto à sua linha de negócios, que está fechado à concorrência de mercado há um século. O bitcoin disponibiliza o processamento global de pagamentos e a liberação final para qualquer um a um baixo custo, e substitui a política monetária direcionada por humanos por algoritmos melhores e perfeitamente previsíveis. O moderno modelo de negócios do banco central está sofrendo uma disrupção. Os bancos centrais agora não têm como interromper a concorrência apenas aprovando leis, como sempre fizeram. Eles agora enfrentam um concorrente digital que provavelmente não pode ser submetido às leis do mundo físico. Se os bancos centrais nacionais não começarem a usar a liberação instantânea do bitcoin e sua política monetária sólida, eles deixariam a porta aberta para que pequenas empresas digitais capturem cada vez mais esse mercado para uma reserva de valor e liquidação.

Se o mundo moderno é a Roma antiga, sofrendo as consequências econômicas do colapso monetário, com o dólar sendo o nosso áureo, então Satoshi Nakamoto é nosso Constantino, bitcoin é seu soldo e a Internet é nossa Constantinopla. Bitcoin serve como um barco salva-vidas monetário para as pessoas que são forçadas a realizar transações e a poupar nos meios monetários constantemente depreciados pelos governos. Com base na análise acima, a vantagem real do bitcoin reside em ser uma reserva de valor confiável a longo prazo e uma forma soberana de dinheiro que permite que indivíduos realizem transações sem permissão de terceiros. Os principais usos do bitcoin no futuro próximo se seguirão dessas vantagens competitivas, e não de sua capacidade de oferecer transações onipresentes ou baratas.

Unidade de Conta Global

Não é provável que esta aplicação final do bitcoin se materialize tão cedo, mas é intrigante, dadas as propriedades exclusivas do bitcoin. Desde o final da era do padrão-ouro, o comércio global tem sido dificultado pelas diferenças no valor da moeda em diferentes países. Isso destruiu a capacidade das pessoas de realizar trocas indiretas usando um único meio de troca e, em vez disso, criou um mundo onde a compra de algo além-fronteiras deve ser precedida pela compra da moeda do produtor, quase mimetizando o escambo. Isso prejudicou gravemente a capacidade das pessoas de realizar cálculos econômicos além-fronteiras e resultou no crescimento de uma enorme indústria do mercado de câmbio. Esta indústria produz pouco valor além de suavizar um pouco as terríveis consequências do nacionalismo monetário.

O padrão-ouro ofereceu uma solução para esse problema, em que uma única forma de dinheiro, independente do controle de qualquer governo ou autoridade, era o padrão monetário em todo o mundo. Os preços podem ser calibrados em relação ao ouro e expressos nele, facilitando o cálculo além-fronteiras. O peso físico do ouro, no entanto, significava que ele precisava ser centralizado e que a liquidação tinha que ser realizada entre os bancos centrais. Depois que o ouro foi centralizado, esta isca se tornou irresistível aos governos, que assumiram o controle e finalmente o substituíram por dinheiro fiduciário, cuja oferta eles controlam. O dinheiro sadio tornou-se nocivo como resultado.

É uma questão em aberto se o bitcoin poderia potencialmente desempenhar o papel de uma unidade de conta global para comércio e para a atividade econômica. Para que essa possibilidade se concretize, o bitcoin precisaria ser adotado por um número extremamente grande de pessoas no mundo, provavelmente indiretamente, através de seu uso como moeda de reserva. Resta saber se a estabilidade da oferta de bitcoin também o tornaria estável em valor, já que as transações diárias nele seriam marginais em comparação com as quantidades mantidas. Tal como está, dado que o bitcoin constitui menos de 1% da oferta monetária global, grandes transações individuais no bitcoin podem ter um grande impacto no preço, e pequenas variações na demanda podem causar grandes oscilações no preço. Isso, no entanto, é uma característica da situação atual em que o bitcoin, como rede e moeda de liquidação global, ainda é uma fração minúscula dos pagamentos de liquidação global e da oferta de dinheiro. Comprar um *token* do bitcoin hoje pode ser considerado um investimento no rápido crescimento da rede e da moeda como uma reserva de valor, porque ainda é muito pequeno e capaz de aumentar muitos múltiplos de seu tamanho e valor rapidamente. Se a participação do bitcoin na oferta de dinheiro global e na quantidade de transações internacionais de liquidação se tornar majoritária no mercado global, o nível de demanda por ele se tornará muito mais previsível e estável, levando a uma estabilização no valor da moeda. Hipoteticamente, se o bitcoin se tornar a única moeda usada no mundo, ele não terá mais um amplo espaço para crescimento em valor. Nesse ponto, a demanda será simplesmente a demanda por manter dinheiro líquido, e o aspecto especulativo do investimento da demanda que vemos hoje desaparecerá. Em tal situação, o valor do bitcoin variaria de acordo com a preferência temporal da população do mundo inteiro, com a crescente demanda por manter o bitcoin como uma reserva de valor apenas levando a apenas uma pequena valorização do seu valor.

No longo prazo, a ausência de qualquer autoridade que possa controlar a oferta de bitcoin provavelmente deixará de criar volatilidade no preço e passará a reduzi-la. A previsibilidade da oferta combinada ao crescimento do número de usuários pode tornar as flutuações diárias na demanda significativos para determinar o preço, já que os formadores de mercado são capazes de proteger e suavizar as flutuações de oferta e demanda e criar um preço mais estável.

A situação seria semelhante ao ouro sob o padrão-ouro, conforme detalhado no estudo de Jastram mencionado no Capítulo 6. Durante séculos em que o ouro foi usado como dinheiro, o aumento constante e gradual de sua oferta fez com que seu valor não aumentasse ou diminuísse significativamente, tornando-o a unidade de conta perfeita no espaço e no tempo.

Mas esse cenário ignora uma diferença fundamental entre ouro e bitcoin, e é que o ouro tem uma demanda grande e altamente elástica para uso em uma infinidade de aplicações industriais e ornamentais. As propriedades químicas únicas do ouro garantiram que ele esteja sempre em alta demanda, independentemente de seu papel monetário. Mesmo quando a demanda monetária por ouro muda, a indústria está pronta para utilizar quantidades essencialmente ilimitadas de ouro, caso o preço caia devido a uma diminuição na demanda monetária. As propriedades do ouro fazem dele a melhor escolha para muitas aplicações, sendo seus substitutos inferiores escolhidos apenas devido ao alto preço do ouro. Mesmo em um cenário em que todos os bancos centrais globais dispõem de todas as suas reservas de ouro, é provável que a joia e a demanda industrial absorvam todo esse excesso de oferta com apenas reduções temporárias de preço. A raridade do ouro na crosta terrestre sempre garantirá que permanecerá caro em relação a outros materiais e metais. Essa propriedade tem sido fundamental para a ascensão do ouro como dinheiro, pois garantiu uma relativa estabilidade do valor do ouro ao longo do tempo, independentemente das mudanças globais na demanda monetária por países que adotam ou não o padrão-ouro. Essa relativa estabilidade solidificou o apelo do ouro como um ativo monetário e garantiu a demanda por ele, e pode ser entendida como a verdadeira razão pela qual os bancos centrais não vendem suas reservas de ouro décadas depois que suas moedas deixaram de ser resgatáveis nele. Se os bancos centrais venderem suas reservas de ouro, o efeito disso será que mais toneladas de ouro serão utilizadas em aplicações industriais nos próximos anos, com um pequeno impacto no preço do ouro. Nesta transação, o banco central obteria apenas uma moeda fiduciária que pode imprimir a si própria, e perderia um ativo que provavelmente ganhará valor sobre sua própria moeda.

A demanda não monetária equivalente por bitcoin pode ser entendida como a demanda pelas moedas, não como uma reserva de valor, mas como um pré-requisito necessário para o uso da rede. Mas, diferentemente da demanda industrial por ouro, que é completamente independente de sua demanda monetária, a demanda por bitcoin para operar a rede está inextricavelmente ligada à demanda por ele como uma reserva de valor. Portanto, não se pode esperar que desempenhe um papel significativo na melhoria da volatilidade do valor de mercado do bitcoin, à medida que cresce em seu papel monetário.

Por um lado, a estrita escassez do bitcoin o torna uma escolha muito atraente para funcionar como reserva de valor, e um número crescente de detentores pode tolerar a volatilidade por longos períodos de tempo, se estiver aumentando paulatinamente para cima, como tem sido o caso até agora. Por outro lado, a persistência da volatilidade no valor do bitcoin impedirá que ele desempenhe o papel de uma unidade de conta, pelo menos até que ela tenha crescido para muitos múltiplos de seu valor atual e também aumentado a porcentagem de pessoas em todo o mundo que a detêm e aceitam.

Porém, considerando que a população mundial hoje vive apenas em um mundo de moedas fiduciárias voláteis que são transacionadas entre si, os detentores de bitcoin devem ser mais tolerantes com sua volatilidade do que as gerações criadas sob a certeza do padrão-ouro. Apenas as melhores moedas fiduciárias permaneceram estáveis no curto prazo, mas a desvalorização no longo prazo é evidente. O ouro, por outro lado, manteve a estabilidade a longo prazo, mas é relativamente instável no curto prazo. A falta de estabilidade do bitcoin não parece uma falha fatal que impediria seu crescimento e adoção, dado que todas as suas alternativas também são relativamente instáveis.

Tais questões não podem ser respondidas definitivamente neste momento, e somente o mundo real dirá como essas dinâmicas se desdobrarão. O status monetário é um produto espontaneamente emergente da ação humana, não um produto racional do design humano[10]. Os indivíduos agem por interesse próprio, e as possibilidades tecnológicas e as realidades econômicas de oferta e demanda moldam os resultados de suas ações, proporcionando incentivos para persistir, adaptar, mudar ou inovar. Uma ordem monetária espontânea emerge dessas interações complexas; não é algo criado pelo debate acadêmico, planejamento racional ou ordem governamental. O que pode parecer uma tecnologia melhor para o dinheiro na teoria pode não necessariamente ter sucesso na prática. A volatilidade do bitcoin pode fazer com que os teóricos do dinheiro o descartem como um meio monetário, mas as teorias monetárias não podem substituir a ordem espontânea que emerge no mercado como resultado de ações humanas. Como uma reserva de valor, o bitcoin pode continuar a atrair mais demanda de poupança, fazendo com que continue a apreciar significativamente em comparação a todas as outras formas de dinheiro, até que se torne a melhor opção para quem quer receber o pagamento.

Caso atinja algum tipo de estabilidade no valor, o bitcoin seria superior ao uso de moedas nacionais para acordos de pagamento globais, como é o caso hoje, porque as moedas nacionais flutuam em valor com base nas condições de cada nação e governo, e em sua ampla adoção uma moeda de reserva global resulta em um "privilégio exorbitante" da nação emissora. Uma moeda de liquidação internacional deve ser neutra à política monetária de diferentes países, razão pela qual o

---

[10]Para mais sobre esta distinção muito importante, ver Adam Ferguson, *An Essay on the History of Civil Society* (London: T. Cadell, 1782). Ver também Vernon Smith, Rationality in Economics (New York: Cambridge University Press, 2008) [67].

ouro desempenhou esse papel com excelência durante o padrão-ouro internacional. O bitcoin teria uma vantagem sobre o ouro ao desempenhar esse papel, pois sua liquidação pode ser concluída em minutos e a autenticidade das transações pode ser verificada facilmente por qualquer pessoa com conexão à Internet, praticamente sem nenhum custo. O ouro, por outro lado, leva mais tempo para transportar, e sua liberação depende de diferentes graus de confiança nos intermediários responsáveis por liquidá-lo e transferi-lo. Isso pode preservar o papel monetário do ouro nas transações pessoais em dinheiro, enquanto o bitcoin ficaria restrito a acordos internacionais.

10

PERGUNTAS SOBRE BITCOIN

COM os princípios econômicos da operação do bitcoin explicados no Capítulo 8, e os principais casos de uso em potencial do bitcoin discutidos no Capítulo 9, algumas das questões mais importantes em torno da operação do bitcoin são examinadas aqui.

Mineração de bitcoin é um Desperdício?

Quem entra na rede bitcoin gera um endereço público e uma chave privada. Eles são análogos a um endereço de e-mail e sua senha: as pessoas podem enviar bitcoins para seu endereço público enquanto você usa sua chave privada para enviar bitcoins do seu saldo. Esses endereços também podem ser apresentados no formato de código *Quick Response* (QR code).

Quando uma transação é feita, o remetente a transmite a todos os outros membros da rede (os nós), que podem verificar se o remetente possui bitcoins suficientes e se ele não gastou essas moedas em outra transação. Depois que a transação é validada pela maioria das CPUs da rede, ela é inscrita no registro comum compartilhado por todos os membros da rede, permitindo que todos os membros atualizem o saldo dos dois membros em transação. Embora seja fácil para qualquer membro da rede verificar a validade de uma transação, um sistema de votação baseado em dar um voto a cada membro pode ser utilizado por um hacker, criando muitos nós para votar para validar suas transações fraudulentas. Somente com a precisão baseada nos ciclos de CPU gastos pelos membros, em outras palavras, empregando um sistema de prova-de-trabalho (PoW), o bitcoin pode resolver o problema de gasto duplo sem precisar confiar em terceiros.

Em essência, a prova-de-trabalho envolve membros da rede que competem para resolver problemas matemáticos difíceis de resolver, mas cuja solução é fácil de verificar. Todas as transações de bitcoin verificadas em um intervalo de dez minutos são transcritas e agrupadas em um único bloco. Os nós competem para resolver os problemas matemáticos do PoW em um bloco de transações, e o primeiro nó a produzir a solução correta a transmite aos membros da rede, que podem verificar rapidamente sua validade. Uma vez que a validade das transações e o PoW são verificados pela maioria dos nós da rede, uma quantidade definida de bitcoin é emitida para recompensar o nó que resolveu corretamente o PoW. Isso é conhecido como *subsídio do bloco*, e o processo de geração das novas moedas é chamado de *mineração*, porque é a única maneira de aumentar a oferta de moedas, da mesma forma que a mineração é a única maneira de aumentar a oferta de ouro. Além do subsídio do bloco, o nó que resolveu corretamente o PoW também recebe as *taxas de transação* incluídas pelos remetentes. A soma das taxas de transação com o subsídio do bloco é a *recompensa do bloco*.

Embora a solução desses problemas possa inicialmente parecer um uso desnecessário de computação e energia elétrica, a prova-de-trabalho é essencial para a operação do bitcoin[1]. Ao exigir o gasto de eletricidade e poder de processamento para produzir novos bitcoins, o PoW é o único método até agora descoberto para tornar a produção de um bem digital confiável e cara, permitindo que ele seja uma moeda forte. Ao garantir que o encontro da solução para o problema matemático consuma grandes quantidades de energia e poder de processamento, os nós que gastam essa energia têm um forte incentivo para não incluir nenhuma transação inválida em seus blocos para receber a recompensa. Como é muito mais barato verificar a validade das transações e o PoW do que resolver o PoW, os nós que tentam inserir transações inválidas em um bloco estão quase certamente fadados ao fracasso, garantindo que o poder de processamento gasto não seja recompensado.

O PoW torna o custo de escrever um bloco extremamente alto e o custo de verificar sua validade extremamente baixo, quase eliminando o incentivo para alguém tentar criar transações inválidas. Se tentassem, estariam desperdiçando eletricidade e poder de processamento sem receber a recompensa do bloco. O bitcoin pode, portanto, ser entendido como uma tecnologia que converte eletricidade em registros verdadeiros através do gasto de poder de processamento. Aqueles que gastam essa eletricidade são recompensados com a moeda bitcoin e, portanto, eles têm um forte incentivo para manter sua integridade. Como resultado de anexar um forte incentivo econômico à honestidade,

---

[1] A questão de se o bitcoin desperdiça eletricidade é, no fundo, um mal-entendido da natureza fundamentalmente subjetiva do valor. A eletricidade é gerada em todo o mundo em grandes quantidades para satisfazer as necessidades dos consumidores. O único julgamento sobre se essa eletricidade foi desperdiçada ou não é do consumidor que paga por ela. As pessoas que estão dispostas a pagar o custo da operação da rede bitcoin por suas transações estão financiando efetivamente esse consumo de eletricidade, o que significa que a eletricidade está sendo produzida para satisfazer as necessidades do consumidor e não foi desperdiçada. Funcionalmente falando, o PoW é o único método que os humanos inventaram para criar *dinheiro digital*. Se as pessoas acham que vale a pena pagar, a eletricidade não foi desperdiçada.

o registro do bitcoin ficou praticamente incorruptível durante o período de sua operação até agora, sem exemplo de um ataque bem-sucedido de gasto duplo a uma transação confirmada. Essa integridade do registro de transações bitcoin é alcançada sem a necessidade de confiar na honestidade de qualquer uma das partes. Ao basear-se inteiramente na verificação, o bitcoin condena ao fracasso as transações fraudulentas e evita a necessidade de confiar em alguém para que as transações sejam concluídas.

Para um invasor tentar inserir transações fraudulentas no registro do bitcoin, ele precisaria que a maior parte do poder de processamento da rede aceitasse sua fraude. Nós honestos que fazem parte da rede não teriam incentivo para fazê-lo, porque prejudicariam a integridade do bitcoin e desvalorizariam as recompensas que estão recebendo, desperdiçando a eletricidade e os recursos que gastaram nela. Portanto, a única esperança de um invasor seria mobilizar uma quantidade de poder de processamento que constitua mais de 50% da rede para verificar sua fraude e desenvolvê-la como se fosse válida. Essa mudança poderia ter sido possível nos primeiros dias do bitcoin, quando o poder total de processamento por trás da rede era muito pequeno. Mas como o valor econômico mantido na rede na época era inexistente ou insignificante, nenhum desses ataques se materializou. À medida que a rede continuou a crescer e mais membros trouxeram poder de processamento, o custo para atacar a rede aumentou.

A recompensa aos nós pela verificação de transações provou ser um uso lucrativo do poder de processamento. Em janeiro de 2017, o poder de processamento por trás da rede bitcoin é equivalente ao de 2 trilhões de laptops pessoais. É mais de dois milhões de vezes maior que o poder de processamento do maior supercomputador do mundo e mais de 200.000 vezes maior que os 500 melhores supercomputadores do mundo juntos. Ao monetizar diretamente o poder de processamento, o bitcoin se tornou a maior rede de computadores dedicados do mundo.

Outro fator que contribui para esse crescimento no poder de processamento é que a verificação das transações e a solução dos problemas de PoW deixaram de ser conduzidas por computadores pessoais para processadores especializados construídos especificamente para serem otimamente eficientes na execução do software bitcoin. Estes Circuitos Integrados Específicos para Aplicações (CIEA, ASICs em inglês) foram introduzidos pela primeira vez em 2012 e sua implantação tornou a adição de poder de processamento à rede bitcoin mais eficiente, porque não é desperdiçada eletricidade em nenhum processo de computação irrelevante que estaria presente em qualquer outra unidade de computação não específica para bitcoin. Uma rede distribuída global de mineradores dedicados independentes agora protege a integridade do registro de bitcoin. Todos esses mineradores não têm um objetivo concebível além da verificação de transações de bitcoin e a solução de prova-de-trabalho. Se o bitcoin não prosperar no futuro por qualquer motivo, esses ASICs serão inúteis e o investimento de seus proprietários será perdido, logo eles têm um forte incentivo para manter a honestidade da rede.

Para alguém alterar o registro da rede, precisaria investir centenas de milhões, se não bilhões, de dólares construindo novos chips ASIC para alterá-los. Se um invasor conseguir alterar o registro, é altamente improvável que ele obtenha algum benefício econômico, pois o comprometimento da rede provavelmente reduziria o valor dos bitcoins para quase nada. Em outras palavras, para destruir o bitcoin, um invasor precisa gastar quantias muito grandes de dinheiro sem retorno algum. E, de fato, mesmo que tal tentativa seja bem-sucedida, os nós honestos na rede podem efetivamente voltar ao registro de transações antes do ataque e retomar a operação. O invasor precisaria continuar incorrendo em custos operacionais significativos para continuar atacando o consenso de nós honestos.

Nos primeiros anos, os usuários de bitcoin executavam nós e os usavam para realizar suas próprias transações e verificar as transações uns dos outros, tornando cada nó uma carteira e um verificador/minerador. Mas com o tempo, essas funções foram separadas. Os chips ASIC agora são especializados apenas para a verificação de transações para receber moedas de recompensa (é por isso que elas são comumente chamadas de mineradoras). Agora, os operadores de nós podem gerar carteiras ilimitadas, permitindo que as empresas ofereçam carteiras convenientes para usuários que podem enviar e receber bitcoins sem operar um nó ou gastar poder de processamento na verificação de transações. Isso afastou o bitcoin de ser uma rede ponto-a-ponto pura entre nós idênticos, mas a principal importância funcional da natureza descentralizada e distribuída da rede permaneceu, aparentemente, intacta, pois ainda existe um grande número de nós e não é necessário confiar em uma parte apenas para operar a rede. Além disso, a mineração especializada permitiu que o poder de processamento que suporta a rede crescesse para o tamanho surpreendentemente grande que alcançou.

Nos seus primeiros dias, quando os *tokens* tinham pouco ou nenhum valor, a rede poderia ter sido sequestrada e destruída por invasores, mas como a rede tinha pouco valor econômico, ninguém pareceu se incomodar. À medida que o valor econômico mantido na rede aumentou, o incentivo para atacar a rede pode ter aumentado, mas o custo para isso aumentou muito mais, resultando em nenhum ataque materializado. Mas talvez a proteção real da rede bitcoin qualquer que seja o caso seja o fato de o valor de seus *tokens* dependerem inteiramente da integridade da rede. Qualquer ataque que consiga alterar o blockchain, roubar moedas ou gastá-los em dobro será de pouco valor para o invasor, pois ficará claro para todos os membros da rede que é possível comprometer a rede, reduzindo severamente a demanda por usar a rede e mantendo as moedas, derrubando o preço. Em outras palavras, a defesa da rede bitcoin não é apenas o fato de atacá-la se tornar cara, mas também o fato de o ataque fazer com que o saque do invasor seja inútil. Sendo um sistema totalmente voluntário, o bitcoin só pode operar se for honesto, pois os usuários podem facilmente deixar de usá-la se for o caso.

A distribuição do poder de processamento do bitcoin e a forte resistência do código à mudança, combinada com a intransigência de sua política monetária, é o que permitiu ao bitcoin sobreviver e crescer em valor na proporção que tem hoje. É difícil para pessoas novas no bitcoin apreciar quantos desafios logísticos e de segurança que o bitcoin teve de suportar ao longo dos anos para chegar aonde está hoje. Tendo em mente que a Internet criou oportunidades para hackers atacarem todos os tipos de redes e sites por diversão e lucro, essa conquista se torna mais surpreendente. O número crescente de violações de segurança que ocorrem diariamente em redes de computadores e servidores de e-mail em todo o mundo ocorreu em sistemas que oferecem aos atacantes não muito mais do que dados ou oportunidades para obter pontos políticos. O bitcoin, por outro lado, contém bilhões de dólares em valor, mas continua a operar com segurança e confiabilidade, porque foi construído, desde o primeiro dia, para operar em um ambiente altamente adversário, sujeito a ataques implacáveis. Os programadores e hackers em todo o mundo tentaram separá-lo usando todos os tipos de técnicas e, no entanto, ele continuou a operar de acordo com a essência exata de suas especificações.

Fora de Controle: Por Que Ninguém Pode Mudar o bitcoin

A natureza do Bitcoin é tal que, uma vez lançada a versão 0.1, a essência de seu design ficou escrita em pedra para o resto de sua vida.

— *Satoshi Nakamoto, 17/06/2010*[2]

---

[2]Nakamoto, Satoshi. *Fórum BitcoinTalk.* 17 de junho de 2010, bitcointalk.org/index.php?topic=195.msg1611#msg1611

Até agora, a resiliência do bitcoin não somente conseguiu repelir ataques com êxito; também resistiu habilmente a qualquer tentativa de alterá-lo ou alterar suas características. A verdadeira profundidade desta afirmação e suas implicações ainda não foi totalmente percebida pela maioria dos céticos. Se a moeda do bitcoin fosse comparada a de um banco central, seria o banco central mais independente do mundo. Se fosse comparado a um Estado-nação, seria o Estado-nação mais soberano do mundo. A soberania do bitcoin é derivada do fato de que, como se pôde perceber, a operação das suas regras de consenso o tornam muito resistente à alteração por indivíduos. Não é exagero dizer que ninguém controla o bitcoin e que a única opção disponível para as pessoas é usá-lo como ele é ou não usá-lo.

Essa imutabilidade não é um recurso do software bitcoin, que é fácil de alterar para qualquer pessoa com habilidade de programar códigos, mas é baseada na economia da moeda e da rede e decorre da dificuldade de levar todos os membros da rede a adotar as mesmas alterações no software. A implementação do software que permite que um indivíduo execute um nó que se conecta à rede bitcoin é um software de código aberto, que foi inicialmente disponibilizado por Satoshi Nakamoto em colaboração com o falecido Hal Finney e alguns outros programadores. Desde então, qualquer pessoa tem a liberdade de baixar e usar o software como quiser, e fazer alterações nele. Isso cria um mercado livremente competitivo nas implementações do bitcoin, com qualquer pessoa livre para contribuir com alterações ou melhorias no software e apresentá-las aos usuários para adoção.

Com o tempo, centenas de programadores de todo o mundo se voluntariaram para melhorar o software do nó e, no processo, melhorar os recursos de nós individuais. Esses programadores formaram várias implementações diferentes, a maior e mais popular delas é conhecida como "Bitcoin Core". Existem várias outras implementações e os usuários podem alterar o código-fonte a qualquer momento. O único requisito para um nó fazer parte da rede é que ele siga as regras de consenso dos outros nós. Nós que quebram as regras de consenso alterando a sequência de blocos, a validade da transação, a recompensa do bloco ou qualquer um de muitos outros parâmetros do sistema acabam por ter suas transações rejeitadas pelo restante dos nós.

O processo do que define os parâmetros do bitcoin é um exemplo do que o filósofo escocês Adam Ferguson chamou de "o produto da ação humana, e não do desígnio humano"[3]. Embora Satoshi Nakamoto e Hal Finney e outros tenham produzido um modelo do software em janeiro de 2009, o código evoluiu significativamente desde então através das contribuições de centenas de desenvolvedores escolhidos por milhares de usuários que executam nós. Não existe uma autoridade central que determine a evolução do software bitcoin e nenhum programador é capaz de determinar qualquer resultado. O fator chave para que uma nova implementação que seja adotada provou ser a aderência aos parâmetros do design original. Na medida em que são feitas alterações no software, essas alterações podem ser melhor entendidas como melhorias na maneira como um nó individual interage com a rede, mas não como alterações na rede bitcoin ou em suas regras de consenso. Embora esteja fora do escopo do livro discutir quais são esses parâmetros, basta especificar este critério: uma mudança que coloca o nó que o adota fora de consenso com outros nós exige que todos os outros nós sejam atualizados para que o nó inicie a alteração para permanecer na rede. Se vários nós adotarem as novas regras de consenso, o que surge é chamado de *hard fork*.

Os programadores de bitcoin, portanto, mesmo com toda a sua competência, não podem controlar o bitcoin e são apenas programadores de bitcoin na medida em que fornecem aos operadores de nó o software que os operadores de nó desejam adotar. Mas os programa-

---

[3] Adam Ferguson, An Essay on the History of Civil Society. (London: T. Cadell, 1782) [68].

dores não são os únicos que não conseguem controlar o bitcoin. Os mineradores também, mesmo com todo o poder de hash que podem obter, também não podem controlar o bitcoin. Independentemente da quantidade de poder de hash gasto nos blocos de processamento inválidos, eles não serão validados pela maioria dos nós do bitcoin. Portanto, se os mineradores tentassem alterar as regras da rede, os blocos que eles gerassem seriam simplesmente ignorados pelos membros da rede que operam os nós e estariam desperdiçando seus recursos na solução de problemas de prova-de-trabalho sem qualquer recompensa. Os mineradores são apenas mineradores de bitcoin na medida em que produzem blocos com transações válidas de acordo com as regras de consenso atuais.

Seria tentador dizer aqui que os operadores de nó controlam o bitcoin, e isso é verdade de uma maneira coletiva abstrata. Mais realisticamente, os operadores de nós podem controlar apenas seus próprios nós e decidir por si mesmos a quais regras de rede se submeter e quais transações consideram válidas ou inválidas. Os nós são severamente restringidos na escolha das regras de consenso, porque se aplicassem regras inconsistentes com o consenso da rede, suas transações seriam rejeitadas. Cada nó tem um forte incentivo para manter as regras de consenso da rede e permanecer compatível com os nós dessas regras de consenso. Cada nó individual é impotente para forçar outros nós a alterar seu código, e isso cria um forte viés coletivo para permanecer nas regras de consenso atuais.

Concluindo, os programadores de bitcoin enfrentam um forte incentivo para cumprir as regras de consenso para que seu código seja adotado. Os mineradores precisam cumprir as regras de consenso da rede para receber uma compensação pelos recursos que gastam na prova-de-trabalho. Os membros da rede enfrentam um forte incentivo para permanecer nas regras de consenso para garantir que possam processar suas transações na rede. Qualquer programador, minerador ou operador de nó individual é dispensável para a rede. Se eles se afastarem das regras de consenso, o resultado mais provável é que eles desperdiçam recursos individualmente. Desde que a rede ofereça recompensas positivas a seus participantes, é provável que os participantes se reponham. Os parâmetros de consenso do bitcoin podem, portanto, ser entendidos como soberanos. Na medida em que o bitcoin existirá, ele existirá de acordo com esses parâmetros e especificações. Esse viés de status quo muito forte na operação do bitcoin torna extremamente difíceis as alterações no cronograma de oferta de dinheiro ou nos importantes parâmetros econômicos. É apenas por causa desse equilíbrio estável que o bitcoin pode ser considerado moeda forte. Caso o bitcoin se desvie dessas regras de consenso, sua proposta de valor de funcionar como moeda forte ficaria seriamente comprometida.

No melhor conhecimento deste autor, não houve tentativas coordenadas significativas de alterar a política monetária do bitcoin[4], mas mesmo tentativas ainda mais simples de alterar algumas das especificações técnicas do código falharam até agora. A razão pela qual mesmo mudanças aparentemente inócuas no protocolo são extremamente difíceis de executar é a natureza distribuída da rede e a necessidade de que muitas partes contrárias e adversárias concordem com mudanças cujo impacto não conseguem saber completamente, enquanto a segurança e a familiaridade testada e comprovada do status quo permanecem totalmente familiares e confiáveis. O status quo do bitcoin pode ser entendido como um ponto de Schelling estável[5], que fornece um in-

---

[4]Após a primeira redução pela metade (halving) das recompensas em moedas em 2012, alguns mineradores tentaram continuar a minerar blocos com 50 recompensas, mas a tentativa foi frustrada rapidamente, pois os nós rejeitaram os blocos extraídos por esses mineradores, forçando-os a voltar ao cronograma original de inflação.

[5]Um ponto de Schelling é uma estratégia que os indivíduos usarão na ausência de comunicação com os outros porque o ponto lhes parece natural e porque esperam que outros escolham também essa estratégia. Dado que não há uma maneira formal de avaliar quantos nós de bitcoin existem, o ponto de Schelling para cada nó membro é manter o conjunto de regras de consenso existente e evitar a saída para uma nova configuração.

centivo útil para todos os participantes se apegarem a ele, enquanto o afastamento dele sempre envolverá um risco significativo de perda.

Se alguns membros da rede bitcoin decidissem mudar um parâmetro no código do bitcoin, introduzindo uma nova versão do software que é incompatível com o restante dos membros da rede, o resultado seria uma bifurcação[6], que efetivamente cria duas moedas e redes separadas. Enquanto os membros permanecerem na rede antiga, eles se beneficiarão da infraestrutura da rede existente, do equipamento de mineração, dos efeitos em rede e do reconhecimento do nome. Para que a nova bifurcação seja bem-sucedida, seria necessária uma maioria esmagadora de usuários, poder de hash de mineração e toda a infraestrutura relacionada para migrar ao mesmo tempo. Se não houver essa maioria esmagadora, o resultado mais provável é que os dois bitcoins sejam negociados entre si nas bolsas. Se as pessoas por trás da bifurcação esperarem que ela seja bem-sucedida, terão que vender suas moedas da bifurcação antiga e esperar que todos os outros façam o mesmo, para que o preço desmorone e o preço da nova bifurcação suba, aumentando assim toda a energia de mineração e rede econômica para a nova rede. Mas como qualquer alteração em qualquer parâmetro na operação do bitcoin provavelmente terá efeitos benéficos em alguns membros da rede às custas de outros, é improvável que um consenso seja estabelecido para migrar para a nova moeda. De forma mais ampla, a maioria dos detentores de bitcoin apenas o detém porque eles foram atraídos pela natureza automatizada de suas regras e dificuldade de elas serem controladas ou alteradas por terceiros. É altamente improvável que esses indivíduos queiram arriscar dar margem a mudanças fundamentais na rede para um novo grupo que propõe uma nova base de código incompatível. Se essa maioria existe ou não é um ponto discutível; o que importa é que existam em número suficiente

---

[6](N.T.) Bifurcação é chamada de "fork" em inglês. Na comunidade bitcoiner brasileira, utiliza-se normalmente o termo em inglês.

para garantir sempre que continuarão com os parâmetros atuais do sistema, a menos que operação seja comprometida por algum motivo. Salvo uma falha catastrófica no projeto atual, é uma aposta segura que haverá uma porcentagem significativa de nós optando por permanecer com a implementação antiga, o que automaticamente torna essa escolha muito mais segura para qualquer pessoa que considere escolher a bifurcação. O problema de decidir optar por uma bifurcação é que a única maneira de ajudá-la a ter sucesso é vendendo suas moedas da blockchain de blocos antiga. Ninguém quer vender suas moedas na rede antiga para passar para a nova rede para depois descobrir que nem todos foram também e o valor das moedas na nova rede cai. Em suma, nenhuma alteração para uma nova implementação das regras de consenso pode ocorrer, a menos que a grande maioria esteja disposta a migrar junto, e qualquer migração sem a mudança da maioria é quase certamente economicamente desastrosa para todos os envolvidos. Como qualquer mudança para uma nova implementação provavelmente dá à parte que propõe a mudança o controle significativo sobre a direção futura do bitcoin, os detentores de bitcoin, necessários para que essa mudança seja bem-sucedida, são em grande parte ideologicamente opostos a qualquer grupo desse tipo com autoridade sobre o bitcoin e é altamente improvável que apoiem esse movimento. A existência desse grupo torna o suporte a uma bifurcação altamente arriscado para todos os outros. Essa análise pode ajudar a explicar por que o bitcoin resistiu a todas as tentativas de alterá-lo significativamente até o momento. É muito difícil superar o problema de coordenação de organizar uma migração simultânea entre pessoas com interesses antagônicos, várias das quais estão fortemente investidas na noção de imutabilidade em si, exceto se houver algum motivo premente para as pessoas se afastarem das implementações atuais.

Por exemplo, uma proposta para aumentar a taxa de emissão da moeda para elevar as moedas que recompensam os mineradores pode atrair os mineradores, mas isso não atrairia os detentores atuais e, portanto, é improvável que eles aceitem essa proposta. Da mesma forma, uma proposta para aumentar o tamanho dos blocos da rede bitcoin provavelmente beneficiaria os mineradores, permitindo-lhes executar mais transações por bloco e possivelmente cobrar mais taxas de transação para maximizar o retorno do investimento em seus equipamentos de mineração. Mas isso provavelmente não atrairia os detentores de longo prazo do bitcoin, que se preocupariam com o fato de blocos maiores gerarem um tamanho muito maior do blockchain e, portanto, tornarem mais caro o funcionamento de um nó completo[7], diminuindo assim o número de nós na rede, tornando a rede mais centralizada e, portanto, mais vulnerável a ataques. Os programadores que desenvolvem software para executar os nós do bitcoin não têm poder para impor mudanças a ninguém; tudo o que eles podem fazer é propor código, e os usuários podem fazer o download do código e da versão que quiserem. Qualquer código que seja compatível com as implementações existentes terá muito mais probabilidade de ser baixado do que qualquer código que não seja compatível, porque este último só será bem-sucedido se a grande maioria da rede também rodar o mesmo código.

Como resultado, o bitcoin exibe um viés de *status quo* extremamente forte. Até agora, só pequenas e incontroversas mudanças no código foram implementadas, e todas as tentativas de alterar a rede terminaram significativamente com falhas retumbantes, para deleite dos bitcoiners intransigentes de longo prazo que gostam de sua moeda justamente por sua imutabilidade e resistência a mudanças. A tentativa mais séria dessas mudanças dizia respeito ao aumento do tamanho de

---

[7](N.T.) Um nó completo na rede bitcoin é um computador que recebe e envia dados para a checagem na validade das transações e dos blocos. Um nó pode ser incompleto quando se comunica apenas parcialmente com a rede na execução dessas funções.

blocos individuais para permitir mais transações por bloco. Vários projetos reuniram os nomes de alguns bitcoiners muito importantes e antigos, e gastaram muito em tentar ganhar publicidade para a moeda. Gavin Andresen, que foi um dos rostos mais publicamente associados ao bitcoin, pressionou muito agressivamente várias tentativas de forçar o bitcoin a ter blocos maiores, junto com muitas partes interessadas, incluindo alguns desenvolvedores qualificados e empreendedores abastados.

Inicialmente, o bitcoin XT foi proposto por Andresen e um desenvolvedor com o nome de Mike Hearn em junho de 2015, com o objetivo de aumentar o tamanho de um bloco de 1 MB para 8 MB. Mas a maioria dos nós se recusou a atualizar seu software e preferiu permanecer nos blocos de 1 megabyte. Hearn foi então contratado por um "consórcio de instituições financeiras blockchain" para trazer a tecnologia blockchain para os mercados financeiros e publicou um post em um blog para coincidir com um perfil elogioso dele no New York Times, que o anunciou como alguém tentando desesperadamente salvar o bitcoin, enquanto pintava o bitcoin como fadado ao fracasso. Hearn proclamou "o fim do experimento bitcoin", citando a falta de crescimento na capacidade de transação como um obstáculo letal ao sucesso do bitcoin e anunciando que ele havia vendido todas as suas moedas. O preço do bitcoin naquele dia era de cerca de US$ 350. Nos dois anos seguintes, o preço aumentou mais de quarenta vezes, enquanto o "consórcio blockchain" no qual ele ingressou ainda não produziu nenhum produto real.

Sem se deixar intimidar, Gavin Andresen propôs imediatamente uma nova tentativa de bifurcar o bitcoin sob o nome de "Bitcoin Classic", que elevaria o tamanho do bloco para 8 megabytes. Essa tentativa não teve um desempenho melhor e, em março de 2016, o número de nós que a apoiavam começou a fracassar. No entanto, os apoiadores do aumento do tamanho do bloco se reagruparam no bitcoin Unlimited em 2017, uma coalizão ainda mais ampla que incluía o maior fabricante de chips de mineração de bitcoin, além de um indivíduo rico que controla o nome de domínio do `bitcoin.com` e que gastou enormes recursos tentando promover blocos maiores. Foi gerado muito *hype* da mídia e a sensação de crise era palpável para muitos que seguem as notícias do bitcoin na mídia convencional e nas mídias sociais; no entanto, por fim ficou estabelecido que nenhuma bifurcação foi tentada, pois a maioria dos nós continuava em execução as implementações compatíveis com 1 MB.

Finalmente, em agosto de 2017, um grupo de programadores propôs uma nova bifurcação do bitcoin sob o nome de "Bitcoin Cash", que incluiu muitos dos defensores anteriores de aumentar o tamanho do bloco. O destino do bitcoin Cash é uma ilustração vívida dos problemas com uma bifurcação do bitcoin que não possui suporte do consenso. Como a maioria optou por permanecer na blockchain original, e a infraestrutura econômica de trocas e empresas que suportam o bitcoin ainda está amplamente focada no bitcoin original. Isso manteve o valor das moedas do bitcoin muito mais alto do que o bitcoin Cash, e o preço do bitcoin Cash continuou a cair até atingir uma baixa de 5% do valor do bitcoin em novembro de 2017. Além de a bifurcação não conseguir obter valor econômico, ela também trouxe consigo um sério problema técnico que o torna quase inutilizável. Visto que a nova blockchain tem o mesmo algoritmo de hash do bitcoin, os mineradores podem utilizar seu poder de processamento em ambas as blockchains e receber recompensas em ambas. Mas como as moedas do bitcoin são muito mais valiosas que o bitcoin Cash, o poder de processamento por trás do bitcoin permanece muito maior do que o do bitcoin Cash, e os mineradores do bitcoin podem mudar para o bitcoin Cash a qualquer momento que as recompensas forem altas. Isso deixa o bitcoin Cash em um dilema infeliz: se a dificuldade de mineração for muito alta, haverá um longo atraso para que os blocos sejam produzidos e as transações sejam processadas. Mas se a dificuldade for muito baixa, a moeda é extraída muito rapidamente e a oferta aumenta rapidamente. Isso aumenta a oferta das moedas bitcoin Cash mais rapidamente do que bitcoin e levaria à recompensa por moedas muito rapidamente, reduzindo assim o incentivo para os futuros mineradores. Muito provavelmente, isso terá que levar a uma outra bifurcação que ajuste o crescimento da oferta para continuar oferecendo recompensas para os mineradores. Esse problema é exclusivo de uma blockchain que rompe com o bitcoin, mas nunca foi verdade para o próprio bitcoin. A mineração de bitcoin estava sempre utilizando a maior quantidade de poder de processamento para seu algoritmo, e o aumento na capacidade de processamento era sempre incremental, pois os mineradores empregavam mais capacidade de mineração. Mas com uma moeda que se separa do bitcoin, o menor valor da moeda e a menor dificuldade tornam a moeda constantemente vulnerável à mineração rápida pelos mineradores com muito mais capacidade da blockchain mais valiosa.

Após o fracasso desta bifurcação em desafiar a posição principal do bitcoin, outra tentativa de bifurcação para dobrar o tamanho do bloco, negociada entre várias startups ativas no sistema econômico do bitcoin, foi cancelada em meados de novembro, quando seus promotores perceberam que era altamente improvável que chegassem a um consenso para a mudança e provavelmente acabariam com outra moeda e outra rede. Os defensores do bitcoin aprenderam a dar de ombros em relação a essas tentativas, percebendo que, independentemente de quanto *hype* seja gerado, qualquer tentativa de alterar as regras de consenso do bitcoin levará à geração de mais um imitador do bitcoin, como as *altcoins* que copiam os detalhes incidentais do bitcoin, mas o fazem sem sua única característica importante: imutabilidade. A partir da discussão acima, deve ficar claro que as vantagens do bitcoin não estão em sua velocidade, conveniência ou experiência de usuário amigável. O valor do bitcoin vem do fato de ele ter uma política monetária imutável precisamente porque ninguém pode mudá-lo facilmente. Qualquer moeda que comece com um grupo de indivíduos alterando as especificações do bitcoin perdeu com a sua criação a única propriedade que torna o bitcoin valioso em primeiro lugar.

O bitcoin é fácil de usar, mas praticamente impossível de alterar. O bitcoin é voluntário, então ninguém precisa usá-lo, mas aqueles que querem usá-lo não têm escolha a não ser seguir suas regras. Mudar o bitcoin de qualquer maneira significativa não é realmente possível e, se for tentado, produzirá outro imitador inútil a ser adicionado aos milhares que já estão lá fora. O bitcoin deve ser aceito como é, em seus próprios termos e usado para o que oferece. Para todos as intenções e propósitos práticos, o bitcoin é *soberano*: é executado de acordo com suas próprias regras e não há pessoas de fora que possam alterar essas regras. Pode até ser útil pensar nos parâmetros do bitcoin como sendo semelhantes à rotação da terra, sol, lua ou estrelas, forças fora do nosso controle que devem ser vividas, não alteradas.

Antifragilidade

O bitcoin é uma personificação da ideia de *antifragilidade*, que é conhecida como um ganho com a adversidade e a desordem. O bitcoin não é apenas robusto a ataques, mas pode-se dizer que é antifrágil, tanto em nível técnico quanto econômico. Embora as tentativas de matar o bitcoin tenham fracassado até agora, muitos deles o tornaram mais forte ao permitir que os programadores identificassem pontos fracos e os corrigissem. Além disso, cada ataque frustrado à rede é um reforço à sua solidez, outra prova e propaganda da segurança da rede para participantes e pessoas de fora.

Uma equipe global de desenvolvedores, revisores e hackers volun-tários têm interesse profissional, financeiro e intelectual em trabalhar para melhorar ou fortalecer o código e a rede bitcoin. Quaisquer explorações ou fraquezas encontradas na especificação do código atrairão alguns desses programadores para oferecer soluções, debatê-las, testá-las e depois propô-las aos membros da rede para adoção. As únicas mudanças que ocorreram até agora foram as mudanças operacionais que permitem que a rede funcione com mais eficiência, mas não as mudanças que alteram a essência da operação da moeda. Esses programadores podem possuir *tokens* de bitcoin e, portanto, têm um incentivo financeiro para trabalhar para garantir que o bitcoin cresça e seja bem-sucedido.

Por sua vez, o sucesso contínuo do bitcoin recompensa esses programadores financeiramente e, assim, permite que eles dediquem mais tempo e esforço à manutenção do bitcoin. Alguns dos desenvolvedores de destaque que trabalham na manutenção do bitcoin tornaram-se ricos o suficiente ao investir no bitcoin para que possam torná-lo sua ocupação principal sem receber pagamento de ninguém.

Em questão de cobertura da mídia, o bitcoin parece ser uma boa personificação do ditado "toda publicidade é boa publicidade". Como uma nova tecnologia que não é fácil de entender, o bitcoin sempre receberia uma cobertura da mídia imprecisa e simplesmente hostil, como era o caso de muitas outras tecnologias. O site 99bitcoins.com coletou mais de 200 exemplos de artigos de destaque anunciando a morte do bitcoin ao longo dos anos. Alguns desses escritores consideraram o bitcoin uma contravenção à sua visão de mundo - geralmente relacionada à Teoria Estatal da Moeda ou à fé keynesiana na importância de uma oferta elástica de dinheiro - e se recusaram a considerar a possibilidade de estarem errados. Em vez disso, eles concluíram que deveria ser a própria existência do bitcoin algo errado e, portanto, previram que ele morreria em breve. Outros acreditavam firmemente na necessidade de mudar o bitcoin para manter seu sucesso e, quando não conseguiram fazê-lo da maneira que desejavam, concluíram que ele deveria morrer. Os ataques dessas pessoas ao bitcoin os levaram a escrever sobre o assunto e chamar a atenção de um público cada vez maior. Quanto mais numerosos os obituários, mais seu poder de processamento, transações e valor de mercado aumentavam. Muitos bitcoiners, incluindo este autor, só chegaram a notar a importância do bitcoin observando quantas vezes ele havia sido descartado e como continuava a operar com sucesso. Os obituários do bitcoin eram impotentes para detê-lo, mas parecem tê-lo ajudado a ganhar mais publicidade e despertar a curiosidade do público ao fato de que continua a operar apesar de toda a hostilidade e má impressão que recebe.

Um bom exemplo da antifragilidade do bitcoin ocorreu no outono de 2013, quando o FBI prendeu o suposto proprietário do site Silk Road, que era um verdadeiro mercado livre online, permitindo que os usuários vendessem e comprassem o que quisessem online, incluindo drogas ilegais. Como o bitcoin foi associado na mente das pessoas às drogas e ao crime, a maioria dos analistas previu que o fechamento do site destruiria a utilidade do bitcoin. O preço naquele dia caiu de cerca de US$ 120 para os níveis de US$ 100, mas se recuperou rapidamente e começou um aumento muito rápido, chegando a US$ 1.200 por bitcoin dentro de alguns meses. No momento da redação deste artigo, o preço nunca havia caído para o nível em que estava antes do fechamento do site Silk Road. Ao sobreviver ileso ao fechamento do Silk Road, o bitcoin demonstrou que é muito mais que uma moeda para o crime e, no processo, se beneficiou da publicidade gratuita da cobertura da mídia do Silk Road.

Outro exemplo da antifragilidade do bitcoin veio em setembro de 2017, depois que o governo chinês anunciou o fechamento de todas as casas de câmbio virtuais chinesas que negociavam bitcoin. Enquanto a reação inicial foi de pânico que viu o preço cair em cerca de 40%, foi apenas uma questão de horas antes que o preço começasse a se recuperar e, em poucos meses, o preço mais do que dobrou de onde estava antes da proibição do governo. Embora proibir as casas de câmbio virtuais de negociar bitcoin possa ser visto como um impedimento à adoção do bitcoin por meio de uma redução de sua liquidez, parece ter servido apenas para reforçar a proposta de valor do bitcoin. Mais transações começaram a acontecer fora das casas de câmbio virtuais na China, com volumes em sites como o localbitcoins.com explodindo. Pode ser apenas que a suspensão do comércio na China causou o oposto do efeito pretendido, pois levou os chineses a manter seu bitcoin a longo prazo em vez de negociá-lo a curto prazo.

O bitcoin Consegue ser Escalável?

No momento da redação deste artigo, um dos debates mais relevantes em torno do bitcoin diz respeito à questão de escalar ou aumentar a capacidade de transação. Os blocos de 1 megabyte do bitcoin significam que a capacidade de transações atual é de menos de 500.000 transações por dia. O bitcoin já se aproximou desses níveis de transações e, como resultado, as taxas de transação aumentaram significativamente nos últimos meses. A implementação de uma tecnologia chamada SegWit pode resultar em quadruplicar essa capacidade diária, mas, no entanto, está ficando claro que haverá um limite rígido para quantas transações podem ser processadas no blockchain do bitcoin, devido à natureza descentralizada e distribuída do bitcoin. Cada transação do bitcoin é registrada com todos os nós da rede, os quais são todos obrigados a manter uma cópia do registro completo de todas as transações. Isso significa necessariamente que o custo de registrar transações será muito maior do que em qualquer solução centralizada que precise apenas de um registro e alguns backups. Os sistemas de processamento de pagamentos mais eficientes são todos centralizados por um bom motivo: é mais barato manter um registro central do que manter vários registros distribuídos e precisar se preocupar com a atualização em sincronia, um processo que até agora só pode ser alcançado usando a prova-de-trabalho do bitcoin.

As soluções de pagamento centralizadas, como Visa ou Master-Card, empregam um registro centralizado no qual todas as transações são validadas, além de manter um backup totalmente separado. A Visa pode processar cerca de 3.200 transações por segundo, ou 100,8 bilhões de transações por ano[8]. Os atuais blocos de 1 megabyte do bitcoin são capazes de processar no máximo quatro transações por segundo, 350.000 transações por dia ou cerca de 120 milhões de transações por ano. Para o bitcoin processar as 100 bilhões de transações que a Visa processa, cada bloco precisaria ter cerca de 800 megabytes, ou seja, a cada dez minutos, cada nó do bitcoin precisaria adicionar 800 megabytes de dados. Em um ano, cada nó do bitcoin adicionaria cerca de 42 terabytes de dados, ou 42.000 gigabytes, ao seu blockchain. Tal número está completamente fora do domínio do possível poder de processamento de computadores disponíveis no mercado agora ou no futuro próximo. O computador pessoal médio, ou o disco rígido externo médio, tem capacidade na ordem de 1 terabyte, cerca de uma semana de transações nos volumes Visa. Para se ter uma perspectiva, vale a pena examinar o tipo de infraestrutura de computação que a Visa emprega para processar essas transações.

Em 2013, um relatório mostrou que a Visa possui um data center descrito como um "Fort Knox digital" contendo 376 servidores, 277 computadores, 85 roteadores e 42 firewalls[9]. O sistema centralizado da Visa é reconhecidamente um ponto único de falha e, portanto, emprega quantidades muito grandes de redundância e capacidade extra para se proteger de circunstâncias imprevistas, enquanto no caso do bitcoin, a presença de muitos nós tornaria cada um deles não-crítico, exigindo menos segurança e capacidade. No entanto, um nó que pode

---

[8]Visa, Inc. num relance. Disponível em: https://usa.visa.com/dam/VCOM/download/corporate/media/visa-fact-sheet-Jun2015.pdf

[9]Tony Kontzer "Inside Visa's Data Center", *Network Computing*. Disponível em http://www.networkcomputing.com/networking/inside-visas-data-center/1599285558

adicionar 42 terabytes de dados todos os anos exigiria um computador muito caro, e o tamanho de banda da rede necessária para processar todas essas transações todos os dias seria um custo enorme que seria claramente complicado e caro para uma rede distribuída manter.

Existem apenas alguns desses centros em todo o mundo: os empregados pela Visa, MasterCard e alguns outros processadores de pagamento. Caso o bitcoin tente processar essa capacidade, não poderia competir com essas soluções centralizadas, tendo milhares de centros distribuídos em uma escala semelhante; teria que se centralizar e empregar apenas alguns desses data centers. Para que o bitcoin permaneça distribuído, cada nó da rede deve custar algo razoável para milhares de indivíduos executá-lo em computadores pessoais disponíveis comercialmente, e a transferência de dados entre os nós deve estar em escalas suportadas pela largura de banda regular do consumidor.

É inconcebível que o bitcoin possa executar a mesma escala de transações *on-chain* que um sistema centralizado pode suportar. Isso explica por que os custos das transações estão aumentando e, com maior probabilidade, continuarão a aumentar se a rede continuar crescendo. O maior escopo para dar mais escala nas transações do bitcoin provavelmente será *off-chain*, onde muitas tecnologias mais simples podem ser usadas para pagamentos pequenos e sem importância. Isso garante que não haja comprometimento das duas propriedades mais significativas do bitcoin para as quais se justifica o uso de amplo poder de processamento: *moeda forte digital* e dinheiro vivo digital. Não há tecnologias alternativas que possam oferecer essas duas funções, mas existem muitas que podem oferecer pequenos pagamentos e gastos do consumidor a baixo custo, e a tecnologia para essas opções é muito simples de implementar de forma relativamente confiável com as atuais tecnologias bancárias. O uso massificado do bitcoin para pagamentos a comerciantes nem é muito viável, pois leva de 1 a 12 minutos para que uma transação receba sua primeira confirmação. Os comerciantes e clientes não podem esperar tanto tempo com os pagamentos, e mesmo que o risco de um ataque de gasto duplo não seja significativo o suficiente para um pagamento pequeno, é significativo o suficiente para os comerciantes que recebem um grande número de transações, como no exemplo do ataque ao Betcoin Dice, discutido mais tarde na seção sobre ataques ao bitcoin.

Para pessoas que desejam usar o bitcoin como uma reserva de valor de longo prazo ou para pessoas que desejam realizar transações importantes sem ter que passar por um governo repressivo, as altas taxas de transação são um preço que vale a pena pagar. Poupar bitcoin por sua própria natureza não exigirá muitas transações, e por isso vale a pena pagar uma alta taxa de transação. E para transações que não podem ser realizadas através do sistema bancário regular, como pessoas que tentam tirar seu dinheiro de um país sofrendo controles de inflação e capital, as altas taxas de transação do bitcoin serão um preço que vale a pena pagar. Mesmo nos baixos níveis de adoção atuais, a demanda por *dinheiro digital* e *moeda forte digital* já elevou as taxas de transação a ponto de não poderem competir com soluções centralizadas como PayPal e cartões de crédito para pequenos pagamentos. No entanto, isso não impediu o crescimento do bitcoin, o que indica que a demanda do mercado por bitcoin é impulsionada por seu uso como *dinheiro digital* e reserva digital de valor, em vez de pequenos pagamentos digitais.

Se a popularidade do bitcoin continuar a crescer, existem algumas soluções de escalabilidade em potencial que não envolvem a criação de alterações na estrutura do bitcoin, mas que aproveitam a maneira como as transações são estruturadas para aumentar o número de pagamentos possíveis. Cada transação bitcoin pode conter várias entradas e saídas, e usando uma técnica chamada CoinJoin, vários pagamentos podem ser agrupados em uma transação, permitindo várias entradas e saídas por apenas uma fração do espaço necessário de outra forma. Isso poderia aumentar potencialmente o volume de transações do bitcoin para milhões de pagamentos por dia e, à medida que os custos da transação aumentam, isso é cada vez mais provável que se torne uma opção popular.

Outra possibilidade para escalar o bitcoin são as carteiras USB móveis digitais, que podem ser feitas à prova de adulteração física e podem ser checadas quanto a seu saldo a qualquer momento. Essas unidades USB carregam as chaves privadas para quantidades específicas de bitcoins, permitindo que quem as detenha retire o dinheiro delas. Eles poderiam ser usados como dinheiro físico, e cada titular poderia verificar o valor nessas unidades. Como as taxas têm aumentado na rede, não houve pausa no crescimento da demanda por bitcoin, como evidenciado por seu aumento no preço, indicando que os usuários valorizam as transações mais do que os custos de transação que precisam pagar por elas. Em vez de as taxas crescentes desacelerarem a adoção do bitcoin, o que está acontecendo é que as transações menos importantes estão sendo movidas para fora da blockchain e as transações *on-chain* estão tendo mais importância. Os casos de uso mais importantes do bitcoin, como uma reserva de valor e pagamentos sem censura, fazem valer a pena pagar as taxas de transação. Quando as pessoas compram o bitcoin para mantê-lo a longo prazo, leva-se em conta uma pequena taxa de transação e geralmente é reduzida pela comissão e pelo prêmio colocado pelos vendedores. Para pessoas que procuram escapar dos controles de capital ou enviar dinheiro para países que enfrentam dificuldades econômicas, vale a pena pagar a taxa de transação, considerando que o bitcoin é a única alternativa. À medida que a adoção do bitcoin se espalha, e as taxas de transação aumentam o suficiente para serem importantes para as pessoas que os pagam, haverá pressão econômica para utilizar mais das soluções de dimensionamento acima, que podem aumentar a capacidade da transação sem fazer alterações que comprometam as regras da rede e forçar uma divisão da blockchain.

Além dessas possibilidades, a maioria das transações de bitcoin hoje já são realizadas *off-chain* e apenas liquidadas *on-chain*. Negócios baseados em bitcoin, como câmbio, cassinos ou sites de jogos, usarão apenas o blockchain do bitcoin para depósitos e saques de clientes, mas, dentro de suas plataformas, todas as transações são registradas em seus bancos de dados locais, denominados em bitcoin. Não é possível fazer estimativas precisas do número dessas transações devido ao próprio grande número de empresas, a falta de dados públicos sobre as transações que ocorrem em suas plataformas e a dinâmica de rápida mudança do sistema econômico do bitcoin, mas uma estimativa conservadora os colocaria como sendo mais de 10 vezes o número de transações realizadas na blockchain bitcoin. De fato, o bitcoin já está sendo usado como um ativo de reserva na maioria das transações no sistema econômico do bitcoin. Caso o crescimento do bitcoin continue, é natural que o número de transações fora da blockchain aumente mais rapidamente do que as transações *on-chain*.

Tal análise pode contradizer a retórica que acompanhou a ascensão do bitcoin, que promove o bitcoin como um fim aos bancos e à bancarização. A ideia de que milhões, ou ainda bilhões, poderiam usar a rede bitcoin diretamente para realizar todas as suas transações é irrealista, pois implicaria que todo membro da rede precisa registrar as transações de todos os outros membros. À medida que os números aumentam, esses registros aumentam e constituem uma carga computacional significativa. Por outro lado, as propriedades únicas do bitcoin como uma reserva de valor provavelmente continuarão a aumentar a demanda por ele, dificultando sua sobrevivência como uma rede puramente ponto a ponto. Para que o bitcoin continue a crescer, terá que haver soluções de processamento de pagamentos manipuladas fora blockchain do bitcoin, e essas soluções estão emergindo da rotina dos mercados competitivos.

Outra razão importante pela qual os bancos enquanto instituições não irão desaparecer é a conveniência da custódia bancária. Enquanto muitos puristas de bitcoin valorizam a liberdade que lhes é concedida por poderem manter seu próprio dinheiro e não confiarem em uma instituição financeira para acessá-lo, a grande maioria das pessoas não faz questão dessa liberdade e prefere não ter seu dinheiro sob sua responsabilidade por medo de roubo ou sequestro. Em meio à retórica anti-banco popular hoje em dia, principalmente nos círculos bitcoin, é fácil esquecer que o banco de depósito é um negócio legítimo de que as pessoas têm precisado por centenas de anos em todo o mundo. As pessoas ficam contentes em pagar para que seu dinheiro seja armazenado com segurança; portanto, elas só precisam carregar uma pequena quantia de dinheiro, enfrentando pouco risco de perda. Por sua vez, o uso generalizado de cartões bancários, em vez de dinheiro, permite que as pessoas carreguem pequenas quantias em dinheiro o tempo todo, o que provavelmente torna a sociedade moderna mais segura do que seria caso contrário, porque a maioria dos possíveis agressores hoje em dia percebe que não é provável encontrar uma vítima carregando quantias significativas de dinheiro, e o roubo de cartões bancários dificilmente renderá quantias significativas antes que a vítima possa cancelá-los.

Mesmo que seja possível que a rede do bitcoin suporte bilhões de transações por dia, evitando a necessidade de processamento de segunda camada, muitos, se não a maioria, dos bitcoiners com parti-cipações significativas acabarão por mantê-los em um dos inúmeros e crescentes serviços para custódia segura do bitcoin. Esta é uma in-dústria inteiramente nova e provavelmente evoluirá significativamente para fornecer soluções técnicas para armazenamento com diferentes graus de segurança e liquidez. Qualquer que seja a forma que esse setor adote, os serviços que ele fornece e como ele evolui moldarão os contornos de um sistema bancário baseado em bitcoin no futuro. Não faço previsão de que formato esses serviços terão e de quais recursos tecnológicos eles terão, exceto para dizer que provavelmente utilizará mecanismos de prova criptográfica construídos em cima da reputação do mercado para operar com sucesso. Uma tecnologia possível de como isso pode ser alcançado é conhecida como Lightning Network, uma tecnologia em desenvolvimento que promete aumentar significativamente a capacidade de transação, permitindo que os nós executem canais de pagamento *off-chain*, que usam apenas o registro do bitcoin para verificar saldos válidos em vez de transferências.

Em 2016 e 2017, à medida que o bitcoin se aproximava do número máximo de transações diárias, a rede continuava a crescer, como resulta dos dados do Capítulo 8. O bitcoin está ganhando escala através de um aumento no valor das transações *on-chain*, não através de um aumento de seus números. Mais e mais transações estão sendo realizadas fora da blockchain, liquidadas em casas de câmbio virtuais ou sites que lidam com bitcoin, transformando o bitcoin em mais uma rede de liquidação do que em uma rede de pagamento direto. Isso não representa um afastamento da função do bitcoin como dinheiro vivo (cash), como geralmente se acredita. Embora o termo *cash*[10] venha a denotar o dinheiro usado hoje para pequenas transações de consumidores (dinheiro em espécie), o significado original do termo refere-se ao dinheiro que é um título ao portador, cujo valor pode ser transferido diretamente sem a necessidade de liquidação, ou responsabilidade, de terceiros. No século XIX, o termo *cash* se referia às reservas de ouro do banco central e liquidação em *cash* era a transferência de ouro físico entre os bancos. Se esta análise estiver correta, e o bitcoin continuar a crescer em valor e transações *off-chain*, enquanto

---

[10](N.T.) A palavra *cash* não tem tradução única para o português, sendo traduzida tanto como "dinheiro vivo", "dinheiro em espécie" ou "dinheiro à vista". Esse termo é importante desde a criação do bitcoin, que foi descrito pelo próprio Satoshi Nakamoto como um "peer-to-peer electronic cash system", não "money system", nem "payment system" ou "currency system".

as transações *on-chain* não crescerem tanto, o bitcoin seria melhor entendido como *cash* no antigo significado do termo, semelhante às reservas de dinheiro em ouro, ao invés do termo moderno: dinheiro como papel-moeda para pequenas transações.

Em conclusão, existem muitas possibilidades para aumentar o número de transações de bitcoin sem ter que alterar a arquitetura do bitcoin como ela é e sem exigir que todos os operadores de nó atuais atualizem simultaneamente. As soluções para sua maior escala virão dos operadores de nó, melhorando a maneira como eles enviam dados nas transações de bitcoin para outros membros da rede. Isso ocorrerá ao unir transações, transações *off-chain* e canais de pagamento. É improvável que as soluções para mais escala on-chain sejam suficientes para atender à crescente demanda por bitcoin ao longo do tempo e, portanto, as soluções de segunda camada provavelmente continuarão a crescer em importância, levando ao surgimento de um novo tipo de instituição financeira semelhante aos bancos de hoje, usando criptografia e operando principalmente on-line.

O bitcoin é para Criminosos?

Um dos equívocos muito comuns sobre o bitcoin desde o início é que ele seria uma ótima moeda para criminosos e terroristas. Uma longa lista de artigos de imprensa foi publicada com alegações infundadas de que terroristas ou quadrilhas criminosas estão usando o bitcoin para suas atividades. Muitos desses artigos fizeram uma retratação[11], mas não antes de terem impresso essa ideia na mente de muitas pessoas, incluindo criminosos desatentos.

A realidade é que o registro do bitcoin é globalmente acessível e imutável. Ele manterá o registro de todas as transações enquanto o bitcoin ainda estiver operacional. É impreciso dizer realmente que o

---

[11]Stein, Mara Lemos. "The Morning Risk Report: Terrorism Financing Via bitcoin May Be Exaggerated". *Wall Street Journal*, 2017 [69].

bitcoin é anônimo, pois é na verdade ele é pseudônimo. É possível, embora não sempre certo, estabelecer ligações entre identidades da vida real e endereços de bitcoin, permitindo assim o rastreamento completo de todas as transações por um endereço, uma vez que sua identidade é estabelecida. Quando se trata de anonimato, é útil pensar no bitcoin como tão anônimo quanto a Internet: depende de quão bem você se esconde e de como os outros procuram. No entanto, o blockchain do bitcoin torna a ocultação muito mais difícil do que na Web. É fácil descartar um dispositivo, endereço de e-mail ou endereço IP e nunca mais usá-lo novamente, mas é mais difícil apagar completamente a trilha de fundos para um endereço de bitcoin. Por sua própria natureza, a estrutura de blockchain do bitcoin não é ideal para privacidade.

Tudo isso significa que, para qualquer crime que realmente tenha uma vítima, seria desaconselhável que o criminoso usasse o bitcoin. Sua natureza pseudônima significa que os endereços podem estar ligados a identidades do mundo real, mesmo muitos anos após o crime ser cometido. A polícia, ou as vítimas e quaisquer investigadores que contratarem, poderão encontrar um vínculo com a identidade do criminoso, mesmo depois de muitos anos. A própria trilha de pagamentos do bitcoin tem sido a razão pela qual muitos traficantes de drogas on-line foram identificados e pegos quando caíram no *hype* do bitcoin como completamente anônimo.

Bitcoin é uma tecnologia para dinheiro, e dinheiro é algo que pode ser usado por criminosos em todos os momentos. Qualquer forma de dinheiro pode ser usada por criminosos ou para facilitar o crime, mas o registro permanente do bitcoin o torna particularmente inadequado para crimes com vítimas que provavelmente tentam investigar. O bit-coin pode ser útil para facilitar "crimes sem vítimas", onde a ausência da vítima significará que ninguém tenta estabelecer a identidade do "criminoso". Na realidade, e uma vez superada a propaganda estatal do século XX, não existe crime sem vítimas. Se uma ação não tem vítimas, não é crime, independentemente do que alguns eleitores ou burocratas arrogantes gostariam de acreditar sobre sua prerrogativa de legislar a moralidade para outros. Para essas ações ilegais, mas perfeitamente morais, o bitcoin pode ser útil porque não há vítimas para tentar caçar o criminoso. A atividade inofensiva realizada aparece no blockchain como uma transação individual que pode ter várias causas. Portanto, pode-se esperar que crimes sem vítimas, como apostas online e sonegação de controles de capital, usariam bitcoin, mas assassinato e terrorismo provavelmente não usariam. O tráfico de drogas parece acontecer na blockchain do bitcoin, embora isso provavelmente se deva mais aos desejos dos viciados do que ao bom senso, conforme evidenciado pelo grande número de compradores de drogas via bitcoin que foram identificados pelos operadores legais. Embora as estatísticas sobre esse assunto sejam muito difíceis de encontrar, não ficaria surpreso ao descobrir que comprar drogas com bitcoin é muito mais perigoso do que com dinheiro físico do governo.

Em outras palavras, o bitcoin provavelmente aumentará a liberdade das pessoas, embora não necessariamente facilite a prática de crimes. Não é uma ferramenta a ser temida, mas uma que deve ser adotada como parte integrante de um futuro pacífico e próspero. Um tipo de crime de alto padrão que de fato tem utilizado o bitcoin é ransomware: um método de acesso não autorizado a computadores que criptografa os arquivos das vítimas e os libera apenas se a vítima efetuar um pagamento ao destinatário, geralmente em bitcoin. Embora essas formas de crime existissem antes do bitcoin, elas se tornaram mais convenientes desde a invenção do bitcoin. Este é sem dúvida o melhor exemplo de bitcoin facilitando o crime. No entanto, pode-se simplesmente entender que esses crimes de ransomware estão sendo criados para aproveitar a negligência da segurança do computador. Uma empresa que pode ter todo o seu sistema de computador bloqueado por hackers anônimos que exigem alguns milhares de dólares em bitcoin tem problemas muito maiores do que esses hackers. O incentivo para os hackers pode estar na casa dos milhares de dólares, mas o incentivo para os concorrentes, clientes e fornecedores da empresa para obter acesso a esses dados pode ser muito maior. Na verdade, o que o ransomware de bitcoin permitiu é a detecção e exposição de falhas de segurança do computador. Esse processo está levando as empresas a tomar melhores precauções de segurança e fazendo com que a segurança da informação cresça como uma indústria. Em outras palavras, o bitcoin permite a monetização do mercado de segurança de computadores. Embora os hackers possam se beneficiar inicialmente disso, a longo prazo, as empresas produtivas comandarão os melhores recursos de segurança.

Como Matar o bitcoin: Um Guia para Iniciantes

Muitos bitcoiners desenvolveram crenças quase religiosas na capacidade do bitcoin de sobreviver, aconteça o que acontecer. A quantidade de poder de processamento por trás dele e o grande número de nós distribuídos em todo o mundo verificando transações significa que ele é altamente resistente a alterações e provavelmente permanecerá como tal. A maioria dos que não estão familiarizados com o bitcoin frequentemente acredita que ele está condenado porque será inevitavelmente invadido, como tudo o que parece digital. Uma vez que a operação do bitcoin é entendida, fica claro que "invadir" não é uma tarefa simples. Existem várias outras ameaças possíveis ao bitcoin. A segurança do computador é um problema fundamentalmente intratável, pois envolve atacantes imprevisíveis encontrando novos ângulos de ataque. Está além do escopo deste livro elucidar todas as ameaças potenciais ao bitcoin e avaliá-las. Esta seção examina apenas algumas das ameaças mais importantes e as mais relevantes para o foco deste livro sobre bitcoin como moeda forte.

Hackeamento

A resistência a ataques do bitcoin está enraizada em três propriedades: a simplicidade de suas características essenciais, o vasto poder de processamento que nada faz além de garantir a segurança desse design muito simples e os nós distribuídos, que precisam entrar em consenso sobre qualquer alteração para que ela entre em vigor. Imagine o equivalente digital de colocar toda a infantaria e equipamento das forças armadas dos EUA em torno do playground de uma escola para protegê-lo contra invasões e você começará a ter uma ideia de quão excessivamente fortificado é o bitcoin.

O bitcoin é, na sua essência, um registro de propriedade de moedas virtuais. Existem apenas 21 milhões dessas moedas e alguns milhões de endereços que as possuem, e todos os dias não mais de 500.000 transações movimentam algumas dessas moedas. O poder de computação necessário para operar esse sistema é minúsculo. Um laptop de US$ 100 poderia fazê-lo enquanto também navegava na Web. Mas a razão pela qual o bitcoin não é executado em um laptop é que esse arranjo exigiria confiança no proprietário do laptop, além de ser um alvo relativamente simples para hackers.

Todas as redes de computadores confiam em sua segurança para tornar alguns computadores impenetráveis para os invasores e usá-los como o registro definitivo. O bitcoin, por outro lado, adota uma abordagem totalmente diferente para a segurança de computadores: não se preocupa em proteger nenhum de seus computadores individualmente e opera sob a premissa de que todos os nós são atacantes hostis. Em vez de estabelecer confiança em qualquer membro da rede, o bitcoin verifica tudo o que eles fazem. Esse processo de verificação, através da prova-de-trabalho, é o que consome grandes quantidades de poder de processamento e provou ser muito eficaz porque torna a segurança do bitcoin dependente do poder de processamento bruto e, como tal, invulnerável a problemas de acesso ou credenciais. Se todos forem considerados desonestos, todos deverão pagar um alto custo para confirmar as transações no registro, e todos perderão esses custos se sua fraude for detectada. Os incentivos econômicos tornam a desonestidade extremamente cara e com um sucesso altamente improvável.

Para hackear o bitcoin, no sentido de corromper o registro de transações e mover fraudulentamente moedas para uma conta específica ou torná-lo inutilizável, seria necessário que um nó publicasse um bloco inválido no blockchain e que a rede o adotasse e continuasse a operar sobre ele. Como os nós têm um custo muito baixo para detectar fraudes, enquanto o custo de adicionar um bloco de transações é alto e aumenta continuamente, e porque a maioria dos nós na rede tem interesse na sobrevivência do bitcoin, é improvável que essa batalha seja vencida por quem o ataca e continua a ficar mais difícil à medida que o custo de adicionar blocos aumenta.

No coração do design do bitcoin, há uma assimetria fundamental entre o custo de confirmar um novo bloco de transações e o custo de verificar a validade dessas transações. Isso significa que, enquanto forjar o registro é tecnicamente possível, os incentivos econômicos são altamente alinhados contra isso. O registro das transações, como resultado, constitui um registro indiscutível de transações válidas até o momento.

O ataque de 51%

O ataque de 51% é um método de usar grandes quantidades de hashrate para gerar transações fraudulentas, gastando a mesma moeda duas vezes, tendo uma das transações cancelada e fraudando o destinatário. Em essência, se um minerador que controla uma grande porcentagem do hashrate conseguir resolver rapidamente problemas de prova-de-trabalho, ele poderá gastar um bitcoin em um blockchain público que recebe confirmações enquanto minera outra bifurcação do blockchain com outra transação do mesmo bitcoin para outro endereço, pertencente ao invasor. O destinatário da primeira transação recebe confirmações, mas aquele que atacar tentará usar seu poder de processamento para prolongar a segunda blockchain. Se ele conseguir tornar a segunda blockchain mais longa que a primeira, o ataque será bem-sucedido e o destinatário da primeira transação verá as moedas que recebeu desaparecem.

Quanto mais hashrate o atacante for capaz de comandar, maior a probabilidade de ele tornar a blockchain fraudulenta mais longa que a pública e depois reverter sua transação e lucrar. Embora isso possa parecer simples em princípio, na prática tem sido muito mais difícil. Quanto mais o destinatário esperar pela confirmação, menor a probabilidade de o invasor ter sucesso. Se o destinatário estiver disposto a aguardar seis confirmações, a probabilidade de um ataque ter sucesso diminui infinitamente.

Em teoria, o ataque de 51% é viável tecnicamente. Mas, na prática, os incentivos econômicos estão fortemente alinhados contra isso. Um minerador que executar com sucesso um ataque de 51% minaria seriamente os incentivos econômicos para qualquer um usar o bitcoin e, com isso, a demanda por *tokens* de bitcoin. À medida que a mineração de bitcoin cresceu e se tornou um setor intensivo em capital, com grandes investimentos dedicados à produção de moedas, os mineradores cresceram para ter um interesse de longo prazo na integridade da rede, pois o valor de suas recompensas depende disso. Não houve ataques bem-sucedidos de gasto duplo em nenhuma transação de bitcoin que foram confirmados pelo menos uma vez.

A coisa mais próxima de um ataque de gasto duplo bem-sucedido que o bitcoin testemunhou foi em 2013, quando um site de apostas com bitcoin chamado Betcoin Dice tinha por volta de 1.000 bitcoins (avaliados em cerca de US$ 100.000 na época) roubados através de ataques de gasto duplo, utilizando recursos significativos de mineração.

Esse ataque, no entanto, só teve sucesso porque o Betcoin Dice estava aceitando transações com zero confirmações, tornando o custo do ataque relativamente baixo. Se eles tivessem aceitado transações com uma confirmação, teria sido muito mais difícil realizar o ataque. Essa é outra razão pela qual a blockchain do bitcoin não é ideal para pagamentos em massa ao consumidor: leva de 1 a 12 minutos para que um novo bloco seja gerado para produzir uma confirmação para uma transação. Se um grande processador de pagamentos quiser aceitar correr o risco de aprovar pagamentos com zero confirmações, ele constitui um alvo lucrativo para ataques coordenados de gasto duplo que utilizam recursos pesados de mineração.

Em conclusão, teoricamente, é possível executar um ataque de 51% se os destinatários do pagamento não estiverem aguardando alguns blocos para confirmar a validade da transação. Na prática, no entanto, os incentivos econômicos são fortemente contra os proprietários de poder de hash que utilizam seus investimentos nessa abordagem e, como resultado, não houve ataques bem-sucedidos de 51% nos membros do nó que esperaram pelo menos uma confirmação.

Um ataque de 51% provavelmente não seria bem-sucedido se fosse realizado com fins lucrativos, mas esse ataque também poderia ser realizado sem fins lucrativos, com a intenção de destruir o bitcoin. Uma entidade governamental ou privada pode decidir adquirir a capacidade de mineração bitcoin para comandar a maioria da rede bitcoin e, em seguida, continuar a usar esse hashrate para lançar ataques contínuos de gasto duplo, enganando muitos usuários e destruindo a confiança na segurança da rede. Porém a natureza econômica da mineração é fortemente construída contra a materialização deste cenário. O poder de processamento é um mercado global altamente competitivo, e a mineração de bitcoin é um dos maiores, mais rentáveis e mais rápidos usos de poder de processamento no mundo. Um invasor pode considerar o custo de comandar 51% do poder de hash atual e estar disposto a dedicar esse custo à compra do hardware necessário para isso. Mas se uma quantidade tão grande de recursos fosse mobilizada para comprar equipamentos de mineração de bitcoin, os fabricantes desses equipamentos seriam capazes de expandir suas operações, adquirir mais capital para a produção de mineradores e produzir mais equipamentos de mineração para qualquer pessoa no mercado comprar, aumentando inadvertidamente a dificuldade e o hashrate, tornando o ataque mais caro.

Mas se uma quantidade tão grande de recursos fosse mobilizada para comprar equipamentos de mineração de bitcoin, isso simplesmente levaria a um forte aumento no preço desse equipamento, o que recompensaria os mineradores atuais e permitiria que investissem mais na compra de mais equipamentos de mineração. Isso também levaria a investimentos de capital mais pesados na produção de energia de mineração por produtores de mineração, o que reduziria o custo do processamento de energia e permitiria um crescimento mais rápido do hashrate do bitcoin.

Como um intruso que entra no mercado, o atacante está em constante desvantagem, pois sua própria compra de equipamentos de mineração leva ao crescimento mais rápido do poder de processamento de mineração não controlado por ele. Por sua vez, quanto mais recursos são gastos na construção do poder de processamento para atacar o bitcoin, mais rápido o crescimento do poder de processamento do bitcoin e mais difícil se torna atacar. Portanto, mais uma vez, embora tecnicamente possível, a economia da rede torna altamente improvável que esse ataque teria sucesso.

Um invasor, particularmente um Estado, pode tentar atacar o bitcoin controlando a infraestrutura de mineração existente e usando-a de forma não lucrativa, a fim de minar a segurança da rede. O fato de a mineração de bitcoin ser amplamente distribuída geograficamente torna essa uma perspectiva desafiadora e exigiria a colaboração de vários governos em todo o mundo. Uma maneira melhor de implementar isso pode não ser a aquisição física de equipamentos de mineração, mas o controle através de backdoors de hardware.

Backdoors de Hardware

Outra possibilidade de interromper ou destruir a rede bitcoin é através da corrupção de hardware que executa o software bitcoin para ser acessível por terceiros. Os nós que executam mineração podem, por exemplo, ser equipados com malware indetectável que permite que terceiros controlem o hardware. Este equipamento pode ser desativado ou remotamente controlado no momento em que um ataque de 51% é lançado.

Outro exemplo seria através da tecnologia de espionagem instalada nos computadores dos usuários, permitindo acesso aos bitcoins dos usuários acessando suas chaves privadas. Tais ataques em grande escala poderiam minar severamente a confiança no bitcoin como um ativo e a demanda por ele.

Ambos os tipos de ataque são tecnicamente viáveis e, ao contrário dos dois tipos anteriores, eles não precisam ter sucesso total para criar confusão suficiente para prejudicar a reputação e a demanda do bitcoin. É provável que tal ataque a equipamentos de mineração tenha sucesso, uma vez que existem apenas alguns fabricantes de equipamentos de mineração, e isso constitui um dos pontos de falha mais críticos do bitcoin. No entanto, à medida que a mineração de bitcoin está crescendo, é provável que comece a atrair mais fabricantes de hardware para fabricar seus equipamentos, o que reduziria o impacto desastroso na rede do comprometimento das operações de um fabricante.

Com computadores individuais, esse risco é menos sistemático para a rede, porque há um número grande, praticamente ilimitado, de fabricantes em todo o mundo que produzem equipamentos capazes de acessar a rede bitcoin. Se algum fornecedor ficar comprometido, é provável que leve os consumidores a mudar para outros fornecedores. Além disso, os usuários podem gerar as chaves privadas para seus endereços em computadores off-line, os quais nunca conectarão à Internet. O extra-paranoico pode até gerar seus endereços e chaves privadas em computadores off-line, que são imediatamente destruídos. As moedas armazenadas nessas chaves privadas virtuais sobreviverão a qualquer tipo de ataque à rede.

Defesas particularmente importantes contra esses tipos de ataques são as tendências anarquistas e cypherpunk dos bitcoiners, que os levam a acreditar muito mais na verificação do que na confiança. Os bitcoiners geralmente são muito mais tecnicamente competentes do que a população média e são muito meticulosos ao examinar o hardware e o software que utilizam. A cultura de revisão por pares de código aberto também atua como uma defesa significativa contra esses tipos de ataques. Dada a natureza distribuída da rede, é muito mais provável que esses ataques possam causar custos e perdas significativos para os indivíduos, e talvez até interrupções sistêmicas na rede, mas será muito difícil fazer com que a rede pare ou destruir completamente a demanda por bitcoin. A realidade é que os incentivos econômicos do bitcoin são aquilo que o tornam valioso, e não qualquer tipo de hardware. Qualquer peça individual de equipamento é dispensável à operação do bitcoin e pode ser substituído por outro equipamento. No entanto, a sobrevivência e a robustez do bitcoin serão aprimoradas se ele puder diversificar seus fornecedores de hardware para não torná-los sistemicamente importantes.

Ataques à Internet e à infraestrutura

Um dos conceitos errôneos mais comuns sobre o bitcoin é que ele pode ser desligado com a interrupção da importante infraestrutura de comunicações da qual o bitcoin depende, ou desligando a Internet. O problema com esses cenários é que eles interpretam mal o bitcoin, como se fosse uma rede no sentido tradicional de hardware e infraestrutura dedicados, com pontos críticos que podem ser atacados e comprometidos. Mas o bitcoin é um protocolo de software; é um processo interno que pode ser realizado em qualquer um dos bilhões de computadores que são distribuídos em todo o mundo. O bitcoin não tem um ponto único de falha, nenhuma estrutura de hardware indispensável em qualquer lugar do mundo em que se baseia. Qualquer computador que execute o software bitcoin pode se conectar à rede e realizar operações nela. É nesse sentido semelhante à Internet, pois é um protocolo que permite que os computadores se conectem; não é a infraestrutura que os conecta. A quantidade de dados necessários para transmitir informações sobre o bitcoin não é muito grande e representa uma pequena fração da quantidade total de tráfego da Internet. O bitcoin não precisa de uma infraestrutura tão extensa quanto o resto da Internet, porque seu blockchain é baseado na transmissão de 1 megabyte de dados a cada dez minutos. Existem inúmeras tecnologias com fio e sem fio para a transmissão de dados em todo o mundo, e qualquer usuário em particular precisa apenas que uma delas funcione para se conectar à rede. Para criar um mundo no qual nenhum usuário de bitcoin possa se conectar a outros usuários, o tipo de dano que seria necessário causar à infraestrutura de informações, dados e conectividade do mundo é absolutamente devastador. A vida da sociedade moderna depende em grande parte da conectividade, e muitos serviços vitais e questões de vida e morte dependem dessas infraestruturas de comunicação. Começar a tentar desativar toda a infraestrutura da Internet simultaneamente provavelmente causaria danos significativos a qualquer sociedade que a tente, ao mesmo tempo em que não impede o fluxo do bitcoin, pois as máquinas dispersas sempre podem se conectar usando protocolos de comunicação criptografada. Existem conexões e computadores demais espalhados por todo o mundo, utilizados por muitas pessoas, para que qualquer força possa fazê-los parar de funcionar simultaneamente. O único cenário concebível em que isso poderia acontecer seria através do tipo de cenário apocalíptico, após o qual não restaria ninguém para se perguntar se o bitcoin está operacional ou não. De todas as ameaças que são frequentemente mencionadas contra o bitcoin, acho essa ser a menos crível ou que faça sentido.

Aumento no custo dos nós e queda em seus números

Em vez de imaginar cenários futuristas de ficção científica que envolvam a destruição da infraestrutura de telecomunicações da humanidade em uma tentativa fútil de erradicar um programa de software, existem ameaças muito mais realistas ao bitcoin baseadas nos fundamentos de seu design. A propriedade do bitcoin como moeda forte, cuja oferta não pode ser adulterada, e como *dinheiro digital* que não pode ser censurado sem a possibilidade de intervenção de terceiros, depende das regras de consenso da rede permanecerem muito difíceis de mudar, especialmente a oferta de dinheiro. O que conquista esse status quo estável, como discutido anteriormente, é que é um movimento altamente arriscado e provavelmente negativo para um membro da rede sair das regras de consenso atuais se os outros membros da rede também não passarem para novas regras de consenso. Mas o que mantém essa mudança altamente arriscada e improvável é que o número de nós executando o software seja grande o suficiente para que a coordenação entre eles não seja prática. Se o custo de executar um nó do bitcoin aumentar significativamente, isso tornaria a execução de nós mais difícil para mais e mais usuários e, como resultado, diminuiria o número de nós na rede. Uma rede com algumas poucas dezenas de nós deixa de ser uma rede efetivamente descentralizada, pois se torna muito possível que os poucos nós que a operam conspirem para alterar as regras da rede em seu próprio benefício ou mesmo para sabotá-la.

Isso continua na minha opinião a ameaça técnica mais séria para o bitcoin a médio e longo prazo. Tal como está, a principal restrição para os indivíduos poderem executar seus próprios nós é a largura de banda de conexão com a Internet. Como os blocos permanecem abaixo de 1 megabyte, isso geralmente segue sendo administrável. Uma bifurcação incompatível que aumente o tamanho do bloco causaria um aumento no custo de execução de um nó e levaria a uma redução no número de nós operacionais. E, assim como nas ameaças anteriores, embora isso seja tecnicamente possível, ainda é improvável que se materialize, porque os incentivos econômicos do sistema militam contra ele, como evidenciado pela ampla rejeição de tentativas de aumentar o tamanho do bloco até agora.

A Quebra do Algoritmo de Hash SHA-256

A função de hash SHA-256 é parte integrante da operação do sistema bitcoin. Resumidamente, o hash é um processo que pega qualquer fluxo de dados como entrada e o transforma em um conjunto de dados de tamanho fixo (conhecido como hash) usando uma fórmula matemática irreversível. Em outras palavras, é trivial usar essa função para gerar um hash para qualquer tipo de dado, mas não é possível determinar a sequência original de dados do hash. Com melhorias no poder de processamento, pode se tornar possível que computadores façam o cálculo reverso dessas funções de hash, o que tornaria todos os endereços bitcoin vulneráveis a roubo.

Não é possível verificar se e quando esse cenário pode se desenrolar, mas se acontecer, constituiria uma ameaça técnica muito séria ao bitcoin. A correção técnica para combater isso é mudar para uma forma mais forte de criptografia, mas a parte complicada é coordenar um bifurcação incompatível que leve a maioria dos nós da rede a abandonar as antigas regras de consenso para um novo conjunto de regras com uma nova função de hash. Todos os problemas discutidos anteriormente na dificuldade de coordenar uma bifurcação se aplicam aqui, mas desta vez, porque a ameaça é real, e qualquer detentor de bitcoin que optar por permanecer na implementação antiga estará vulnerável a hackers, é provável que a grande maioria dos usuários participará de uma bifurcação incompatível. A única questão interessante que resta é se essa bifurcação incompatível será feita de forma ordenada e verá todos os usuários migrarem para a mesma blockchain ou se isso levará a blockchain a se dividir em várias ramificações usando métodos de criptografia diferentes. Embora seja certamente possível que a criptografia SHA-256 possa ser quebrada, os usuários da rede têm incentivos econômicos para mudar para um algoritmo mais forte e alternar para um único algoritmo.

Um Retorno à Moeda Forte

Embora a maioria das discussões sobre como o bitcoin possa falhar ou ser destruído se concentrem em ataques técnicos, uma maneira muito mais promissora de atacar o bitcoin é minando os incentivos econômicos ao seu uso. Tentar atacar ou destruir o bitcoin de qualquer uma das maneiras mencionadas anteriormente é altamente improvável de ter sucesso porque entra em conflito com os incentivos econômicos que impulsionam o uso do bitcoin. A situação é análoga a tentar banir a roda ou a faca. Enquanto a tecnologia for útil para as pessoas, as tentativas de bani-la falharão, pois as pessoas continuarão a encontrar maneiras de utilizá-la, legalmente ou não. A única maneira de parar uma tecnologia não é proibindo-a, mas inventando uma substituição melhor ou evitando a necessidade de seu uso. A máquina de escrever nunca pôde ser banida ou proibida legalmente, mas a ascensão do computador pessoal matou-a efetivamente.

A demanda por bitcoin decorre da necessidade de indivíduos de todo o mundo realizar transações que não passem pelos controles políticos e ter uma reserva de valor resistente à inflação. Enquanto as autoridades políticas impuserem restrições e limitações aos indivíduos que transferem dinheiro, e enquanto o dinheiro governamental for uma moeda fraca cuja oferta pode ser facilmente expandida de acordo com os caprichos dos políticos, a demanda por bitcoin continuará a existir, e a diminuição do crescimento da oferta provavelmente levará a uma valorização de seu valor ao longo do tempo, atraindo assim cada vez mais pessoas para usá-lo como uma reserva de valor.

Hipoteticamente, se os sistemas bancários e monetários do mundo inteiro fossem substituídos pelos do padrão-ouro no final do século XIX, onde liberdade individual e moeda forte eram fundamentais, a demanda por bitcoin provavelmente diminuiria significativamente. Um movimento como este poderia causar uma queda suficientemente grande na demanda por bitcoin, reduzindo bastante seu preço, prejudicando significativamente os atuais possuidores de bitcoin, aumentando a volatilidade da moeda e atrasando seu desenvolvimento por anos. Com o aumento da volatilidade e a disponibilidade de um padrão monetário internacional confiável e relativamente estável em moeda forte, o incentivo ao uso do bitcoin cairia significativamente. Em um mundo em que as restrições e tendências inflacionárias dos governos são disciplinadas pelo padrão-ouro, pode ser apenas o caso que a vantagem do ouro e a relativa estabilidade do poder de compra constituam um obstáculo intransponível para o bitcoin superar, privando o bitcoin do rápido crescimento de usuários e, assim, impedindo que ele atinja um tamanho grande o suficiente com qualquer aparência de estabilidade de preço.

Na prática, no entanto, a possibilidade de um retorno global à moeda sonante e ao governo liberal é extremamente improvável, pois esses conceitos são amplamente estranhos à grande maioria dos políticos e eleitores em todo o mundo, que há gerações foram educados com o pressuposto de que controle governamental sobre dinheiro e moralidade é necessário para o funcionamento de qualquer sociedade. Além disso, mesmo que tal transformação política e monetária fosse possível, a diminuição da taxa de crescimento da oferta do bitcoin provavelmente continuará sendo uma aposta especulativa atraente para muitos, o que por si só faria com que ele crescesse ainda mais e adquirisse um papel monetário maior. Na minha avaliação, um retorno monetário global ao ouro pode ser a ameaça mais significativa para o bitcoin, mas é improvável que isso aconteça e que destrua completamente o bitcoin.

Outra possibilidade para descarrilar o bitcoin seria através da invenção de uma nova forma de moeda forte superior ao bitcoin. Muitos parecem pensar que as outras criptomoedas que imitam o bitcoin poderiam conseguir isso, mas acredito firmemente que nenhuma das moedas que copiam o design do bitcoin podem competir com o bitcoin a ser uma moeda forte, por motivos discutidos detalhadamente na próxima seção do capítulo, principalmente: bitcoin é a única moeda digital verdadeiramente descentralizada que cresceu espontaneamente a partir de um equilíbrio fino entre mineradores, programadores e usuários, sendo que nenhum deles pode controlá-lo. Só foi possível desenvolver uma moeda com base nesse design porque, uma vez que se tornou óbvio que seria viável, qualquer tentativa de copiá-la será uma rede construída de cima para baixo e controlada centralmente, que nunca escapará do controle de seus criadores.

Portanto, quando se trata da estrutura e tecnologia do bitcoin, é altamente improvável que qualquer moeda que o copie possa substituir o bitcoin. Um novo design e tecnologia para implementar *dinheiro digital* e moeda forte podem produzir esse concorrente, embora não seja possível prever o surgimento de uma tecnologia antes de sua criação, e a familiaridade com o problema do *dinheiro digital* ao longo dos anos deixa claro que essa não é uma invenção que seria fácil de conceber.

Altcoins

Embora o bitcoin tenha sido o primeiro exemplo de dinheiro eletrônico ponto-a-ponto, certamente não foi o último. Quando o design de Nakamoto foi divulgado, e a moeda conseguiu ganhar valor e adotantes, muitos o copiaram para produzir moedas semelhantes. A Namecoin foi a primeira moeda desse tipo, que usou o código do bitcoin e entrou em operação em abril de 2011. Pelo menos 732 moedas digitais foram criadas até fevereiro de 2017, de acordo com coinmarketcap.com.

Embora seja comum pensar que essas moedas existem em concorrência com bitcoin, e que uma delas possa superar o bitcoin no futuro, na realidade elas não estão em concorrência com o bitcoin porque nunca podem ter as propriedades que tornam o bitcoin funcional como *dinheiro digital* e moeda forte. Para que um sistema digital funcione como *dinheiro digital*, ele deve estar fora do controle de terceiros; sua operação precisa estar em conformidade com a vontade de seu usuário, de acordo com o protocolo, sem a possibilidade de terceiros interromperem esses pagamentos. Depois de anos assistindo à criação de *altcoins*, parece impossível que qualquer moeda recrie o equilíbrio entre partes adversárias interessadas que existe no bitcoin e impeça qualquer parte de controlar os pagamentos nela.

O bitcoin foi projetado por um programador pseudônimo cuja identidade real ainda é desconhecida. Ele postou o design em uma lista de discussão obscura para programadores de computador interessados em criptografia e, depois de receber um feedback sobre ele por alguns meses, lançou a rede com o programador Hal Finney, que faleceu em agosto de 2014. Depois de alguns dias em que transacionava com Finney e experimentava o software, mais membros começaram a se juntar à rede para transacionar e minerar. Nakamoto desapareceu em meados de 2010, dizendo "seguir em frente para [trabalhar em] novos projetos" e provavelmente nunca se teve notícia dele desde então[12]. Em todo caso, existem cerca de 1 milhão de bitcoins mantidos em uma conta que é ou foi controlada por Nakamoto, mas essas moedas jamais se moveram. Nakamoto, no entanto, tomou extrema cautela para garantir que não fosse identificado, e até hoje não há evidências convincentes para identificar quem é o verdadeiro Nakamoto. Se ele quisesse ser identificado, já teria se apresentado. Se ele tivesse deixado alguma evidência que pudesse levar ao rastreamento de sua identidade, ela provavelmente já teria sido usada para isso. Todos os seus escritos e comunicações foram examinados obsessivamente por investigadores e jornalistas sem sucesso. Já é tempo de todos os envolvidos no bitcoin deixarem de se preocupar com a questão da identidade de Nakamoto e aceitarem que isso não importa para a operação da tecnologia, da mesma maneira que a identidade do inventor da roda não importa mais.

Como Nakamoto e Finney não estão mais conosco, bitcoin não teve nenhuma figura ou líder com autoridade central que pudesse ditar sua direção ou exercer influência ao longo de seu desenvolvimento. Até Gavin Andresen, que estava em contato próximo com Nakamoto, e é um dos rostos mais identificáveis do bitcoin, falhou repetidamente em exercer influência sobre a direção da evolução do bitcoin. Um e-mail é frequentemente citado na imprensa, alegando ser o último e-mail já enviado por Nakamoto, que diz: "Eu segui em frente para

---

[12]Duas outras comunicações foram possivelmente feitas por Nakamoto desde então. Um foi para negar que sua verdadeira identidade era a de um engenheiro nipo-americano com o nome real de Dorian Prentice Satoshi Nakamoto, identificado pela revista Newsweek como o verdadeiro Nakamoto com base em nenhuma outra evidência além do que uma coincidência de nomes e conhecimento de computadores. A outra foi oferecer uma opinião sobre o andamento do debate sobre o aumento da escala do bitcoin. Não está claro se essas postagens foram do próprio Nakamoto ou se alguém havia comprometido sua conta, principalmente porque é sabido que a conta de e-mail que ele usou para se comunicar foi de fato comprometida.

[trabalhar em] outras coisas. Está em boas mãos com Gavin e todos"[13]. Andresen tentou repetidamente aumentar o tamanho dos blocos do bitcoin, mas todas as suas propostas para isso falharam em ganhar força com os operadores dos nós.

O bitcoin continuou a crescer e prosperar em todas as métricas mencionadas no Capítulo 8, enquanto a autoridade de qualquer indivíduo ou grupo sobre ele diminuiu à insignificância. O bitcoin pode ser entendido como um fragmento de código soberano, porque não há autoridade fora dele que possa controlar seu comportamento. Somente as regras do bitcoin controlam o bitcoin, e a possibilidade de alterar essas regras de maneira substantiva se tornou extremamente impraticável, pois o viés do status quo continua a moldar os incentivos de todos os envolvidos no projeto.

É a soberania do código bitcoin, lastreado na prova-de-trabalho, que o torna uma solução genuinamente eficaz para o problema dos gastos duplos e um bem-sucedido *dinheiro digital*. E é essa falta de necessidade de confiança que outras moedas digitais não podem replicar. Encarar qualquer moeda digital criada após o bitcoin é uma profunda crise existencial: como o bitcoin já existe, com mais segurança, poder de processamento e base de usuários estabelecida, qualquer pessoa que queira usar *dinheiro digital* naturalmente o preferirá a alternativas menores e menos seguras. Como a replicação do código para gerar uma nova moeda é quase gratuita e as moedas imitantes proliferaram, é provável que nenhuma moeda desenvolva algum tipo de crescimento ou ímpeto significativo, a menos que haja uma equipe ativa dedicada a alimentá-la, aumentando-a, codificando e protegendo-a. Sendo a primeira invenção desse tipo, o bitcoin, ao demonstrar seu valor como

---

[13]O autor é incapaz de estabelecer a veracidade deste e-mail, mas é bastante revelador que o e-mail seja amplamente citado, a ponto de a *MIT Technology Review* ter publicado um longo artigo sobre Andresen intitulado "O homem que realmente construiu bitcoin", alegando que Andresen foi mais importante para o desenvolvimento do bitcoin do que Nakamoto.

dinheiro digital e moeda forte, foi suficiente para garantir uma demanda crescente por ele, permitindo-lhe ter sucesso quando a única pessoa por trás dele era um programador anônimo que praticamente não gastou dinheiro em promovê-lo. Sendo fundamentalmente imitações muito fáceis de recriar, todas as *altcoins* não têm esse luxo da demanda do mundo real, devendo ativamente criar e aumentar essa demanda.

É por isso que praticamente todas as *altcoins* têm uma equipe no comando; eles iniciaram o projeto, comercializaram, projetaram o material de marketing e inseriram os *press releases* na imprensa como se fossem notícias, além de terem a vantagem de terem minerado um grande número de moedas antes que alguém tivesse ouvido falar delas. Essas equipes são pessoas conhecidas publicamente e, por mais que tentem, não conseguem demonstrar com credibilidade que não têm controle sobre a direção da moeda, o que prejudica qualquer reivindicação de que outras moedas possam ter de serem uma forma de *dinheiro digital* que não pode ser editada ou controlada por terceiros. Em outras palavras, depois que o gênio do bitcoin saiu da garrafa, qualquer um que tente construir uma alternativa ao bitcoin só terá sucesso investindo pesadamente na moeda, tendo efetivamente controle sobre dela. E enquanto houver uma parte com poder soberano sobre uma moeda digital, essa moeda não poderá ser entendida como uma forma de *dinheiro digital*, mas como uma forma de pagamento intermediado – e uma forma muito ineficiente.

Isso apresenta um dilema enfrentado pelos designers de moedas alternativas: sem o gerenciamento ativo de uma equipe de desenvolvedores e profissionais de marketing, nenhuma moeda digital atrairá atenção ou capital em um mar de mais de 1.000 moedas. Porém, com o gerenciamento ativo, o desenvolvimento e o marketing de uma equipe, a moeda não consegue demonstrar com credibilidade que não é controlada por esses indivíduos. Com um grupo de desenvolvedores no controle da maioria das moedas, poder de processamento e experiência em codificação, a moeda é praticamente uma moeda centralizada onde os interesses da equipe determinam seu caminho de desenvolvimento. Não há nada errado com uma moeda digital centralizada, e podemos muito bem obter esses concorrentes em um mercado livre sem restrições governamentais. Mas há algo profunda e fundamentalmente errado em uma moeda centralizada que adota um design altamente pesado e ineficiente, cuja única vantagem é a remoção de um ponto único de falha.

Esse problema é mais evidente para moedas digitais que começam com uma Oferta Inicial de Moedas (ICO, em inglês)[14], que cria um grupo altamente visível de desenvolvedores se comunicando publicamente com investidores, tornando todo o projeto efetivamente um projeto centralizado. Os julgamentos e atribulações do Ethereum, a maior moeda em termos de valor de mercado após o bitcoin, ilustram esse ponto vivamente.

A Organização Autônoma Descentralizada (DAO, em inglês) foi a primeira implementação de contratos inteligentes na rede Ethereum. Depois que mais de US$ 150 milhões foram investidos nesse contrato inteligente, um invasor conseguiu executar o código de uma maneira que desviou cerca de um terço de todos os ativos do DAO para sua própria conta. Seria seguramente incorreto descrever esse ataque como um roubo, porque todos os depositantes aceitaram que seu dinheiro seria controlado pelo código e nada mais, e o atacante não fez nada além de executar o código como foi aceito pelos depositantes. Após o hack do DAO, os desenvolvedores do Ethereum criaram uma nova versão do Ethereum em que esse erro inconveniente nunca ocorreu, confiscando os fundos do atacante e distribuindo-os para suas vítimas. Essa reinjeção do gerenciamento humano subjetivo está em desacordo

---

[14](N.T.) Initial Coin Offering (ICO) em inglês, é uma forma pública de captação de investimentos para projetos de blockchain, onde o investidor adquire um *token* digital em troca do investimento inicial, com a expectativa da valorização deste *token*.

com o objetivo de transformar o código em lei e questiona toda a lógica dos contratos inteligentes.

Se a segunda maior rede em termos de poder de processamento pode ter seu registro de blockchain alterado quando as transações não são adequadas aos interesses da equipe de desenvolvimento, a noção de que qualquer uma das *altcoins* é realmente regulada pelo poder de processamento não é sustentável. A concentração daqueles que detém a moeda, poder de processamento e programação nas mãos de um grupo de pessoas que são efetivamente parceiros em um empreendimento derrota todo o propósito de empregar uma estrutura de blockchain.

Além disso, é extremamente difícil prever que essas moedas emitidas por pessoas particulares cheguem ao status de moeda global quando elas têm uma equipe visível por trás delas. Se as moedas se valorizarem significativamente, uma pequena equipe de criadores se tornará extremamente rica e dotada do poder de receber senhoriagem, função reservada aos Estados-nação no mundo moderno. Os bancos centrais e os governos nacionais não aceitarão gentilmente essa diminuição em sua autoridade. Seria relativamente fácil para os bancos centrais conseguir que qualquer uma das equipes por trás dessa moeda a destruísse ou alterasse sua operação de maneira a impedir que competisse com as moedas nacionais. Nenhuma *altcoin* demonstrou algo próximo à impressionante resiliência do bitcoin à mudança, que se deve à sua natureza verdadeiramente descentralizada e aos fortes incentivos para que todos cumpram as regras de consenso do status quo. O bitcoin só pode fazer essa afirmação depois de crescer naturalmente por nove anos sem nenhuma autoridade controlá-lo, e repelir habilmente algumas campanhas altamente coordenadas e bem financiadas para alterá-lo. Em comparação, as *altcoins* têm a cultura amigável inconfundível de pessoas legais trabalhando juntas em um projeto de equipe. Embora isso seja ótimo para uma startup, é um anátema para um projeto que deseja demonstrar um compromisso crível com uma política monetária fixa. Se as equipes por trás de qualquer *altcoin* em particular decidirem mudar sua política monetária, seria algo relativamente simples de alcançar. O Ethereum, por exemplo, ainda não tem uma visão clara do que deseja que sua política monetária seja no futuro, deixando a questão para a discussão da comunidade. Embora isso possa fazer maravilhas para o espírito comunitário do Ethereum, não é possível gerar uma moeda forte global, o que, para ser justo, o Ethereum não pretende fazer. Seja porque eles estão cientes desse ponto, ou para evitar desentendimentos com autoridade política ou como um artifício de marketing, a maioria das *altcoins* não se comercializa como concorrente do bitcoin, mas como executando tarefas diferentes do bitcoin.

Não há nada no design do bitcoin que sugira que seria bom para qualquer um dos muitos casos de uso que outras moedas afirmam que serão capazes de fazer, e nenhuma outra moeda além do bitcoin forneceu recursos ou capacidades diferenciadoras que o bitcoin não possua. No entanto, todos eles têm uma moeda de negociação livre, que é de alguma forma essencial para o seu complexo sistema de execução de aplicativos on-line.

Mas a noção de que novos aplicativos da web exigem sua própria moeda descentralizada é a esperança desesperadamente ingênua de que, de alguma forma, resolver o problema da falta de coincidência de desejos possa ser economicamente rentável. Há uma razão pela qual as empresas do mundo real não emitem sua própria moeda, e é que ninguém deseja manter uma moeda que só é utilizável em uma empresa. O objetivo de manter dinheiro é reter liquidez que pode ser gasta o mais facilmente possível. Manter formas de dinheiro que só podem ser gastas em determinados vendedores oferece muito pouca liquidez e não serve para nada. As pessoas naturalmente preferem manter os meios líquidos de pagamento, e qualquer empresa que insista no pagamento em sua própria moeda livremente comerciada está apenas introduzindo custos e riscos significativamente altos aos seus clientes potenciais.

Mesmo em empresas que exigem alguma forma de *token* operacionalmente, como parques de diversões ou cassinos, o *token* é sempre fixo em valor comparado ao dinheiro líquido, para que os clientes saibam exatamente o que estão recebendo e possam fazer cálculos econômicos precisos. Se alguma dessas moedas descentralizadas supostamente revolucionárias oferecer qualquer aplicação valiosa do mundo real, é completamente inconcebível que seja paga com sua própria moeda livremente negociada. Na realidade, depois de examinar essa área há anos, ainda não identifiquei uma única moeda digital que ofereça qualquer produto ou serviço que tenha alguma demanda de mercado. As aplicações descentralizadas do futuro tão vangloriadas parecem nunca chegar, mas os *tokens* supostamente essenciais para sua operação continuam a proliferar às centenas todos os meses. Não se pode deixar de pensar se o único uso dessas moedas revolucionárias é o enriquecimento de seus criadores.

Nenhuma moeda além do bitcoin pode reivindicar crivelmente estar fora do controle de qualquer pessoa e, como tal, todo o ponto de usar a estrutura extremamente complexa subjacente ao bitcoin é discutível. Não há nada original ou difícil em copiar o design do bitcoin e produzir um imitador ligeiramente diferente, e milhares já o fizeram até agora. Com o tempo, pode-se esperar que mais e mais dessas moedas entrem no mercado, diluindo a marca de todas as outras *altcoins*. Moedas digitais não-bitcoin são, no agregado, moeda fraca. Nenhuma única *altcoin* consegue ser avaliada por seus próprios méritos, porque todas são indistinguíveis no que realizam, o que também é o que o bitcoin realiza, mas muito distinto do bitcoin, pois sua oferta e design podem ser facilmente alterados, enquanto a política monetária do bitcoin é, para todos os efeitos, imutável.

É uma questão em aberto se alguma dessas moedas conseguirá oferecer um serviço exigido pelo mercado que não seja o oferecido pelo bitcoin, mas parece muito claro que eles não podem competir com o bitcoin em serem *dinheiro digital* sem necessidade de confiança de terceiros. O fato de todas terem optado por imitar os rituais do bitcoin, enquanto fingem estar resolvendo algo extra, não inspira confiança em conseguir algo além de enriquecer seus criadores. As milhares de imitações do design de Nakamoto são talvez a forma mais sincera de elogio, mas o fracasso contínuo em entregar algo além do que Nakamoto entregou é uma prova de quão singular é sua realização. As únicas adições que valem a pena ao design do bitcoin foram feitas pelos competentes programadores voluntários altruístas que contribuíram longas horas para melhorar o código do bitcoin. Muitos programadores menos competentes ficaram muito ricos ao reembalar o design de Nakamoto com marketing e chavões inúteis, mas todos falharam em adicionar recursos funcionais que tenham alguma demanda no mundo real. O crescimento dessas *altcoins* não pode ser entendido fora do contexto de dinheiro fácil do governo à procura de investimentos fáceis, formando grandes bolhas em enormes maus investimentos.

Tecnologia Blockchain

Como resultado do aumento de valor surpreendente do bitcoin e da dificuldade de entender seu procedimento operacional e detalhes técnicos, houve uma quantidade significativa de confusão em torno dele. Talvez a confusão mais persistente e altamente difundida seja a noção de que um mecanismo que faz parte da operação do bitcoin - colocar transações em blocos que são encadeados para formar seu registro - pode de alguma forma ser implantado para resolver ou melhorar problemas econômicos ou sociais, ou mesmo "revolucioná-los", como se costuma anunciar em todo brinquedo recém-criado nos dias de hoje.

Como decidir se precisa de uma blockchain?

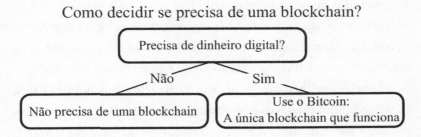

Figura 10.1: Quadro de decisão sobre a blockchain

"Bitcoin não é importante, mas a tecnologia blockchain[15] subjacente é o que é promissor" é um mantra que foi repetido ad nauseam entre 2014 e 2017 por executivos de bancos, jornalistas e políticos, que compartilham uma coisa em comum: uma falta de entendimento de como o bitcoin realmente funciona (Veja a Figura 10.1).

A fixação com a tecnologia blockchain é um ótimo exemplo de "ciência de culto à carga", uma ideia popularizada pelo físico Richard Feynman. A história diz que os militares dos EUA estabeleceram pistas de pouso de aviões para ajudar em operações militares em uma ilha no Oceano Pacífico do Sul durante a Segunda Guerra Mundial. Os aviões costumavam trazer presentes para os habitantes locais da ilha, que costumavam apreciá-los imensamente. Depois que a guerra terminou e os aviões pararam de aterrissar na pista, os habitantes locais fizeram o possível para trazer os aviões e suas cargas de volta. Em seu desespero, eles imitavam o comportamento dos controladores de solo do aeroporto militar que tinham desaparecido há muito tempo, pensando que, se colocassem um homem em uma cabana com uma antena e acendessem um fogo, como costumavam fazer os controladores militares de solo, os aviões voltariam e lhes trariam os presentes. Claramente, essa estratégia não poderia funcionar, porque os proce-

---

[15]Esta seção foi em grande parte extraída do meu artigo "Blockchain Technology: What Is It Good For?" publicado no *Banking and Finance Law Review*, Issue 1, Volume 33.3, 2018 [70].

dimentos dos controladores de solo não estavam criando aviões do nada; eles eram apenas uma parte integrante de um elaborado processo tecnológico, começando com a fabricação dos aviões e sua partida de suas bases, que os ilhéus do Pacífico Sul não podiam compreender. Como esses ilhéus, as pessoas que divulgam a tecnologia block-chain como um processo que poderia gerar benefícios econômicos por si só não entendem o processo maior do qual ela faz parte. O mecanismo do bitcoin para estabelecer a autenticidade e validade do registro é extremamente complexo e complicado, mas serve a um propósito explícito: emitir uma moeda e movimentar valor on-line sem a necessidade de confiar em terceiros. A "tecnologia Blockchain", na medida em que tal coisa existe, não é uma maneira eficiente, barata ou rápida de fazer transações on-line. Na verdade, é imensamente ineficiente e lenta em comparação com as soluções centralizadas. A *única* vantagem que ela oferece é eliminar a necessidade de confiar na intermediação de terceiros. Os únicos usos possíveis dessa tec-nologia estão em avenidas em que a remoção de intermediação de terceiros é de valor fundamental para os usuários finais, justificando o aumento de custo e a perda de eficiência. E o único processo pelo qual ele realmente pode ter sucesso na eliminação da intermediação de terceiros é o processo de mover o *token* nativo da própria rede, pois o código do blockchain não tem controle integrado sobre qualquer coisa acontecendo fora dela.

Uma comparação ajudará a dar uma ideia do quão ineficiente é o bitcoin como um método para executar transações. Se nós tirarmos os aparatos da descentralização, verificação de prova-de-trabalho, mine-ração e falta de necessidade de confiança em terceiros e executarmos uma versão centralizada do bitcoin, consistiria essencialmente em um algoritmo para gerar moedas e um banco de dados para propriedade de moedas que processa cerca de 300.000 transações por dia. Tais tarefas são triviais e qualquer computador pessoal moderno pode executá-las de maneira confiável. De fato, um laptop pessoal comum pode ser fabricado para processar cerca de 14.000 transações por segundo, ou todo o volume diário atual de transações do bitcoin em 20 segundos[16]. Para processar todo o volume anual de transações do bitcoin, um laptop pessoal precisaria de pouco mais de duas horas.

O problema de executar essa moeda em um laptop pessoal, no entanto, é que ela requer confiança no proprietário do laptop e na segurança e proteção do laptop contra ataques. Para fazer com que um sistema de software trivial funcione sem exigir confiança de uma única parte para não fraudar o registro de transações ou alterar a taxa de emissão de moeda, o único design encontrado por alguém é a rede descentralizada ponto-a-ponto do bitcoin com verificação da prova-de-trabalho. Esse não é um problema trivial de software, e levou décadas de programadores de computador tentando diferentes designs antes que se descobrisse um que conseguisse isso. Enquanto um bom laptop pessoal médio hoje tem um hashrate de cerca de 10 megahashes por segundo, a rede bitcoin processa coletivamente cerca de 20 exahashes por segundo, ou o equivalente a 2 trilhões de laptops. Em outras palavras, para remover a necessidade de confiança, o poder de processamento para executar uma simples moeda e software de banco de dados precisa ser aumentado aproximadamente em um fator de 2 trilhões. Não é a moeda e suas transações que exigem tanto poder de processamento; o que exige tanto poder é fazer com que todo o sistema opere sem a necessidade de confiança. Para qualquer outro processo de computação ser executado usando a tecnologia blockchain, seria necessário atender a dois critérios:

Primeiro, os ganhos da descentralização precisam ser suficientemente convincentes para justificar os custos extras. Para qualquer processo que ainda exija alguma forma de confiança de terceiros para

[16]Veja o post do blog de Peter Geoghegan explicando como ele conseguiu isso em seu computador pessoal. Disponível em `http://pgeoghegan.blogspot.com/2012/06/towards-14000-write-transactions-on-my.html`

implementar uma pequena parte dele, os custos extras da descentralização não podem ser justificados. Para implementar contratos que lidam
com empresas do mundo real sob jurisdições legais, ainda haverá fiscalização jurídica relacionada à implementação desses contratos no
mundo real que pode substituir o consenso da rede, tornando inútil o
custo extra da descentralização. O mesmo se aplica à descentralização
de bancos de dados de instituições financeiras que permanecerão como
terceiros confiáveis em suas próprias operações entre si ou com seus
clientes.

Segundo, o próprio processo inicial precisa ser simples o suficiente
para garantir a capacidade de executar o registro distribuído em muitos
nós, sem que o blockchain se torne muito pesado para ser distribuído.
À medida que o processo continua se repetindo ao longo do tempo,
o tamanho da blockchain aumentará e se tornará cada vez mais in-
controlável para os nós distribuídos manterem uma cópia completa
do blockchain, garantindo que apenas alguns computadores grandes
possam operar o blockchain e tornando a descentralização obsoleta.
Observe aqui a distinção entre nós que mantém o registro e mineradores dedicados que resolvem a prova-de-trabalho, discutida no Capítulo
8: os mineradores precisam gastar enorme poder de processamento
para confirmar transações no registro conjunto, enquanto os nós precisam de muito pouca energia para manter uma cópia do registro e assim
verificar a precisão das transações dos mineradores. É por isso que
os nós podem ser executados em computadores pessoais, enquanto os
mineradores individuais têm o poder de processamento de centenas
de computadores pessoais. Se a operação do registro se tornar muito
complexa, os nós precisarão ser grandes servidores em vez de computadores pessoais, destruindo a possibilidade de descentralização.

O blockchain do bitcoin colocou um limite de 1 megabyte no
tamanho de cada bloco, o que limitou o ritmo no qual a blockchain
cresceu. Esse limite permite que computadores simples consigam

manter e executar um nó. Se o tamanho de cada bloco aumentar, ou o blockchain for usado para processos mais sofisticados, como aqueles entusiasmados pelo blockchain, ele se tornará muito grande para ser executado em computadores individuais. A centralização da rede em alguns nós grandes pertencentes e operados somente por grandes instituições acaba com todo o ponto de ser descentralizado.

Até agora, o *dinheiro digital* sem necessidade de confiança de terceiros tem sido a única implementação bem-sucedida para a tecnologia blockchain, precisamente porque é um processo tecnológico limpo e simples de operar, levando seu livro-razão a crescer relativamente lentamente ao longo do tempo. Isso significa que ser membro da rede bitcoin é possível para um computador residencial com conexão de internet na maior parte do mundo. A inflação controlada previsível também requer pouco poder de processamento, mas é um processo cuja descentralização e falta de confiança em terceiros oferecem um valor enorme aos usuários finais, conforme explicado no Capítulo 8. Todos os outros meios monetários hoje em dia são controlados por partes que podem inflar a oferta para obter lucro do aumento da demanda. Isso é verdade para moedas fiduciárias e metais não preciosos, mas também para ouro, que é mantido em grandes quantidades pelos bancos centrais prontos para vendê-lo no mercado para impedir que ele aprecie muito rapidamente e assim substituir as moedas fiduciárias. Pela primeira vez desde a abolição do padrão-ouro, o bitcoin disponibilizou moeda forte para qualquer pessoa no mundo que a desejasse. Essa combinação altamente improvável de carga leve de computação e forte significado econômico é o motivo pelo qual fez sentido aumentar o tamanho do poder de processamento da rede bitcoin para a maior rede da história. Em oito anos, ficou impossível encontrar outra forma de uso que seja valiosa o suficiente para justificar a distribuição de milhares nós que fazem parte da rede enquanto são leves o suficiente para permitir essa descentralização.

A primeira implicação dessa análise é que é improvável que seja aprovada qualquer alteração no protocolo do bitcoin que aumente o tamanho da blockchain, não apenas pelos motivos de imutabilidade mencionados anteriormente, mas também porque provavelmente impediria a maioria dos operadores de nó de gerenciar a execução seus próprios nós e, como são eles que decidem qual software é executado, é seguro assumir que uma minoria intransigente significativa de operadores de nó continuará executando o software atual, mantendo seus bitcoins atuais, fazendo qualquer tentativa de atualizar o software bitcoin efetivamente apenas mais uma *altcoin* sem valor, como as centenas de outras que já existem.

A segunda implicação é que todas as aplicações da "tecnologia blockchain" que estão sendo apresentadas como revolucionando a tecnologia bancária ou de banco de dados estão fadadas ao fracasso em alcançar algo mais do que demonstrações sofisticadas que nunca serão transferidas para o mundo real, porque sempre serão uma maneira ineficiente para que os terceiros confiáveis que as operam conduzam seus negócios. É fora do campo da possibilidade que uma tecnologia projetada especificamente para eliminar a intermediação de terceiros possa acabar servindo a qualquer finalidade útil para os intermediários cuja tecnologia foi feita para substituir.

Existem muitas maneiras mais fáceis e menos complicadas de registrar transações, mas esse é o único método que elimina a necessidade de terceiros de confiança. Uma transação está comprometida ao blockchain porque muitos verificadores competem para verificá-la com lucro. No entanto, não se confia em nenhum deles e eles também não precisam ser confiáveis para a transação ser realizada. Em vez disso, a fraude é detectada e revertida imediatamente por outros membros da rede que possuem fortes incentivos para garantir a integridade da rede. Em outras palavras, o bitcoin é um sistema construído inteiramente com verificações complicadas e caras, para eliminar a necessidade de qualquer confiança ou prestação de contas entre todas as partes: é 100% de verificação e 0% de confiança.

Ao contrário de todo o *hype* em torno do bitcoin, eliminar a necessidade de confiança em terceiros não é uma coisa inquestionavelmente boa a ser feita em todos os caminhos dos negócios e da vida. Uma vez que se entenda o mecanismo da operação do bitcoin, fica claro que há um *trade-off* envolvido na mudança para um sistema que não depende de terceiros confiáveis. As vantagens estão na soberania individual sobre o protocolo, resistência à censura e imutabilidade do crescimento da oferta monetária e dos parâmetros técnicos. As desvantagens estão na necessidade de gastos de energia de processamento muito maiores para executar a mesma quantidade de trabalho. Não há razão, fora do *hype* futurista ingênuo, para acreditar que este é um *trade-off* que valha muito a pena. Pode ser que o único lugar em que valha pena seja a administração de uma moeda forte supranacional global homogênea, por duas razões importantes. Primeiro, os custos excessivos de operação do sistema podem ser recuperados com a lenta captura de partes do mercado global de moedas, que varia em torno de 80 trilhões de dólares americanos em valor. Segundo, a natureza da moeda sonante, como explicado anteriormente, reside precisamente no fato de que nenhum ser humano é capaz de controlá-lo e, portanto, um algoritmo imutável previsível é adequado exclusivamente para essa tarefa. Tendo pensado nessa questão há anos, em nenhum outro ramo de negócios consegui encontrar um processo semelhante que seja ao mesmo tempo tão importante que valha a pena os custos extras para a desintermediação, além de ser tão transparente e simples que remover toda a discricionariedade humana traria uma enorme vantagem.

Uma analogia com o automóvel é instrutiva aqui. Em 1885, quando Karl Benz adicionou um motor de combustão interna a uma carruagem para produzir o primeiro veículo autônomo, o objetivo expresso desta sacada foi remover os cavalos das carruagens e libertar as pessoas de ter que lidar constantemente com os excrementos de cavalos. Benz não estava tentando acelerar os cavalos. Carregar um cavalo com um motor de metal pesado não o tornará mais rápido; apenas diminui a velocidade, sem fazer nada para reduzir a quantidade de excrementos que produz. Da mesma forma, como o Capítulo 8 explicou, o poder colossal de processamento necessário para operar a rede bitcoin elimina a necessidade de terceiros confiáveis para processar pagamentos ou determinar a oferta de dinheiro. Se o terceiro permanecer, então todo esse poder de processamento é um desperdício inútil de eletricidade.

Somente o tempo dirá se esse modelo para o bitcoin continuará crescendo em popularidade e adoção. É possível que o bitcoin cresça para substituir muitos intermediários financeiros. Também é possível que o bitcoin fique estagnado ou até fracasse e desapareça. O que não pode acontecer é o blockchain do bitcoin beneficiar a intermediação para a qual foi especificamente projetado para substituir.

Para qualquer terceiro confiável que efetue pagamentos, negociações ou manutenção de registros, o blockchain é uma tecnologia extremamente cara e ineficiente de usar. Um blockchain que não seja do bitcoin combina o pior dos dois mundos: a estrutura complicada do blockchain com o risco de custo e segurança de terceiros de confiança. Não é de admirar que oito anos após sua invenção, a tecnologia blockchain ainda não tenha conseguido avançar em um aplicativo comercial bem-sucedido e pronto para o mercado, além daquele para o qual foi projetado especificamente: bitcoin.

Em vez disso, surgiu uma abundância de *hype*, conferências e discussões de alto nível na mídia, governo, academia, indústria e no Fórum Econômico Mundial sobre o potencial da tecnologia blockchain. Muitos milhões de dólares foram investidos em capital de risco, pesquisa e marketing por governos e instituições que são seduzidos pelo *hype*, sem nenhum resultado prático.

Os consultores de blockchain criaram protótipos para negociação de ações, registro de ativos, votação e liberação de pagamentos. Mas nenhum deles foi implantado comercialmente porque é mais caro que os métodos mais simples, baseados em bancos de dados consagrados e conjuntos de software, como concluiu recentemente o governo de Vermont[17].

Enquanto isso, os bancos não têm um ótimo histórico na aplicação de avanços tecnológicos recentes para uso próprio. Enquanto o CEO do JPMorgan Chase, Jamie Dimon, divulgava a tecnologia blockchain em Davos em janeiro de 2016, a interface da Open Financial Exchange de seu banco - uma tecnologia de 1997 para fornecer aos agregadores um banco de dados central de informações do cliente - estava fora do ar há dois meses.

Por outro lado, a rede bitcoin nasceu do design do blockchain dois meses depois que Nakamoto apresentou a tecnologia. Até hoje, ele opera sem interrupções e cresce para mais de US$ 150 bilhões em bitcoins. O blockchain foi a solução para o problema do dinheiro eletrônico. Como funcionou, cresceu rapidamente enquanto Nakamoto trabalhava anonimamente e apenas se comunicou rapidamente por e-mail por cerca de dois anos. Não precisava de investimento, capital de risco, conferências ou propaganda. Como ficará evidente a partir desta exposição, a noção de que uma "tecnologia blockchain" existe e pode ser implantada para resolver qualquer problema específico é altamente duvidosa. É muito mais acurado entender a estrutura do blockchain como parte integrante da operação do bitcoin e de sua rede de testes e copiadores. No entanto, o termo tecnologia blockchain é usado para simplificar a elucidação. A próxima seção deste capítulo examina os usos mais elogiados para a tecnologia blockchain, enquanto a seção depois identifica os principais impedimentos para sua aplicação a esses problemas.

---

[17]Stan Higgins, "Vermont Says Blockchain Record-Keeping System Too Costly", Coinbase.com, January 20, 2016

Aplicações Potenciais da Tecnologia Blockchain

Uma visão geral de startups e projetos de pesquisa relacionados à tecnologia blockchain conclui que as possíveis aplicações de blockchains podem ser divididas em três campos principais:

Pagamentos Digitais

Os mecanismos comerciais atuais para liberação de pagamentos dependem de registros centralizados para registrar todas as transações e manter os saldos das contas. Em essência, a transação é transmitida primeiro das partes contratantes ao intermediário, verificada quanto à validade e, assim, as duas contas são ajustadas. Em um blockchain, a transação é transmitida a todos os nós da rede, o que envolve muito mais transmissões e mais poder de processamento e tempo. A transação também se torna parte do blockchain, copiada em todos os computadores membros. Isso é mais lento e mais caro que a liberação centralizada e ajuda a explicar por que a Visa e a MasterCard processam 2.000 transações por segundo, enquanto o bitcoin pode, na melhor das hipóteses, processar quatro. O bitcoin possui uma blockchain não porque permite transações mais rápidas e baratas, mas porque elimina a necessidade de confiar na intermediação de terceiros: as transações são processadas porque os nós competem para verificá-las, e nenhum nó em específico precisa ser confiável. É inviável para terceiros intermediários imaginarem que eles poderiam melhorar seu desempenho empregando uma tecnologia que sacrifica eficiência e velocidade precisamente para remover terceiros intermediários. Para qualquer moeda controlada por uma parte central, sempre será mais eficiente registrar transações centralmente. O que pode ser visto com clareza é que os aplicativos de pagamento em blockchain terão que estar com a própria moeda descentralizada do blockchain, e não com moedas controladas centralmente.

Contratos

Atualmente, os contratos são elaborados por advogados, julgados pelos tribunais e executados pela polícia. Sistemas criptográficos de contrato inteligentes como o Ethereum codificam contratos em uma blockchain para torná-los auto-executáveis, sem possibilidade de recurso ou revisão e além do alcance dos tribunais e da polícia. "Código é lei" é um lema usado por programadores de contratos inteligentes. O problema com esse conceito é que a linguagem que os advogados usam para redigir contratos é compreendida por muito mais pessoas do que a linguagem de código usada pelos redatores de contratos inteligentes. Provavelmente, existem apenas algumas centenas de pessoas em todo o mundo com conhecimento técnico para entender completamente as implicações de um contrato inteligente, e até elas podem deixar passar batido bugs evidentes no software. Mesmo que mais pessoas se tornem proficientes nas linguagens de programação necessárias para operar esses contratos, as poucas pessoas com mais proficiência nisso, por definição, continuarão tendo uma vantagem sobre o restante. A competência em código sempre oferecerá uma vantagem estratégica para os mais proficientes sobre todos os outros.

Tudo isso ficou aparente com a primeira implementação de contratos inteligentes na rede Ethereum, a Organização Autônoma Descentralizada (DAO, em inglês). Depois que mais de US$ 150 milhões foram investidos nesse contrato inteligente, um invasor conseguiu executar o código de uma maneira que desviou cerca de um terço de todos os ativos do DAO para sua própria conta. Seria sem dúvida impreciso descrever esse ataque como um roubo, porque todos os depositantes aceitaram que seu dinheiro seria controlado pelo código e nada mais, e o atacante não fez nada além de executar o código conforme foi aceito por os depositantes. Após o hack do DAO, os desenvolvedores do Ethereum criaram uma nova versão do Ethereum em que esse erro inconveniente nunca ocorreu. Essa reinjeção do gerenciamento humano subjetivo está em desacordo com o objetivo de transformar o código em lei e questiona toda a lógica dos contratos inteligentes.

O Ethereum é a segundo maior blockchain após o bitcoin em termos de poder de processamento e, embora a blockchain do bitcoin não possa ser efetivamente revertida, o fato que Ethereum possa ser revertida significa que todos as blockchains menores que as do bitcoin são bancos de dados efetivamente centralizados sob o controle de seus operadores. Acontece que o código não é realmente lei, porque os operadores desses contratos podem substituir o que o contrato executa. Contratos inteligentes não substituíram tribunais por código, mas substituíram tribunais por desenvolvedores de software com pouca experiência, conhecimento ou responsabilidade na arbitragem. Resta saber se tribunais e advogados continuarão a não se envolverem, pois as ramificações dessas bifurcações continuam a ser exploradas.

O DAO foi a primeira e até agora única aplicação sofisticada de um contrato inteligente em uma blockchain, e a experiência sugere que uma implementação mais ampla ainda está muito distante, se alguma vez ocorrer. Atualmente, todas as outras aplicações existem apenas no protótipo. Talvez em um futuro hipotético em que seja muito mais usual saber programar e o código seja mais previsível e confiável, esses contratos possam se tornar mais comuns. Mas se a operação de tais contratos apenas aumentar o requisito de poder de processamento, enquanto os deixam sujeitos à edição, bifurcação e anulação pelos programadores da blockchain, todo o exercício não terá outro objetivo senão a geração de chavões e publicidade. Um futuro muito mais provável para contratos inteligentes é que eles existirão através de computadores centralizados e seguros, operados por terceiros confiáveis, com a capacidade de superá-los. Isso formaliza a realidade dos contratos inteligentes de blockchain como editáveis enquanto reduz o requisito de poder de processamento e reduz os vetores de ataque possíveis para comprometê-los.

Para blockchains operacionais reais, a demanda provavelmente só será encontrada para contratos simples cujo código possa ser facilmente verificado e compreendido. A única justificativa para empregar esses contratos em uma blockchain em vez de um sistema de computador centralizado seria que os contratos utilizassem a moeda nativa do blockchain de alguma forma, pois todos os outros contratos são melhor aplicados e supervisionados sem a carga extra de um sistema distribuído blockchain. Os únicos aplicativos de contrato de blockchain significativos existentes são para pagamentos simples programados no tempo e carteiras com várias assinaturas, todos executados com a moeda da própria blockchain, principalmente na rede bitcoin.

Gerenciamento de banco de dados e de registros

A Blockchain é um banco de dados confiável e à prova de violações e registro de ativos, mas apenas para a moeda nativa da blockchain e somente se a moeda for valiosa o suficiente para que a rede tenha poder de processamento forte o suficiente para resistir a ataques. Para qualquer outro ativo, físico ou digital, a blockchain é tão confiável quanto os responsáveis por estabelecer o vínculo entre o ativo e o que se refere a ele na blockchain. Não há ganhos de eficiência ou transparência ao usar uma blockchain autorizada aqui, pois a blockchain é tão confiável quanto a parte que concede permissão para escrever nele. A introdução da blockchain na manutenção de registros por uma das partes só vai torná-la mais lenta, sem adicionar segurança ou imutabilidade, porque não há prova-de-trabalho. A confiança em terceiros intermediários deve permanecer enquanto o poder de processamento e o tempo necessário para executar o banco de dados aumentam. Uma blockchain protegida com um *token* pode ser usada como um serviço notarial, em que contratos ou documentos são hasheados[18] em um

---

[18](N.T.) O verbo original aqui é *hashed*, derivado do substantivo *hash*, que foi explicado anteriormente no Capítulo 10

bloco de transações, permitindo que qualquer parte acesse o contrato e tenha certeza de que a versão exibida foi a hasheada naquele momento. Esse serviço fornecerá um mercado para espaços escassos nos blocos, mas é impraticável para qualquer blockchain sem moeda.

As desvantagens econômicas da tecnologia Blockchain

Tendo examinado anteriormente as três possíveis aplicações da tecnologia blockchain, identificam-se cinco principais obstáculos à adoção mais ampla:

1. Redundância

Ter todas as transações registradas com todos os membros da rede é uma redundância muito cara, cujo único objetivo é remover a intermediação. Para qualquer intermediário, financeiro ou jurídico, não faz sentido adicionar essa redundância enquanto permanecer um intermediário. Não há uma boa razão para um banco querer compartilhar um registro de todas as suas transações com todos os bancos, nem há uma razão para um banco querer gastar recursos significativos em eletricidade e poder de processamento para registrar as transações de outras instituições financeiras entre si. Essa redundância causa aumento de custos sem benefício concebível.

2. Escala

Uma rede distribuída em que todos os nós registram todas as transações verá seu registro de transações em comum crescer exponencialmente mais rápido que o número de membros da rede. O ônus de armazenamento e da computação nos membros de uma rede distribuída será muito maior que uma rede centralizada do mesmo tamanho. Blockchains sempre enfrentarão essa barreira para ganhar escala efetiva e isso explica por que, enquanto os desenvolvedores de bitcoin buscam soluções de escalabilidade, estão se afastando do modelo puro e descentralizado de blockchain em direção à liquidação de pagamentos em segundas camadas, como a Lightning Network ou fora do blockchain com intermediários. Há um claro *trade-off* entre escala e descentralização. Caso um blockchain seja feito para acomodar volumes maiores de transações, os blocos precisam ser maiores, o que aumentaria o custo de ingresso na rede e resultaria em menos nós. A rede tenderá à centralização como resultado. A maneira mais econômica de ter um grande volume de transações é a centralização em um nó.

3. Conformidade Regulatória

Blockchains com sua própria moeda, como bitcoin, existem ortogonalmente à lei; praticamente não há nada que qualquer autoridade governamental possa fazer para afetar ou alterar sua operação. A presidente do Federal Reserve chegou a dizer o mesmo: o Fed não tem nenhuma autoridade para regular o bitcoin[19]. Aproximadamente a cada dez minutos na rede bitcoin um novo bloco é liberado contendo todas as transações válidas feitas nesses dez minutos, e nada além disso. As transações serão liquidadas se forem válidas e não serão liquidadas se forem inválidas, e não há nada que os reguladores possam fazer para anular o consenso do poder de processamento da rede. Aplicar a tecnologia blockchain em indústrias fortemente regulamentadas, como direito ou finanças, com moedas diferentes de bitcoin resultará em problemas regulatórios e complicações legais. As regulamentações foram projetadas para uma infraestrutura muito diferente daquela do blockchain e as regras não podem ser facilmente adaptadas para se adequar à operação da blockchain, com a abertura radical de ter todos os registros distribuídos a todos os membros da rede. Além disso, um blockchain opera

---

[19] S. Russolillo, "Yellen on bitcoin: Fed Doesn't Have Authority to Regulate It in Any Way", *Wall Street Journal*, February 27, 2014.

on-line através de jurisdições com diferentes regras regulatórias, portanto, o cumprimento de todas as regras é difícil de garantir.

4. Irreversibilidade

Com pagamentos, contratos ou bancos de dados operados por intermediários, erros humanos ou de software podem ser facilmente revertidos, apelando ao intermediário. Em um blockchain, as coisas são infinitamente mais complicadas. Depois que um bloco é confirmado e novos blocos estão sendo anexados a ele, só é possível reverter qualquer uma de suas transações organizando 51% do poder de processamento da rede para reverter a rede, onde todos esses nós concordam em se mover simultaneamente para um blockchain alterado e com a esperança de que os outros 49% não queiram iniciar sua própria rede e se juntem à nova. Quanto maior a rede, mais difícil é reverter qualquer transação equivocada. Afinal, a tecnologia blockchain visa replicar transações em dinheiro on-line, o que inclui a irreversibilidade de transações em dinheiro e nenhum dos benefícios da custódia de intermediação em reparação e revisão. Erros humanos e de software ocorrem constantemente no setor bancário, e o emprego de uma estrutura de blockchain resultará apenas na correção mais dispendiosa desses erros. O incidente do DAO revelou quão cara e prolongada seria essa reversão em um blockchain, exigindo semanas de trabalho programando e fazendo campanhas de relações públicas para que os membros da rede concordassem em adotar o novo software. E mesmo depois de tudo isso, a antiga blockchain continuou a existir e retirou uma quantidade significativa do valor e do poder de hash da rede nova. Essa perda criou uma situação em que existem dois registros das transações anteriores, um em que o ataque do DAO teve êxito e outro em que não ocorreu.

Se a segunda maior rede em termos de poder de processamento

pode ter seu registro de blockchain alterado quando as transações não forem da maneira que atenda aos interesses de sua equipe de desenvolvimento, a noção de que qualquer outra blockchain seja realmente regulada pelo poder de processamento não é sustentável. A concentração das habilidades de detenção de moeda, poder de processamento e programação nas mãos de um grupo de pessoas que são, de fato, colegas em um empreendimento privado derruba o objetivo de implementar essa estrutura elaborada.

Essa reversão é extremamente impraticável e improvável no bitcoin, pelas razões discutidas no Capítulo 9, principalmente porque todas as partes da rede bitcoin só podem ingressar na rede concordando com as regras de consenso existentes. Os interesses contraditórios de diferentes membros do ecossistema sempre significaram que a rede só cresceu atraindo as contribuições voluntárias de pessoas dispostas a aceitar as regras de consenso. No bitcoin, as regras de consenso são constantes e os usuários podem optar por entrar e sair. Para todos os outros projetos de blockchain que foram estabelecidos imitando o design do bitcoin, sempre havia um único grupo responsável por definir as regras do sistema e, portanto, ter a capacidade de alterá-las. Enquanto o bitcoin cresceu em torno do conjunto de regras de consenso estabelecidas por meio da ação humana, todos os outros projetos cresceram por design e gerenciamento humano ativo. O bitcoin ganhou sua reputação de imutável após anos de resistência a alterações. Nenhum outro projeto de blockchain pode fazer tal afirmação.

Um blockchain que é alterável é um exercício funcionalmente inútil de sofismas de engenharia: ele usa um método complexo e caro para facilitar a remoção de intermediários e estabelecer a imuta-bilidade, mas concede ao intermediário a capacidade de anular essa imutabilidade. As melhores práticas atuais nesses campos contêm reversibilidade e supervisão por autoridades legais e reguladoras, mas empregam métodos mais baratos, mais rápidos e mais eficientes.

5. Segurança

A segurança de um banco de dados blockchain é totalmente dependente do gasto do poder de processamento na verificação de transações e na prova-de-trabalho. A tecnologia blockchain pode ser melhor entendida como a conversão de energia elétrica em registros indiscutíveis verificáveis de propriedade e transações. Para que esse sistema seja seguro, os verificadores que gastam o poder de processamento precisam ser compensados na moeda do próprio sistema de pagamento, para alinhar seus incentivos à saúde e à longevidade da rede. Caso o pagamento pelo poder de processamento seja feito em qualquer outra moeda, o blockchain é essencialmente um registro privado mantido por quem paga pelo poder de processamento. A segurança do sistema repousa na segurança da parte central que financia as mineradoras, mas é comprometida ao operar em um registro compartilhado, o que abre muitas possibilidades para que violações de segurança ocorram. Um sistema descentralizado aberto construído na verificação pelo poder de processamento é mais seguro quanto mais aberto o sistema e maior o número de membros da rede que gastam poder de processamento na verificação. Um sistema centralizado que dependa de um ponto único de falha é menos seguro com um número maior de membros da rede capazes de gravar no blockchain já que cada membro da rede adicionado é uma ameaça potencial à segurança.

Tecnologia Blockchain como Mecanismo de Produção de Dinheiro Eletrônico

A única aplicação comercialmente bem-sucedida da tecnologia blockchain até agora é o dinheiro eletrônico e, em particular, o bitcoin.

As aplicações potenciais mais comuns apontadas para a tecnologia blockchain - pagamentos, contratos e registro de ativos - só são viáveis na medida em que são executados usando a moeda descentralizada do blockchain. Todos os blockchains sem moedas não passaram do estágio de protótipo para a implementação comercial porque não podem competir com as melhores práticas atuais em seus mercados. O design do bitcoin está disponível gratuitamente on-line há nove anos, e os desenvolvedores podem copiá-lo e aprimorá-lo para apresentar produtos comerciais, mas nenhum desses produtos apareceu.

O teste de mercado mostra que as redundâncias de registro de transações e prova-de-trabalho só podem ser justificadas com o objetivo de produzir dinheiro eletrônico e uma rede de pagamento sem intermediação de terceiros. A propriedade e as transações eletrônicas de dinheiro podem ser comunicadas em quantidades muito pequenas de dados. Outros casos econômicos que precisam de mais requisitos de dados, como pagamentos em massa e contratos, tornam-se improdutivamente pesados no modelo de blockchain. Para qualquer aplicação que envolva intermediários, o blockchain oferecerá uma solução não competitiva. Não pode haver ampla adoção da tecnologia blockchain em indústrias que dependem da confiança de intermediários, porque a mera presença de intermediários faz com que todos os custos associados à execução de um blockchain sejam supérfluos. Qualquer aplicação da tecnologia blockchain só fará sentido comercial se sua operação depender do uso de dinheiro eletrônico e apenas se a desintermediação do dinheiro eletrônico fornecer benefícios econômicos que superem o uso de moedas e canais de pagamento regulares.

A boa engenharia começa com um problema claro e tenta encontrar a solução ideal para isso. Uma solução ótima não apenas resolve o problema, mas, por definição, não contém em si qualquer excesso irrelevante ou supérfluo. O criador do bitcoin foi motivado pela criação de um "dinheiro eletrônico ponto a ponto", e ele construiu um design para esse fim. Não há razão, exceto pela ignorância de sua mecânica, esperar que seja adequado para outras funções. Após nove anos e milhões de usuários, é seguro dizer que seu projeto conseguiu produzir *dinheiro digital* e, o que é de se esperar, nada mais. Esse dinheiro eletrônico pode ter aplicativos comerciais e digitais, mas não faz sentido discutir a tecnologia blockchain como uma inovação tecnológica por si só, com aplicações em vários campos. Blockchain é melhor entendido como uma roda dentada integral na máquina que cria dinheiro eletrônico ponto-a-ponto com inflação previsível.

AGRADECIMENTOS

E STE manuscrito se beneficiou imensamente da ajuda, orientação e conhecimento técnico do desenvolvedor de bitcoin David Harding, que tem um dom admirável por comunicar eficazmente tópicos técnicos complexos. Na Wiley, tive a sorte de trabalhar com um editor que acreditou no meu livro e me pressionou a melhorá-lo incansavelmente; por isso, sou extremamente grato a Bill Falloon, bem como a toda a equipe Wiley, por seu profissionalismo e eficiência. Agradeço também a Rachael Churchill por sua revisão completa e rápida.

Os rascunhos anteriores deste livro foram lidos por vários amigos que me deram um excelente feedback para melhorá-lo, pelo qual sou muito grato. Em particular, agradeço a Ahmad Ammous, Stefano Bertolo, Afshin Bigdeli, Andrea Bortolameazzi, Michael Byrne, Napoleon Cole, Adolfo Contreras, Rani Geha, Benjamin Geva, Michael Hartl, Alan Krassowski, Russell Lamberti, Parker Lewis, Alex Millar, Joshua Matettore, Daniel Oliver, Thomas Schellen, Valentin Schmit, Omar Shams, Jimmy Song, Luis Torras e Hachem Yassine.

Este livro é o resultado de um processo de aprendizado ao longo de muitos anos, durante os quais tive a sorte de aprender com algumas mentes muito brilhantes. Em particular, agradeço a Tuur Demeester, Ryan Dickherber, Pete Dushenski, Michel Fahed, Akin Fernandez, Viktor Geller, Michael Goldstein, Konrad Graf, Stacy Herbert, Max Keiser, Pontus Lindblom, Mircea Popescu, Pierre Rochard, Peter Šurda, Nick Szabo, Kyle Torpey e Curtis Yarvin pelos escritos e discussões que foram instrumentais no desenvolvimento do meu entendimento do bitcoin.

A pesquisa e edição deste livro se beneficiaram do trabalho de minhas muito capazes assistentes de pesquisa, Rebecca Daher, Ghida Hajj Diab, Maghy Farah, Sadim Sbeity e Racha Khayat, a quem sou muito grato. O professor George Hall gentilmente me forneceu dados de seu trabalho de pesquisa, pelo qual sou grato.

A reimpressão deste livro em 2021 se beneficiou de comentários astutos de Ross Ulbricht, David Killion e Angelino Desmet, bem como da revisão completa de Alexander Bradbury.

Finalmente, nem este livro nem o bitcoin seriam possíveis sem o trabalho incansável dos desenvolvedores voluntários que dedicaram seu tempo ao desenvolvimento e manutenção do protocolo. Eu sou grato por seu altruísmo e dedicação a este projeto.

BIBLIOGRAFIA

[1]   Nathaniel Popper. *Digital Gold*. Harper, 2015.

[2]   Ludwig von. Mises. *Human Action. The Scholar's Edition*. Auburn, AL: Ludwig von Mises Institute, 1998.

[3]   Carl Menger. *On the Origins of Money*. The Economic Journal 2, no. 6: 239–255, 1892.

[4]   Antal Fekete. "Whither Gold?" Em: *Disponível online* (1996). International Currency Prize 1996, www.professorfekete.com/articles/AEFWhitherGold.pdf.

[5]   Joseph Salerno. *Money: Sound and Unsound*. Ludwig von Mises Institute, 2010.

[6]   Nick Szabo. *Shelling Out: The Origins of Money*. 2002. URL: https://nakamotoInstitute.org.

[7]   Robert L. Schuettinger e Eamonn F. Butler. *Forty Centuries of Wage and Price Controls: How Not to Fight Inflation*. Ludwig von Mises Institute, 1979.

[8]   Ferdinand Lips. *Gold Wars: The Battle Against Sound Money as Seen from a Swiss Perspective*. New York: Foundation for the Advancement of Monetary Education, 2001.

[9]   Nellie Bly. *Around the World in Seventy-Two Days*. New York: Pictorial Weeklies, 1890.

[10] Malcolm Brown e Shirley Seaton. *Christmas Truce: The Western Front December 1914*. Macmillan, 2014.

[11] George Hall. *Exchange Rates and Casualties During the First World War*. Journal of Monetary Economics 51, no. 8: 1711–1742, 2004.

[12]   Friedrich Hayek. *Monetary Nationalism and International Stability*. Fairfield, NJ: Augustus Kelley, 1989, 1937.

[13]   Murray Rothbard. *America's Great Depression, 5th ed.* Auburn, AL: Ludwig von Mises Institute, 2000.

[14]   Henry Hazlitt. *The Failure of the New Economics*. NJ: D. Van Nosrat Company, Inc, 1959.

[15]   Otto Tod Mallery. *Economic Union and Durable Peace*. New York: Harper, 1943.

[16]   Robert Higgs. *World War II and the Triumph of Keynesianism*. Independent Institute, 2001. URL: http://www.independent.org/publications/ article.asp?id=3.

[17]   Paul Anthony Samuelson. *Full Employment after the War*. New York: McGraw-Hill, 1943.

[18]   Hans-Hermann Hoppe. *How Is Fiat Money Possible? Or, The Devolution of Money and Credit*. The Review of Austrian Economics 7, no. 2, 1994.

[19]   Ludwig von. Mises. *The Theory of Money and Credit, 2nd ed.* Irvington-on-Hudson, New York: Foundation for Economic Education, 1971.

[20]   Hans-Hermann Hoppe. *Democracy: The God That Failed*. New Brunswick: Transaction Publishers, 2001.

[21]   Walter Mischel, Ebbe B. Ebbesen e Antonette Raskoff Zeiss. *Cognitive and Attentional Mechanisms in Delay of Gratification*. Journal of Personality e Social Psychology 21, no. 2: 204–218, 1972.

[22]   Murray Rothbard. *Man, Economy, and State*. Ludwig von Mises Institute, 2009.

[23]   Eugen Böhm-Bawerk. *Capital and Interest: A Critical History of Economical Theory*. Vol. 1. Macmillan, 1890.

[24]   Abd Alrahman Ibn Khaldun. *Al-Muqaddima*. 1377.

[25]   Roland G. Kent. *The Edict of Diocletian Fixing Maximum Prices*. University of Pennsylvania Law Review 69: 35, 1920.

[26]   Roy W. Jastram. *The Golden Constant: The English and American Experience 1560–2007*. Edward Elgar, 2009.

[27]   H. L. Mencken e Malcolm Moos (eds.) *A Carnival of Buncombe*. Baltimore: Johns Hopkins Press, 1956.

[28]   Michael Holroyd. *Lytton Strachey: The New Biography*. Norton & Co., 2005.

Bibliografia

[29] David Felix. *Keynes: A Critical Life*. ABC-CLIO, 1999.

[30] Bryan Bunch e Alexander Hellemans. *The History of Science and Technology: A Browser's Guide to the Great Discoveries, Inventions, and the People Who Made Them from the Dawn of Time to Today*. Houghton Mifflin Harcourt, 2014.

[31] Jonathan Huebner. *A Possible Declining Trend for Worldwide Innovation*. Technological Forecasting e Social Change 72, no. 8: 980–986, 2005.

[32] Frances Stonor Saunders. *The Cultural Cold War: The CIA and the World of Arts and Letters*. ISBN 1-56584-596-X. The New Press, 2000.

[33] Jacques Barzun. *From Dawn to Decadence: 1500 to the Present—500 Years of Western Cultural Life*. New York: HarperCollins, 2000, 2000.

[34] Ludwig von. Mises. *Socialism: An Economic and Sociological Analysis*. Ludwig von Mises Institute, Auburn, AL, 1922.

[35] S. Courtois et al. *The Black Book of Communism: Crimes, Terror, Repression*. Harvard University Press, 1997.

[36] Friedrich Hayek. *Monetary Theory and the Trade Cycle*. Jonathan Cape, London, 1933.

[37] Friedrich Hayek. *A Tiger by the Tail*. Vol. 4. Laissez-Faire Books, 1983.

[38] Milton Friedman e Anna Schwartz. *A Monetary History of the United States, 1867–1960*. Princeton University Press, 2008.

[39] James Grant. *The Forgotten Depression: 1921: The Crash That Cured Itself*. Simon & Schuster, 2014.

[40] Murray Rothbard. *Economic Depressions: Their Cause and Cure*. Auburn, AL: Ludwig von Mises Institute, 2009.

[41] Friedrich Hayek. *Denationalization of Money*. Institute of Economic Affairs, 1976.

[42] Bank of International Settlements. "Triennial Central Bank Survey". Em: *Foreign Exchange Turnover in April 2016* (2016).

[43] George Gilder. *The Scandal of Money: Why Wall Street Recovers but the Economy Never Does*. Regnery Publishing, 2016.

[44] Bettina Bien Greaves. *Ludwig von Mises on Money and Inflation: A Synthesis of Several Lectures*. Ludwig von Mises Institute, 2010.

[45] John Maynard Keynes. *A Tract on Monetary Reform*. Macmillan, 1923.

[46]   Ben S. Bernanke. "Deflation: Making Sure 'It' Doesn't Happen Here." In
       Remarks by Governor Ben S. Bernanke Before the National Economists Club,
       Washington, D.C., November 21, 2002. Nov. de 2002.

[47]   Campbell McConnell, Stanley Brue e Sean Flynn. *Economics*. New York:
       McGraw-Hill, 2009.

[48]   Murray Rothbard. *The Austrian Theory of Money*. The Foundations of Modern
       Austrian Economics: 160–184, 1976.

[49]   Élie Halévyy e May Wallas. *The Age of Tyrannies*. Economica 8, New Series,
       no. 29: 77–9, 1941.

[50]   Murray Rothbard. *The End of Socialism and the Calculation Debate Revisited*.
       The Review of Austrian Economics 5, no. 2: 51–76, 1991.

[51]   John Maynard Keynes. *Essays in Persuasion*. W. W. Norton, 1963.

[52]   Murray Rothbard. *A Conversation with Murray Rothbard*. Austrian Economics
       Newsletter 11, no. 2 (Summer): 1–5, 1990.

[53]   James M. Buchanan e Gordon Tullock. *The Calculus of Consent: Logical
       Foundations of Constitutional Democracy*. Liberty Fund Indianapolis, 1962.

[54]   Mark Skousen. *The Perseverance of Paul Samuelson's Economics*. Journal of
       Economic Perspectives 11, no. 2: 137–152, 1997.

[55]   David Levy e Sandra Peart. *Soviet Growth and American Textbooks: An
       Endogenous Past*. Journal of Economic Behavior & Organization 78, no. 1–2:
       110–125, 2011.

[56]   Douglas W. Diamond e Philip H. Dybvig. *Bank Runs, Deposit Insurance, and
       Liquidity*. Journal of Political Economy 91, no. 3: 401–419, 1983.

[57]   Thomas Philippon e Ariell Reshef. *An International Look at the Growth of
       Modern Finance*. Journal of Economic Perspectives 27, no. 2: 73–96, 2013.

[58]   Ronald Coase. *The Nature of the Firm*. Economica 4, no. 16, 1937.

[59]   Nick Szabo. *Trusted Third Parties Are Security Holes*. 2001. URL: https:
       //nakamotoInstitute.org.

[60]   Konrad Graf. *On the Origins of Bitcoin: Stages of Monetary Evolution*.
       www.konradsgraf.com, 2013.

[61]   R. Merkle. *DAOs, Democracy and Governance*. Cryonics 37, no. 4 (July/August):
       28–40; Alcor, www.alcor.org, 2016.

[62]   Julian Simon. *The Ultimate Resource*. Princeton University Press, 1981.

Bibliografia

[63] Michael Kremer. *Population Growth and Technological Change: One Million B.C. to 1990*. Quarterly of Journal of Economics 108, no. 3: 681–716, 1993.

[64] James Davidson e William Rees-Mogg. *The Sovereign Individual: The Coming Economic Revolution*. McMillan, 1997.

[65] T. C. May. *Crypto Anarchy and Virtual Communities*. Disponível em nakamotoinstitute.org, 1994.

[66] Murray Rothbard. *The Ethics of Liberty*. New York, NY: New York University Press, 1998.

[67] Vernon Smith. *Rationality in Economics*. New York: Cambridge University Press, 2008.

[68] Adam Ferguson. *An Essay on the History of Civil Society*. London: T. Cadell, 1782.

[69] Mara Lemos Stein. *The Morning Risk Report: Terrorism Financing Via Bitcoin May Be Exaggerated*. Wall Street Journal, 2017.

[70] Saifedean Ammous. "Blockchain Technology: What Is It Good For?" Em: *Banking & Finance Law Review 33, no. 3 (Issue 1, 2018)* (2018).

Recursos Online

bitcoin.org: O domínio original utilizado por Nakamoto para anunciar o bitcoin, partilhar o *white paper*, e distribuir o código. Continua a ser gerido por vários contribuidores e serve como um sólido recurso de informação.

en.bitcoin.it/wiki/: Uma enciclopédia aberta com informação sobre o bitcoin, que contém informações úteis e geralmente atualizadas sobre o bitcoin.

nakamotoinstitute.org: O Instituto Satoshi Nakamoto é o curador de fontes de literatura fundamental sobre criptografia e sociedade, concentrando-se ainda na história e economia do bitcoin. Também mantém um arquivo de todos os textos conhecidos de Nakamoto: o livro branco do bitcoin, os emails que enviou, e os *forum posts* que fez.

Saifedean.com: A plataforma educacional do autor, que dá cursos de economia do bitcoin e da tradição da escola austríaca.

http://lopp.net/bitcoin.html: Uma página excelente, exaustiva, e regularmente atualizada com recursos acerca do bitcoin preservada por Jameson Lopp.

LISTA DE GRÁFICOS

LISTA DE TABELAS

ÍNDICE REMISSIVO

Índice Remissivo

Made in United States
Orlando, FL
15 January 2024

42514866R00232